FRANÇOISE MALLET-JORIS
de l'Académie Goncourt

Les larmes

Roman

Flammarion

500 050 009 90

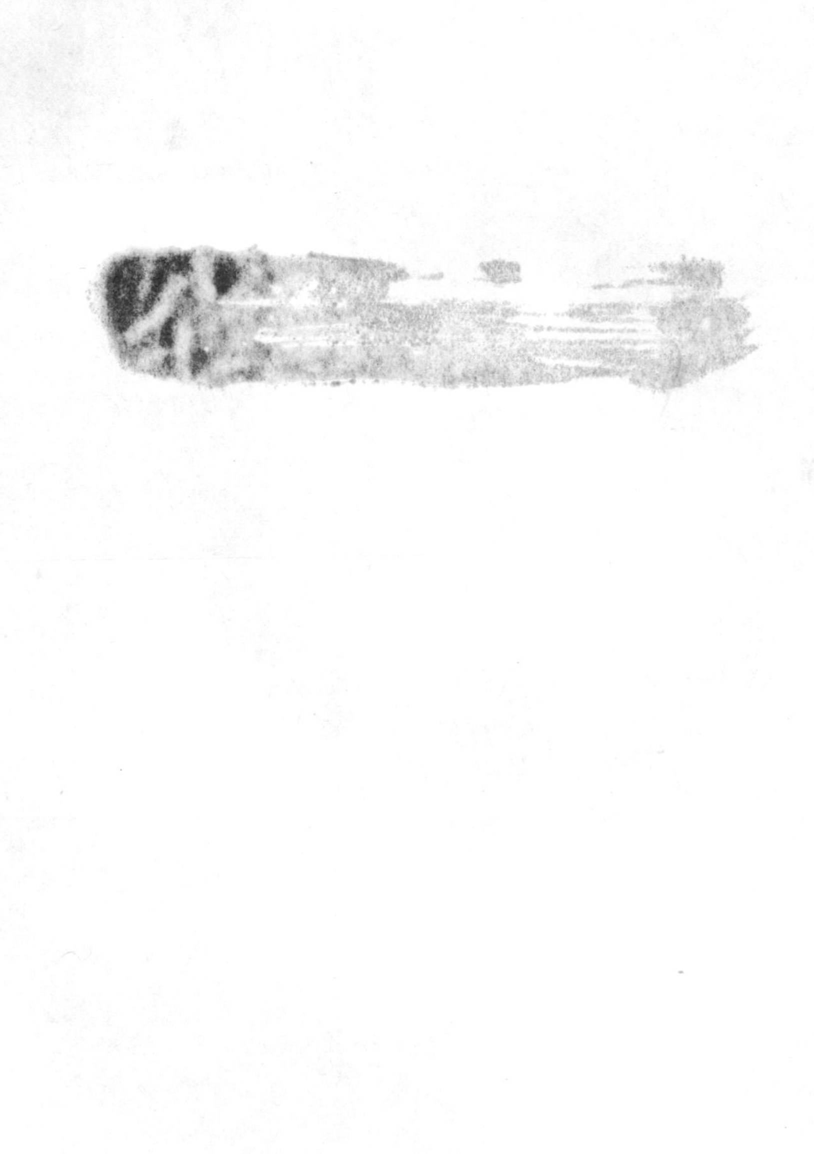

LES LARMES

Roman

DU MÊME AUTEUR

Aux Éditions Julliard

LE REMPART DES BÉGUINES, *roman.*
LA CHAMBRE ROUGE, *roman.*
CORDÉLIA, *nouvelles.*
LES MENSONGES, *roman* (prix des Libraires, 1957).
L'EMPIRE CÉLESTE, *roman* (prix Femina, 1958).
LES PERSONNAGES, *roman.*
LETTRE À MOI-MÊME.
MARIE MANCINI, LE PREMIER AMOUR DE LOUIS XIV (prix Monaco, 1965).
J'AURAIS VOULU JOUER DE L'ACCORDÉON, *essai.*

Aux Éditions Bernard Grasset

LES SIGNES ET LES PRODIGES, *roman.*
TROIS ÂGES DE LA NUIT, *histoires de sorcellerie.*
LA MAISON DE PAPIER, *roman.*
LE JEU DU SOUTERRAIN, *roman.*
ALLEGRA, *roman.*
DICKIE-ROI, *roman.*
UN CHAGRIN D'AMOUR ET D'AILLEURS, *roman.*

Aux Éditions Gallimard

LE CLIN D'ŒIL DE L'ANGE, *nouvelles.*
LE RIRE DE LAURA, *roman.*

Aux Éditions Flammarion

JEANNE GUYON, *biographie.*
LA TRISTESSE DU CERF-VOLANT, *roman.*
ADRIANA SPOSA, *roman.*
DIVINE, *roman.*

FRANÇOISE MALLET-JORIS
de l'Académie Goncourt

LES LARMES

ou

*la véritable histoire
d'un buste en cire,
de deux filles,
l'une triste, l'autre gaie,
d'un prince et d'un bourreau.*

D'où sont retranchées toutes moralités superflues.

FLAMMARION

ISBN 2-08-066717-3
Imprimé en France

Pour Georgette Bellondrade qui m'a soutenue de son amitié tout au long de la rédaction de ce livre.

CHAPITRE I

Ou Mademoiselle Catherine Lesueur, treize ans, est vendue comme une esclave circassienne, garde sa bonne humeur, rencontre un bourreau, se trouve un état et décide de faire un chef-d'œuvre.

J'avais treize ans, petite, ronde, le nez retroussé un peu plébéien, des taches de rousseur et des fossettes partout, quand mon père, le médecin Lesueur, un après-dîner où j'avais le privilège de le voir, ce qui n'arrivait pas souvent, me fit tenir devant lui, me regarda et dit, comme à lui-même et en rêvant : « Décidément, elle est laide, voire commune ; nul ne l'épousera sans dot. Et de nos jours, même les couvents vous demandent des sommes... des pensions. » Et se tournant vers un grand homme brusque et brun qui nous tournait le dos et fouillait dans la bibliothèque : « Qu'en pensez-vous, Chevalier ? » Sur ce, l'homme se retourna, dérangea sa perruque et, agacé, la posa sur un meuble, me regarda lui aussi et dit : « Il paraît que vous maniez la cire ? »

– Ce milieu de table, dit mon père (qui me vantait pour la première fois de sa vie), est fait de ses mains.

C'était le semblant d'une corbeille, débordante de fruits, que j'avais exécutée dernièrement sous la direction de mon amie Basseporte, qui travaillait la botanique.

– C'est un début, dit le Chevalier en haussant les épaules.

Enthousiasme mitigé... Voulait-il me commander une garniture?

– Voici le Chevalier Martinelli, dit mon père rondement. Il s'est fait chirurgien spécialisé dans la céroplastie, il a devant lui un grand avenir, il a été l'élève du célèbre Zumbo, et veut bien vous prendre en apprentissage. Remerciez.

Pour moi c'était du grec.

– Comment vous nommez-vous? me demanda l'escogriffe, en s'ébouriffant d'une main les cheveux qui se dressèrent en broussaille sur sa tête.

Il s'en aperçut et remit sa perruque tout de travers, ce qui lui fit la physionomie la plus étrange du monde.

– Catherine.

Et je lui fis la petite révérence que ma tante m'avait apprise comme le summum des accomplissements mondains.

– Faites votre baluchon, Catherine. L'affaire est faite. Je suis votre maître dès cet instant.

Il me sembla qu'il riait en prononçant ce mot de maître, qui s'avéra pourtant des plus exacts. Mais peut-être riait-il de ma mine effarée ou d'un peu de pitié à me voir si enfant. Je montai dans la chambrette que mon père me concédait et rassemblai mon vestiaire. Ce fut vite fait; j'avais grandi récemment et la moitié de mes hardes étaient déjà trop petites. Depuis le mariage inattendu de ma tante (qui, elle, avait trente ans, mais une dot), personne ne s'en occupait plus, et Dieu sait si ce n'est pas l'ennui d'avoir à me fournir une cotte et un jupon qui avait décidé mon père à cette singulière démarche. Car il n'est pas d'usage qu'un médecin, bourgeois de Paris, mette en apprentissage sa fille, quel que soit son peu de beauté.

L'homme était déjà sur le pas de la porte près de monter dans un fiacre de location.

– Allons-y, Catherine.

Mon père avait disparu, pour s'épargner l'embarras des adieux.

Je montai.

– Rue Poissonnière, à l'Hôtel des Arcoules! cria mon maître.

C'est ainsi que je fus vendue, en janvier de l'an 1715, comme une esclave circassienne.

Je partis vers l'inconnu, c'est-à-dire vers le faubourg Poissonnière, lequel, étant situé hors les murs, me parut aussi lointain, aussi exotique que si l'on m'avait envoyée aux Indes. C'était alors, ce faubourg, au-delà de la chaussée surélevée par laquelle passaient les voitures, une contrée bizarre, mi-ville et mi-campagne, où s'élevaient d'anciennes maisons des champs, souvent abandonnées, quelques hôtels nouvellement construits ou en train de se bâtir, des chaumières, des cabarets, des cultures, des rues qui étaient plutôt des esquisses ou des départs de rues, une chapelle, un vieux puits, une ou deux boutiques, tout cela voisinant parmi les ronces ou les labours dans un désordre qui m'étonna.

Plus encore m'étonna l'Hôtel des Arcoules où j'allais passer quelques années mémorables. Situé rue Bergère, l'hôtel présentait une belle façade imposante qui devait dater du roi Louis XIII et à laquelle on avait dû apporter, depuis, des aménagements, car tant le rez-de-chaussée que le premier étage avaient des vitres à toutes les fenêtres. J'en conçus quelque espoir, sinon de luxe, du moins de propreté. Las! Le portail ouvert, la vaste cour empierrée qui avait dû servir de centre à une construction en carré montrait sur notre gauche un amoncellement de pierres effondrées et des restes de murs envahis de broussailles. La façade rassurante était prolongée à droite par une tourelle suivie d'un large boyau dont je devais apprendre ensuite qu'il servait de cuisine. L'angle du fond comportait encore une tourelle, et un bâtiment fort long, mais au rez-de-chaussée aveugle, faisait face à la trompeuse façade.

Une large trouée, au fond de la cour, donnait sur un terrain mal planté, qu'on ne saurait appeler jardin sans outrance.

C'est vers ce bâtiment de fond que le Chevalier, sautant prestement du fiacre qu'il renvoya, se dirigea, ayant la bonté de me donner quelques explications : ce bâtiment arrière n'était qu'une surélévation, construite par l'ancienne propriétaire à l'usage de son domestique au-dessus d'anciennes écuries, lesquelles, ajouta-t-il d'un air encourageant, étaient fort vastes et nous serviraient de laboratoire. « On y est fort bien, dit-il, car la première tourelle que tu vois là fait office de chauffoir, et, par la cuisine, la chaleur monte dans la seconde et les chambres en bénéficient. »

J'écoutais, je me taisais, je serrais mon baluchon contre moi, je le suivais dans la seconde tourelle, qui abritait un escalier sans gloire, en colimaçon et fort étroit. Il s'y trouvait au premier une vaste chambre, sur laquelle il ne me fut donné que de jeter un coup d'œil, et qui tenait lieu d'appartement au maître de maison. Au second, sous les combles, la même vaste surface, partagée en trois par de pauvres cloisons, offrait le choix entre trois pièces encore assez grandes, mais qui n'étaient guère plus des « chambres » que le « jardin » n'était jardin.

– La cuisinière, qui est sortie, te fera monter un lit dans la chambre que tu choisiras, me dit mon maître. Je me loge en dessous, tu n'auras donc pas peur.

– De quoi aurais-je peur ? dis-je, non sans un petit effort de forfanterie. Y a-t-il des rats ?

– Des rats ? fit-il comme s'il n'y avait jamais songé. Des rats ? Non, vraiment, je ne crois pas.

Sur ce il me laissa – ayant, dit-il, à faire – dans la première de ces chambres, en face d'un miroir fêlé, d'une cheminée qui suivait l'inclinaison d'un parquet vétuste, et en compagnie de deux chaises, d'un coffre de marine, de plusieurs tableaux retournés contre le mur, d'une grosse lorgnette et d'un attirail de toilette au complet : cuvette, broc, boîte à savon, qui n'avait que l'inconvénient d'être posé par terre.

Deux hommes de peine arrivèrent à la nuit tombée, portant un lit d'occasion, creux en son centre, abondamment heurté à la muraille de l'escalier, et parurent attendre une rétribution que j'aurais été bien en peine de leur donner. Ils finirent par se retirer en grommelant, et moi, dans ma peur qu'ils ne revinssent, ayant bloqué la porte au moyen du coffre, en tirai deux couvertures encore fort propres, et me blottis dessous sans me déshabiller. Il faisait un froid inimaginable. Quant à souper, je n'en avais pas nourri l'espérance.

Ce furent mes débuts à l'Hôtel des Arcoules.

Le lendemain matin, comme je me hasardais à descendre, la servante, qui me dit se nommer Jeannette, s'exclama. Comment, je n'avais pas soupé ! Elle m'avait laissé un pot de soupe, du pain, du fromage de brebis, somptuosités qui m'attendaient dans la cuisine, située dans ce boyau que j'ai dit, mais ornée d'une porte-fenêtre à deux battants avec vitres, qui permettait de surveiller la cour. Et si elle avait su mon arrivée, elle aurait fait une flambée dans la cheminée qui, me dit-elle avec orgueil, « fonctionnait ».

– Vous ne logez donc pas dans la maison, Jeannette ?

– J'aurais bien trop peur, avec toutes ces expériences ! Et ces morts ! Dormir au-dessus des morts ! Je préférerais... je ne sais pas quoi ! Et puis j'ai des enfants.

Là-dessus le Chevalier entra et, s'asseyant sur un coin de table, se nourrit aussi frugalement que nous du reste de soupe et d'un quignon de pain, qu'il dévora d'un air content.

– Jeannette, ne raconte pas d'histoires à faire dresser les cheveux sur la tête à cette petite fille. Je me charge de l'initier. Finis d'abord de manger, petite Catherine.

– Vaut mieux ! dit la servante qui semblait avoir son franc-parler. Parce que après, elle pourrait bien perdre l'appétit !

La cuisine, communiquant avec le chauffoir, était tout en longueur, mais vaste et bien chauffée, contrairement à l'aile où je devais désormais demeurer et où je venais d'apprendre que Jeannette n'habitait pas. Pour être brève, un cocher intermittent, qui venait parfois chercher le maître et parfois faisait défaut, et un petit garçon dont l'occupation habituelle était de défricher le jardin mais qui, habillé de parties de vêture, les unes trop petites, les autres trop grandes, faisait dans certaines occasions office de laquais, formaient tout le domestique de l'Hôtel des Arcoules. J'y étais, en somme, de nuit, seule avec Martinelli.

– Viens, dit-il (je n'avais pas vidé mon assiette). C'est comme l'eau froide : mieux vaut s'y jeter d'un coup. Tu verras, on s'y fait très bien.

Et sur ces rassurantes paroles, sans prendre garde au froid extrêmement vif ni me laisser le temps de me couvrir d'un châle, il m'entraîna vers les écuries-laboratoire qui s'ouvraient du côté du jardin négligé. (Je devais constater très vite qu'il ne prenait pas garde à grand-chose, ni pour lui ni pour les autres.)

Le petit garçon dont j'ai parlé, qui pouvait avoir mon âge à peu près, brouettait du bois mort. Il me sembla qu'il me dévisageait d'un air moqueur.

Les écuries, comme les combles où je logeais, étaient divisées en trois vastes parties. Par les portes coulissantes formées de verrières (et une fois de plus je m'étonnai en silence du mélange de luxe et de misère qui régnait à l'Hôtel des Arcoules), je vis dans la première des alambics, des vases de cuivre, des mortiers, des grandes tables et, le long du mur, des casiers où fioles et boîtes étaient fort proprement rangées. La seconde porte s'ouvrait sur une pièce moins grande, blanchie à la chaux tout récemment, où tout l'attirail nécessaire au travail de la cire se trouvait étalé sur une table centrale, cependant que de petits casiers analogues aux premiers contenaient les couleurs, les pinceaux, les vernis, dont l'odeur même, rassurante, me montait aux narines.

– C'est là que je travaillerai?

– Là et à côté, dit-il laconiquement.

La dernière salle était, elle aussi, propre et ordonnée. La table centrale était en marbre, avec des rainures d'écoulement qui donnaient dans des seaux. Sur la table, un corps nu, dont la tête avait été sectionnée, était étendu. Il me parut étonnamment blanc, d'une blancheur qui n'avait rien d'humain. Ce corps était fendu d'une large incision rouge allant du sternum au pubis.

Tout autour, des sellettes, des moules, des sacs de plâtre, des instruments que je ne connaissais pas et qui eussent été certainement fort intéressants à observer, si je n'avais été contrainte de réunir toutes mes forces pour supporter la vue de cette chose inerte qui ne rappelait l'homme que par la plante des pieds, tournée vers moi. Il (la chose) avait les pieds sales.

– Je crois que je m'y ferai très bien, dis-je en affermissant ma voix.

Et je courus vers le jardin pour y vomir dans un coin.

Le Chevalier Martinelli, que ce fût vrai ou non (et je doutai longtemps de sa chevalerie), prétendait avoir été l'élève, le protégé, pour ne pas dire le fils adoptif, du fameux abbé Zummo, ou Zumbo, qui se fit connaître en France au début de notre siècle comme l'inventeur de la céroplastie, ou céroplastique ; on nomma ainsi cette science toute neuve. Il aurait eu l'idée de se servir de son adresse en matière de sculpture sur cire (spécialité sicilienne) pour fabriquer, après moulage, des pièces anatomiques qui n'eussent pas l'inconvénient de la corruption. Il vint en France, et présenta au Roi une fort belle tête d'écorché que Louis XIV admira. Notre savant Guillaume Desnoues le connut et, associé au sculpteur Lacroix, se lança dans la fabrication de ces moulages anatomiques, tout de suite fort recherchés. Cet « art » de la céroplastie s'adressait tant aux écoles, aux médecins, chirurgiens, étudiants, barbiers, qu'aux curieux désireux de s'instruire sans danger. On commençait même, me dit le Chevalier avec enthousiasme, à voir de ces pièces de cire dans des cabinets de curiosités, voisinant avec les minéraux, les animaux naturalisés, les fossiles, les planches de botanique.

C'était sans doute, avec cette petite adresse manuelle que j'avais acquise dans le maniement de la cire, ce qui avait incité mon père à me « confier » à cet homme étrange, lequel, seulement vêtu d'un justaucorps malgré le froid, allait et venait devant un corps sans vie, feignait de ne pas remarquer (ou ne remarquait pas ?) mes brusques fuites dans le jardin, prenait un scalpel et commençait sa besogne (de laquelle je détournais les yeux), reprenant à chacun de mes retours son discours, sans se soucier ni du froid ni de mes malaises.

– Mais vois-tu, le père Zummo – t'ai-je dit que c'était un homme d'Église? – n'a pas réellement innové, comme il a réussi à le faire croire. A mon sens, la céroplastie est une variante de l'embaumement des Égyptiens, ou peut-être même des Perses. Et la cire se travaillait en Grèce au VIe siècle avant Jésus-Christ, témoin le titre de la dixième ode d'Anacréon adressée à un Amour en cire... Oui, tu ne me suis pas. Quel âge dis-tu avoir? Treize ans et demi... J'aime cette demi-année qui te donne sans doute plus de maturité. Bien... Les amours n'étaient pas le fort de l'abbé Zummo. C'était un Sicilien comme moi, un esprit inventif, mais morbide. La cire des ex-voto, des envoûtements, il a commencé par la travailler pour créer de petits tableaux d'un goût! Les méfaits de la vieillesse, les ravages de la syphilis... Tu imagines! Puis l'idée lui est venue d'en faire profiter la science médicale, d'opérer par moulages et coulages de cire successifs, et nous voilà ses suiveurs. Ce travail-là peut te paraître peu ragoûtant, mais il est promis à un grand avenir...

Il parlait, il parlait, il riait, il tournait autour de la table en marbre et prélevait dans « la chose » étendue là des organes vers lesquels je commençais à jeter un regard rapide (puisqu'il fallait m'y habituer), et les déposait sur une planche noire. De temps en temps, il levait les yeux vers moi, d'un air d'encouragement distrait, me souriait, continuait avec entrain.

– Les fruits en cire que tu sculptais joliment, sais-tu qu'il s'en faisait déjà dans l'Antiquité, pour la célébration des fêtes d'Adonis? Qu'à Rome on exécutait les bustes en cire des ancêtres? Qu'Héliogabale, pour les frustrer, faisait servir des mets en cire à ses convives?

« Mais quel homme est-ce là ? » me demandai-je avec un effarement que je m'efforçais de dissimuler. Et lui :

– Tu n'as pas de chance, me dit-il avec gentillesse. Tomber d'emblée sur un appareil digestif !

Là-dessus, la servante Jeannette apparut sur le seuil du « laboratoire » et, sans quitter cet air farouche qui rendait sa laideur intéressante, s'écria :

– Êtes-vous fou, Monsieur ? Faire travailler une enfant, par ce froid, sans rien sur le dos ! Avez-vous mission de la tuer ? Regardez-la, elle est toute pâle. Ce n'est pas assez de voir votre boucherie, il faut encore qu'elle devienne pneumonique ? Prenez cela...

Elle me tendait une sorte de surcot fort sale et fort mité, et, comme j'hésitais à le prendre, non par délicatesse mais de crainte de mécontenter mon maître, elle reprit d'une voix plus douce :

– Allons, mettez-moi cela, et vite, petite Catherine.

A l'attention de cette femme, à la confusion du Chevalier qui restait là, scalpel en main, j'en augurai moins mal de mon séjour à l'Hôtel des Arcoules.

Non que je fusse fort contente.

Mais on s'habitue au mal de cœur, au mal de mer. Ma nature n'est pas timide. Plaintive encore moins. J'en voulais tout de même un peu à mon maître de cette confrontation brutale avec ce qui allait devenir mon état. J'en voulais à mon père de m'avoir cédée, le vieux cannibale, à ce découpeur de viande. J'en voulais même, par moments, à cette servante Jeannette qui m'avait traitée d'enfant, et à cause de laquelle j'étais, pour elle comme pour le Chevalier, et bientôt pour d'autres, la « petite » Catherine.

Mais quoi? Depuis mes onze ans, quand ma tante, sèche bigote qui me tenait lieu de chaperon sans excessive bonne grâce, ayant hérité d'un petit bien, s'offrit un garde suisse, bel homme sans cervelle qui lui fit bon usage (elle l'a toujours), j'attendais ma condamnation. Sans beauté et sans argent, c'était quelque couvent sans renommée, ou quelque barbon vénérien. La solution Martinelli avait le mérite de l'originalité. Si j'en étais, sous le rapport de la naissance (ma mère étant d'une petite noblesse à laquelle je croyais tenir), humiliée, je devais reconnaître que j'aurais pu plus mal tomber. Bénie soit donc ma tante qui, pour m'occuper, m'avait fait étudier l'art de sculpter la cire. J'avais ce don, l'habileté de mes doigts. Elle eût pu être mieux employée. Je sculptais des fleurs, des fruits, avec mon amie d'enfance Basseporte qui, plus tard, entra au Jardin du Roi pour y exécuter des albums de botanique. Si j'avais pu suivre cette voie! Mais il fallait quelque ressource pour suivre les cours préliminaires, et je suppose que Martinelli ne demandait rien.

Je n'allais pas lui en savoir gré. Car, dès le début, il me mit au travail le plus rude. Je fus équipée d'une vieille mais solide culotte, je superposai mes corsages trop minces et trop petits d'un lainage que la servante me prêta généreusement, le tout recouvert d'un tablier de cuir, et les cheveux cachés par un fichu (un cheveu dans la cire, c'est une rayure).

J'apprenais vite, car je voulais apprendre. Nous commencions dès l'aube, dans le froid, très vif cet hiver-là, et puis il s'agissait de faire durer les corps jusqu'à ce que nous en eussions tiré le maximum. Le corps se corrompt vite, est rare, coûte cher. J'appris cela, aussi, avec quelques taloches, en même temps que le moulage qui précède l'exécution des cires. Il faut généralement plusieurs corps pour réussir un moulage. Pour varier, de temps à autre, Martinelli sortait saigner et rapportait quelque argent.

J'appris encore bien d'autres choses ; au hasard de sa fantaisie, le Chevalier, qui semblait s'intéresser à tout et à n'importe quel moment, pendant que durcissait le plâtre, en mangeant (lui toujours debout), en faisant le ménage du laboratoire (fort négligent par ailleurs, il ne l'était pas en cela), m'administrait quelques notions d'astronomie, de botanique, d'histoire naturelle et d'histoire tout court (c'est à peine si je savais que nous vivions sous Louis XIV, qu'il appelait irrévérencieusement la Vieille Perruque), et, bien sûr, j'étais gorgée d'anatomie et de technique. Jusqu'à ce que mon père me cédât à lui, et contrairement aux usages, il pratiquait les deux disciplines, disséquant, moulant et sculptant tour à tour. Mais s'il réussissait fort bien les moulages en plâtre, le travail de la cire, plus minutieux, surtout dans la coloration, l'exaspérait. Il n'avait ni l'adresse ni la patience que ce travail exige. Et pourtant il l'enseignait à la perfection, et je crois pouvoir dire que, dès le troisième mois de cette cohabitation (que je me refusais encore à appeler plébéiennement « apprentissage »), je commençai à lui être vraiment utile.

Je commençais aussi à laisser tomber ma rancune. A quoi bon ? J'apprenais quelque chose, j'étais mieux nourrie que chez mon père, je récoltais même çà et là quelque compliment. Un mot aussi me fit comprendre que j'aurais pu plus mal tomber. Comme il était question de mon père et de sa ladrerie (Martinelli lui servait parfois de démonstrateur : tandis qu'en chaire mon père lisait quelque texte anatomique, à ses pieds, Martinelli disséquait, au théâtre anatomique ou en d'autres lieux. La chirurgie, métier mécanique, ou manuel, n'était pas alors fort considérée), je m'étonnai, le connaissant, qu'il ne m'eût pas mariée, dès le départ de ma tante, à un épouvantable commerçant en draperie, Maître Charron, goutteux, bourru, mais sans doute peu difficile, qui m'avait demandée. Le Chevalier éclata de rire.

– Mais voyons, Catherine, Lesueur aurait dû rendre des comptes ! Tu ne le savais pas ? Je crois que tu as quelque bien, pas grand-chose, du chef de ta mère. Si peu que ce soit, un mari l'eût réclamé. Et même un couvent...

– Mais alors... si vous ne m'aviez pas... embauchée (le mot passait mal mes lèvres, j'avais encore ancré ce préjugé de la naissance), qu'est-ce qu'il aurait fait de moi ?

– Il t'aurait peut-être mangée...

Il évitait toujours toute discussion sérieuse. Et me prenait pour une enfant, dont j'avais l'apparence. N'empêche qu'il m'avait plus ou moins sauvée. Il croyait rire, mais je jugeais mon père capable de tout. Un bouillon de onze heures est aisé à préparer pour un médecin, et les enfants meurent comme des mouches, c'est connu. On a tant parlé de poison à un moment du règne, qu'on a fini par n'y plus croire : c'est un argument, et c'est tout, une accusation que l'on porte pour se débarrasser de ceux que, justement, on n'empoisonne pas. Mais il reste quelques attardés qui usent d'arsenic, sans se soucier des modes. J'étais sûrement plus en sécurité à l'Hôtel des Arcoules que je ne l'étais dans la triste maison de mon père, rue des Bons-Enfants. Certes j'avais bien l'intention de n'y pas rester toute ma vie. En attendant, je pris mon parti de faire contre mauvaise fortune bon cœur.

– Tu verras, disait mon maître, comme je commençais à faire de sérieux progrès, dès que tu seras capable d'exécuter les pièces assez vite, nous gagnerons des fortunes. Partout on se lasse des accidents qui adviennent à cause de la corruption. Partout les professeurs demandent, pour l'enseignement, des pièces anatomiques en cire. C'est l'avenir. Et il y a une curiosité qui grandit chez l'amateur; on trouvera là, bientôt, un débouché...

Je le découvris laborieux, avec un sérieux qu'il cachait. Mais je continuais à le croire avare, à cause de nos brouets spartiates, des jours sans vin, des jours sans viande. Accoutumée à l'ignoble avarice de mon père, je le croyais affligé du même vice, avec plus de modération toutefois. J'ignorais qu'il n'y a pas de modération dans le vice : il n'y a que des débuts. Là encore je me détrompai.

Fort souvent, prétextant des trois enfants vivants qui lui restaient, Jeannette, la servante, était un jour sans venir, et j'étais tenue de remplir son office. Une fièvre, une toux, lui servait de prétexte. Et comme elle était fort irrégulièrement payée, le Chevalier ne protestait pas et, parfois même, lui envoyait par le petit garçon, cette fois promu commissionnaire, du bouillon et du pain. Je crus qu'il le défalquait de ses gages. Comme notre enfance nous marque! me dis-je par après. Un jour, donc, Jeannette absente, jouant les Cucendron je balayais la salle quand, venu du jardin, un beau grand homme, un peu fort, habillé en bourgeois, frappa, se tint sur le seuil et demanda mon maître d'une voix douce. Il avait de très beaux yeux noirs et un regard qui vous prenait en compte, tandis que mon maître, au regard vif, clair, intelligent, fort souvent vous regardait et ne vous voyait pas. Il y avait dans ces yeux noirs du visiteur une douceur, une attention, une tristesse, et presque cette langueur que l'on prête aux Orientaux. Il me plut. J'allais m'enquérir de son nom quand mon maître arriva tout courant des écuries, et, serrant la main de cet homme, sans plus de préambule s'enquit : « Charles! Et alors? »

– Rien, Chevalier. Rien pour le moment... Je suis désolé... Peut-être d'ici à une semaine... Et encore, il y en aura pour dix livres...

– Dix livres!

– Je ne vous les demanderai pas d'un seul coup. J'attendrai que vous ayez vendu quelques pièces.

– Je ne dis pas... Mais enfin, la Faculté vous les prend à trois livres, et moins!

– La Faculté use de son droit, Chevalier. Je n'ai pas de belles pièces tous les jours.

– Charles, je vous donne deux livres d'avance. Je ne puis pas plus. Réservez-moi quelque chose. Je n'ai plus rien en vue d'ici des semaines. Il faut que j'aie un ensemble pour pouvoir le montrer, comprenez-vous...

– C'est bien parce que vous êtes un ami, dit l'homme à la voix douce.

Il prit l'argent, me regarda.

– C'est une jeune fille? dit-il avec quelque surprise.

– Ça? Ma foi, oui. Enfin, je crois... C'est mon élève.

– Vous êtes bien courageuse, mon enfant, de faire un tel métier, dit-il. Je reviendrai ce soir vous rendre réponse.

Et s'en fut.

– C'est un garçon d'amphithéâtre, ce bel homme? dis-je avec quelque regret, car j'avais compris qu'ils marchandaient ce que mon maître appelait élégamment du « matériel ».

– Tu le trouves bien? dit mon maître en riant.

– Il a de beaux yeux, une contenance aisée... Un peu trop mélancolique pour plaire, à mon sens. C'est un homme qui a dû souffrir beaucoup, non?

Mon maître me regarda, comme interloqué, puis se remit à rire.

– Oh! ce n'est pas impossible! On dit pourtant qu'il a plutôt fait souffrir les autres...

Tout en parlant, il s'était versé un verre de vin d'un fond de bouteille qui nous restait, avait saisi une cuisse de canard qui traînait sur une assiette depuis la veille (c'était les seules victuailles en vue, Jeannette n'étant pas venue), mais il riait tellement qu'il faillit s'étouffer avec sa malheureuse gorgée de vin.

– Je n'aurais pas cru, dis-je. Il a un air si décent...

C'était vrai. Ce visage régulier, un peu lourd, un peu grave, ne me semblait pas appartenir à un débauché ni à un pervers. Et ce réjouissement extraordinaire de mon maître me semblait inexplicable et hors de propos. Prenant en pitié mon effarement, il finit par s'essuyer les joues avec sa serviette de table (se souillant sans s'en apercevoir de jus de canard) et, à travers le rire qui mourait en lui, le secouant encore de brèves quintes, il me donna la clé de sa gaieté soudaine.

– Mais c'est Sanson, ma petite enfant! Un ami que je garde à mon usage privé! Sanson, voyons! Le bourreau de Paris!

Plus tard je connus des fossoyeurs, des garçons d'amphithéâtre, des employés de l'Hôtel-Dieu, qui nous cédèrent du « matériel », et je m'y fis, comme mon maître me l'avait prédit, et même j'en plaisantai avec lui (non sans toutefois un petit malaise), comme font tous ceux qui ont, quotidiennement, affaire à la mort. Le plus souvent nous n'avions du reste affaire à la mort qu'en pièces détachées, ce qui facilitait les choses. Mais jamais plus je ne ressentis ce froid saisissement, cette stupeur incrédule qui me frappèrent la première fois que revint cet homme qui parlait d'une voix si douce, avait si bonne façon et de grands yeux sombres et doux, et qui était le bourreau. Plus tard je le connus, je connus que tous avaient devant lui ce recul qui marquait de l'horreur et qui marquait du respect. Mais cette première fois, je ne pensais pas à lui comme à un homme. C'était comme un symbole qui fût entré dans la cuisine. Quand il fut reparti, après cette seconde visite (Jeannette était encore absente) :

– Catherine, est-ce que nous allons souper? dit le Chevalier.

– C'est qu'il n'y a rien, mais rien, Monsieur.

– Ne m'appelle pas Monsieur, voyons! Tu n'es pas servante! N'as-tu pas d'argent?

– Décidément, vous aimez à rire.

– Oui... je vois que nous en sommes réduits aux expédients...

Et le voilà qui court dans sa chambre, se saisit d'un habit brun encore fort propre, le jette sur son bras et sort en tourbillon, à pied. Que faire? Je m'assieds dans la cuisine, feuilletant un exemplaire du *Diable boiteux*, cadeau de Basseporte, mon amie, que je relis de temps en temps pour me distraire. Tout le monde ne peut pas lire *L'Astrée*! Mais je n'arrive pas à fixer mes pensées. La faim me donne des idées noires. Martinelli est parti bien vite. S'il allait ne pas revenir? Qu'est-ce que je fais là? Comment une fille de naissance honorable peut-elle se trouver, affamée, dans un hôtel délabré, hors les murs, manipulant des organes sanguinolents et rencontrant d'une manière toute normale un bourreau de Paris? Je suis presque endormie, dans un rêve où se côtoient le grotesque et le cauchemar (le bourreau tente de me trancher la tête, mais je suis une oie et je me réjouis, dédoublée, de ma mort, car je vais pouvoir me manger), quand le Chevalier réapparaît, triomphant, sans son habit brun, mais muni d'un énorme pâté en croûte, d'une mortadelle, d'un petit chapon et d'un gros jambon de Sardaigne. Ce dernier, explique-t-il, destiné à être pendu dans sa chambre et à constituer une « réserve ». Il a aussi dans l'une de ses poches une bouteille de vin, et à la joie qui règne tout à coup entre nous, à l'œil brillant et aux lèvres gourmandes de mon maître s'adjugeant une part considérable du pâté, lampant trois verres sans reprendre haleine et m'invitant à en faire autant, je comprends qu'encore une fois mon inexpérience m'a trompée : Martinelli n'est pas avare, il est, du moins momentanément, démuni. Du coup, l'épisode du bouillon envoyé à Jeannette prend une autre coloration, et je suis presque prête à pardonner à cet homme qui se dit l'ami du bourreau. Nécessité fait loi. Sans « matériel », comment peut-il vivre? Je m'émeus. Peut-être suis-je un peu ivre, car, avant d'avoir mis le pied à l'Hôtel des Arcoules, je n'avais jamais bu une goutte de vin. Je porte la santé de mon maître. Il commence à me devenir sympathique, ou alors c'est que je m'habitue. Mangeons.

Madeleine Basseporte vint me voir cet été-là, en cachette de sa parenté, de ses maîtres, de ses amis les plus proches. On eût dit que le faubourg Poissonnière était un repaire de lépreux! Il fallait qu'elle m'aimât bien pour braver ainsi le discrédit dont j'étais l'objet sans le savoir. C'était une véritable amie. De cette amitié elle faisait un peu valoir le prix, voilà tout.

Elle se récria de me voir, dans mon tablier de cuir, si semblable à ces petits garçons qu'on engage pour tout faire qu'elle ne me reconnut pas d'emblée.

– Mon Dieu, Catherine! Comme te voilà faite! Et tes beaux cheveux, tout emmêlés, tout salis! Il faudra les couper et porter perruque si jamais tu sors d'ici...

Elle disait « ici » comme s'il se fût agi d'un enfer. Je lui fis voir nos travaux. Huit mois avaient passé, je commençais à me débrouiller gentiment, sans posséder encore toutes les nuances des couleurs nécessaires pour exécuter les veinules, les artérioles, mais j'y arriverais. Madeleine s'intéressa car, tout répugnant qu'il lui parût, ce travail n'était pas si différent du sien qu'elle ne pût me donner quelques conseils.

Elle a passé notre enfance, du reste, à me donner des conseils, c'est son tempérament. Elle fera merveille comme enseignant au Jardin du Roi, quand le temps sera venu. Elle est grande, blonde comme moi mais d'un blond doré, éclatant (tandis que mes cheveux cendrés étaient appelés par ma tante « ta filasse ») ; elle a un bel ovale grave qui contraste avec ma figure ronde, un nez légèrement aquilin qui lui donne grand air, elle a de la taille, de la gorge, tandis que je reste à la fois potelée et plate (et petite ! Petite ! Chaque fois qu'on m'appelle « petite Catherine » c'est comme si on me souffletait). Bref, Basseporte, avec derrière elle sa parenté, son aisance, son assurance, son avenir, est bien bonne en effet de se hasarder hors les murs par pure amitié, et je devrais lui en être reconnaissante. L'ennui, c'est que je ne suis pas reconnaissante.

– Enfin, dit-elle en sortant du domaine qui est le mien, où je colore les cires qui sont prêtes, tu as beau dire, c'est un travail mécanique. Et dangereux. Ton père est bien coupable...

Je ne suis pas reconnaissante et je ne veux pas être plainte.

– Oh ! nous disposons d'une salle très fraîche, pour les corps, et le Chevalier dissèque vite et bien.

– Le Chevalier ! dit Basseporte en s'éventant d'un mouchoir. Est-ce qu'un chevalier devient chirurgien, voyons ! En réalité, on ne sait pas qui il est, nulle part. Tu penses que je me suis renseignée. Tu es complètement à sa merci. Tu n'as même pas les garanties qu'on donne à une servante, à un garçon de campagne, le denier à Dieu, le vêtement. Il pourrait te laisser mourir de faim, abuser de toi... Ris !

Ris! Cela s'est vu, et pour des filles plus jeunes que toi! Ou simplement, par manque de précaution, te laisser mourir.

De tous ces arguments, seul le dernier me parut raisonnable. On a vu plus d'un exemple de médecins (et même la Faculté ne les protège pas contre ce petit inconvénient inhérent à la profession), de chirurgiens, et même de garçons de salle, et même de postulants à la licence tenus de faire une démonstration anatomique, sortir de là chancelants, pour aller prendre le lit. On leur promet un cadavre frais sorti des mains du bourreau ou des hôpitaux où, soi-disant, on les a mis dans la hotte du commissionnaire à peine le dernier soupir poussé (« Même avant! Même avant! » proteste le porteur de hotte plein de zèle. Délicieux!), et c'est une vieille charogne de trois jours et plus qui, au premier coup de scalpel, dégage des gaz méphitiques à faire fuir. On aère un peu, parfois on se lave les mains (du moins c'est ce que fait mon maître, et m'oblige à le faire avant et après le travail, mais c'est un original), et on se lance quand même. On a une commande, et qui sait quand on aura à nouveau du « matériel »? Parfois Martinelli me donne un mouchoir imbibé d'essences vinaigrées. Il paraît que cela protège.

– Espérons! dit Madeleine. Espérons. Dernièrement encore, pour avoir disséqué, sur ordre de la Faculté ou plutôt du doyen, un sujet presque décomposé, sur quatre candidats qui devaient faire la démonstration anatomique du foie et de ses annexes, l'un est mort et les trois autres pas encore remis.

– C'est pour me dire cela que tu es venue me voir?

– Pas seulement, dit-elle avec une trace d'embarras. C'est pour te dire d'être prudente, très prudente. Sors peu. Ne t'approche pas de ton ancien quartier. C'est aussi important que de te laver les mains.

– Mais pourquoi?

– Ma petite Catherine, tu vois bien qu'on ne te dit rien! Ce n'est sans doute pas la faute de ton Chevalier, mais ton père a répandu partout le bruit que tu t'es enfuie sans son aveu, pour apprendre la chirurgie. Idée absurde, incompréhensible, dont chacun te blâme. Et ce n'est pas la seule supposition que l'on puisse faire... Allons, ne t'inquiète pas trop. Dès que je serai sur un pied plus assuré au Jardin du Roi, je parlerai de ton cas à Monsieur Fagon, un ami de mon père et du tien, et nous essaierons de te sortir de là. En attendant, fais-toi oublier.

Mais c'est que je ne voulais pas me faire oublier, moi! Et même c'était tout le contraire! J'avais eu quatorze ans le 16 juin, et j'avais un projet: je m'étais dit, faisant contre mauvaise fortune bon cœur, qu'avec le temps je pourrais former avec mon maître la même relation que Desnoues avec Lacroix, bien que femme, et, faute d'autre chose, faire fortune, connaître un peu de gloire. Je confiai ce rêve à Madeleine.

– Qui sait si je ne pourrai pas, alors, comme ma tante, m'acheter un garde suisse?

Je plaisantais. Mais Madeleine, prenant congé, m'embrassa, ce qui me surprit car elle n'était pas démonstrative (« C'est pour ton jour de naissance! »), et m'inquiéta car il y avait de l'adieu dans cet embrassement.

– Et pourquoi pas un chirurgien? Si tu l'épousais, cela résoudrait tout.

Madeleine m'avait fait voir le piège où j'étais tombée. L'idée saugrenue de mon père de me confier au Chevalier m'avait d'abord effarée, puis, par son inattendu même, paru en somme acceptable, voire amusante. Il m'avait semblé aussi qu'elle n'était que provisoire. Je sortirai d'ici quand je voudrai, me disais-je. Aujourd'hui que, depuis plus de huit mois, je gâchais le plâtre, vivant quasi seule avec un homme seul, dont le cocher et la cuisinière se retiraient le soir, je découvris ce que cela voulait dire. Aucune revendication n'était plus possible. Elle serait accueillie par des rires indignés. Une fille qui exerce l'état qui était le mien passerait pour une demi-folle; une fille qui vivait avec un homme comme je vivais avec le Chevalier, pour une dévergondée. Encore heureux si mon père ne me dénonçait pas pour mauvaises mœurs (n'était-ce pas ce qu'il préparait, en me prétendant fugitive?), ce qui m'aurait gentiment conduite à la Salpêtrière.

Mon inquiétude dut paraître car, au souper que nous prîmes ensemble, le Chevalier et moi, assez tard – il revenait de faire la tournée de ces cafés à nouvellistes où il se délassait en écoutant les ragots –, il me dit :

– Qu'est-ce qui te tracasse, Catherine?

Je lui fis part de la visite et des propos de Basseporte, ainsi que des réflexions qu'elle m'inspirait.

– Tu ne le savais donc pas, tout cela, Catherine? dit-il avec une compassion ironique. C'est vrai que tu es si enfant...

Aucune réflexion ne pouvait me désobliger davantage.

– Je viens d'avoir quatorze ans.

– Bonne à marier, n'est-ce pas?

– Ne vous moquez pas. Je viens de comprendre que je n'aurai jamais, à cause de vous, une vie normale. Et cela vous fait rire!

– Ta mère a eu une vie normale, et elle est morte en couches, dit-il sèchement. (Il s'impatientait vite.) Ma mère a eu une vie normale, sur dix enfants elle en a gardé quatre, elle a veillé sur sa maison et filé de la laine comme le modèle classique de la Romaine, elle n'a jamais lu un livre et elle a croupi toute sa vie dans l'abrutissement et le rhumatisme...

avant de mourir... (il s'arrêta un moment)... misérablement. Mon père a travaillé la terre et est tombé d'épuisement. Mon frère aîné est parti pour Naples et a été enrôlé par les Autrichiens; on ne sait pas même s'il vit, ni où. C'est cela une vie normale. Alors?

– Nous aussi, dis-je, par obstination, nous pourrions mourir d'accident. Une infection...

– Petite mule! (Il se tourna si brusquement qu'il renversa l'huilier qui lui tacha la manche.) Tu crois qu'il n'y a jamais pensé, ton père?

Je restai sans voix. Mes déductions n'étaient pas allées jusque-là. Mon maître allait et venait dans la pièce, embarrassé de sa colère et de ce qu'il venait de me dire. Il était fort grand, fort maigre, brun de cheveux et de peau, mais les yeux clairs et le regard perçant, avec des traits frappants, énergiques et sans beauté. Il se rassit et s'éclaircit la voix qu'il avait rapide et brève, et par à-coups volubile, sarcastique souvent, embarrassée jamais. Aussi je fus surprise, presque touchée, de le voir chercher ses mots.

– Je ne voulais pas prétendre... Sans doute, le vieux lézard a voulu se débarrasser de toi, mais pas de cette façon. Non! Je suis même sûr qu'il n'y a pas pensé. Voyons! s'il avait voulu, il était chez lui, c'était facile!

– Facile, mais dangereux. Tandis qu'ici, la faute retombait sur moi, et l'accident sur vous...

– Eh bien nous sommes dans le même sac, dit-il avec une gaieté feinte. Mais il n'y aura pas d'accident, ma petite Catherine. Il n'y en aura pas. Et bientôt le vieux Roi va mourir, et ce seront d'autres temps pour nous. Nous ferons fortune, nous voyagerons. Je te permettrai même l'amusement de devenir un peu femme... dentelles, parfums, que sais-je? En attendant, veux-tu que je t'achète une robe?

– Et une poupée, n'est-ce pas?

Petite Catherine ! Tout de même, il avait dit « nous » plusieurs fois. Était-ce une berceuse ? une moquerie ? Que ne l'avait-il dit avec les beaux yeux noirs de Monsieur Sanson ! On peut bien se permettre de rêver, de temps en temps.

Le 1er septembre 1715, le roi Louis XIV mourut. J'eus quatorze ans trois mois, une robe neuve, et je vis pour la première fois chez le volailler Demoiselle Antoinette Sicard. Ces événements me parurent tous d'importance égale. Jeannette m'avait avertie la veille qu'une fièvre tierce ou quarte s'était abattue sur son petit Lucien, et, bien que je lui aie affirmé que ces fièvres n'existaient plus depuis un grand médecin appelé Molière, j'avais compris qu'il ne fallait pas compter sur elle ce jour-là. Aggravation de cet embarras, devant ma mauvaise humeur, car ses tâches retombaient automatiquement sur moi, elle avait ajouté d'un air de défi boudeur que non seulement ces fièvres existaient, mais qu'elles étaient contagieuses. Ce qui signifiait qu'elles pouvaient gagner ses deux autres marmots, et que l'absente pouvait ne pas revenir avant une semaine. Parfait. Je mis mes deux jupons, le plus long couvrant l'autre, mes trois corsages (dont les trous n'étant pas aux mêmes endroits se prêtaient assistance) qui en formaient un seul, un peu bariolé, et par-dessus, le châle de Jeannette, et je m'en fus à pied, avec un panier. Ce n'était pas la première fois, mais j'en étais aussi fâchée. Je sortis tôt pour n'être pas remarquée. Les maraîchers chargeaient leurs carrioles et m'apostrophaient. Du moins je ne risquais pas de les rencontrer un jour dans la société où je désirais m'introduire.

Quand j'entrai dans la boutique, demandant un petit chapon, j'y pensais encore : comment réussir dans le monde avec un seul jupon portable ? Une femme, grande, élancée, avec un bonnet gris sur des cheveux noués en un petit chignon, demandait « de la volaille » en souriant dans le vide.

– Mais quelle volaille? Et combien? Une pintade? De l'oie? Pour combien de personnes?

– Je ne sais pas encore. Je veux donner un petit souper, je veux aller au bal, je veux célébrer dignement la chose... Donnez-moi des macreuses, tenez. Trois.

– C'est qu'elles sont chères, vous savez! fit observer la volaillère avec moins de prévenance que de soupçon.

La femme produisit une pièce d'or, toujours souriant, et même fredonnant tout bas.

– Très bien, très bien... Je vous les enveloppe. Ce que j'en disais...

Et, en se retournant pour chercher un chiffon, la marchande grommela à mon intention :

– On dit bien justement : ce qui vient par la flûte s'en va par le tambour...

La femme prit son paquet, sa monnaie, et s'en alla d'un joli pas vif et sans hâte. On eût dit qu'elle dansait déjà. Comme elle m'avait frôlée sans me voir, je remarquai ses yeux d'un gris singulier, assortis au bonnet.

– Qui est-ce? dis-je à la marchande. Et pourquoi veut-elle danser?

– C'est une fille de la rue d'Enfer. Ces filles-là... Et ça se dit brodeuse de fin! Pourquoi elle veut danser? A cause de la mort du vieux Roi, tiens!

– Et qu'est-ce que ça peut lui faire?

– Vous lui demanderez, hein!

Elle me donna mon chapon et me fit sentir que je n'avais qu'à décamper. Elle me prenait pour une petite servante, et depuis les mises en garde de Basseporte, je n'avais plus envie de la détromper. D'ailleurs pourquoi eût-elle été aimable? Nous n'étions pas de bonnes paies. Il faut dire qu'il n'en fourmillait pas dans le quartier.

Je rentrai en musant, pour trouver le Chevalier dans une agitation prodigieuse ; il était dans la cuisine où j'allai déposer mon chapon, marchant de long en large sur ses grands échalas de jambes, sans perruque, l'habit aussi chiffonné que s'il se fût roulé dans les foins, ses cheveux bruns, demi-courts et mal coupés, tout en désordre, et son visage expressif troué de petite vérole, montrant de l'espoir et de la perplexité. Il marchait, s'asseyait, se relevait, se versait du vin d'une bouteille de bonne apparence, et, sans préambule, m'offrit d'en faire autant.

– Tiens ! Bois, bois. Cela te mettra du rose aux joues. Tu sais la nouvelle ?

– J'ai entendu chez le volailler...

– Cela peut amener bien des nouveautés, ma mie ! Bien des nouveautés ! Il faut attendre et voir comment cela va tourner. Le testament sera lu demain.

– Et il vous lègue quelque chose ? persiflai-je.

Je ne comprenais pas une telle agitation autour d'un fait qui, à mon sens, ne pouvait rien changer pour nous. L'église Saint-Laurent et la rue Bergère sont bien loin de Versailles, et presque autant du Palais-Royal.

– Il t'a légué quelque chose à toi, dit le Chevalier, décidément d'humeur badine. Tiens ce paquet.

Et il me jeta un gros paquet enveloppé d'une toile bise, que je me hâtai d'ouvrir, et qui contenait une robe. Une robe ! Une robe complète, corsage, jupon cousu à la jupe, petites poches, fichu drapé. Une robe un peu légère, dans laquelle je grelotterais déjà en octobre, et salissante, car elle était d'un ton crème parsemé de bouquets. Un bon gros tissu de laine eût mieux fait l'affaire pour l'hiver. Une robe choisie par un homme. Mais une robe ! Et quand je l'eus revêtue, cette robe, en dehors d'un peu de gorge qui me manquait, elle m'allait à la perfection.

C'était ma première robe, en somme. Car, quand j'étais chez mon père, il s'était refusé obstinément depuis deux ans à renouveler un trousseau embryonnaire que ma tante, femme de devoir, m'avait constitué. Ce qui fait que je portais toujours à treize ans mes jupes de petite fille, qu'on finirait par voir éclater sur moi. D'ailleurs, tant ces cottes plissées à la paysanne étaient courtes qu'on voyait poindre mes mollets, et cela c'était le déshonneur pour le père et pour la fille. « Ça presse! marmonnait mon père de temps à autre en regardant mes jambes. Ça presse. » Il avait bien été question de patienter deux ou trois ans pour que Basseporte, dont les parents m'en avaient fait l'obligeante promesse, m'introduisît à sa suite au Jardin du Roi. Je me serais trouvée là dans un milieu honorable, dans un état qui m'eût permis de me constituer la dot que je croyais ne pas avoir. Oui, mais deux ou trois ans, cela signifiait combien de jupes et de jupons? Combien de quignons frottés d'ail ou de saindoux? Combien de noix accompagnées d'un peu de blanc-manger? Car c'était le plus clair de ma nourriture avant les platées de fèves de l'Hôtel des Arcoules, plus abondantes sinon plus somptueuses. Et voilà qu'il me venait une robe! Dieu sait ce qui suivrait! Je reprenais espoir. Le Roi est mort, vive le Roi! Je ne voyais pas bien clairement le rapport entre ma robe et le nouveau règne, mais j'étais prête à danser, comme la cliente du volailler.

Il semble que je n'étais pas la seule. Dès le lendemain matin, une agitation prodigieuse régna dans la maison. Jeannette réapparut, avec son gros poupon malodorant qu'elle installa dans le chauffoir. Le Chevalier, dont ce n'était guère l'habitude, se leva dès l'aube, fit une toilette tout aussi inusitée, et s'en fut au café recueillir des nouvelles. J'eus beau le supplier : « Mais Monsieur Sanson nous apporte tout à l'heure une jambe! Qu'est-ce que je vais faire sans vous? », il ne prit même pas le temps de répondre, enfonça sa perruque sur sa tête d'un coup de poing, et s'en fut dans une chaise qu'il avait fait venir. Tout cela pour la mort de la Vieille Perruque! Mais qu'est-ce que cela pouvait lui faire? Et moi, qu'allais-je faire de cette jambe que, fidèle à sa promesse, Monsieur Sanson m'apporta sur l'heure de midi?

A son habitude, il était venu par le jardin, l'objet fort proprement empaqueté dans une toile (comme ma robe!). Il le porta obligeamment dans le laboratoire, mais en ressortit aussitôt. Il devait avoir son saoul de sang, de cadavres, de scalpels.

– Le Chevalier est parti dès l'aube, l'informai-je.

A mon grand étonnement, il parut trouver la chose naturelle.

– Oui, oui... Je suppose que cela va lui donner bien à faire... Vous ne saviez pas qu'il rend compte pour les gazettes? Ce n'est pas l'agitation qui manque aujourd'hui.

C'était la première fois que je me trouvais seule avec Charles Sanson. Une bise aigrelette venant du jardin, je ne pus faire autrement que de l'inviter à entrer dans ce que j'appelais « mon » atelier à moi, où, les moulages faits, je coulais et peignais la cire. Il sembla y prendre intérêt.

– Mon père et moi, dit-il de sa voix sourde en tirant à lui un tabouret, nous intéressons beaucoup à la médecine, à la chirurgie, à la chimie. Nous sommes inventeurs d'un baume contre les rhumatismes qui fait merveille.

Je sentis qu'il voulait me rassurer. Avais-je peur? Peut-être un peu. Comparé au Chevalier toujours en mouvement, toujours affairé, distrait, toujours projetant, expérimentant, oubliant ce qu'il avait commencé pour entreprendre autre chose, Monsieur

Sanson paraissait étrangement calme. Ses larges épaules (il était un peu trapu), son corps massif, sans élégance, dégageaient pourtant une puissance qui craignait de paraître.

– Et... vous avez beaucoup de malades? demandai-je pour meubler la conversation, mais je m'aperçus que ma voix exprimait un doute, et je rougis.

– Beaucoup, répondit-il sérieusement. Cela peut vous paraître curieux, mais on a plus confiance souvent dans l'exécuteur que dans le médecin. On ne compte pas les procès faits par des médecins et des chirurgiens à des exécuteurs, pour lèse-clientèle.

C'était la première fois que j'entendais ce terme d'exécuteur. Il me fit sentir que Monsieur Sanson devait souffrir beaucoup de cet opprobre qui frappe le bourreau. L'échelle brodée sur sa manche, sa physionomie trop connue l'obligeaient à cette réserve, à cette dignité froide qu'il avait, me semble-t-il, adoptées. Mais ses yeux magnifiques, si vivants dans un visage un peu mou, disaient une inquiétude, une soif d'amitié, comme l'eussent fait ceux d'un bon chien. Il ne paraissait pas vouloir s'en aller. Alors je lui fis les honneurs du lieu, lui montrai les derniers moules que j'avais exécutés. Je lui expliquai les couches successives de cire qu'il fallait y couler à des températures de plus en plus basses, et comment, en appliquant la dernière couche au pinceau, on obtenait un effet de transparence des plus heureux.

– Des plus heureux... répéta-t-il pensivement. Vous ne souffrez donc pas de ce métier?

– Au début, il y a quelques petites répugnances à surmonter, concédai-je. Mais quoi de plus beau que la mécanique humaine, Monsieur Sanson? Mon maître démontre cela à merveille. Et avec le temps j'arriverai à produire – nous arriverons à produire – non plus de simples pièces anatomiques, mais de véritables statues! Nous amènerons à la science beaucoup de gens qui ignorent sa richesse. Avez-vous vu la fameuse tête de Zumbo ? Et la jeune fille de Desnoues ? Qui sait si nous n'aurons pas quelque jour notre musée, nous aussi ?

Je ne sais pourquoi je tentais ainsi de faire impression. Peut-être tout simplement parce qu'on m'écoutait et qu'on me prenait au sérieux pour la première fois. Ah ! si j'avais eu ma robe ! Mais comme je m'apprêtais à peindre une vésicule qui n'était pas terminée, j'étais empêtrée dans mon tablier, mon fichu sur la tête et ma vieille culotte par-dessous (ceci encore pouvait passer : la culotte faisait page, et j'ai la jambe fine). Mais effet de jambe ou de langage n'agirent pas sur Monsieur Sanson comme je l'eusse souhaité. Il soupira, me regarda, et dit avec bonté (mais qui lui en demandait ?) :

– Ma pauvre enfant, votre père est bien coupable !

C'était presque les mots de Basseporte.

– Ni enfant ni à plaindre, Monsieur Sanson ! m'écriai-je avec colère. Est-ce que je vous parle de votre père, moi ?

J'avais laissé tomber le pinceau dont je me servais pour ma démonstration, je me baissai pour le ramasser, me heurtai la tête à une sellette, y portai la main, et mon fichu tomba. Me voilà toute couverte de mes cheveux, jusqu'en dessous des reins, comme une sainte menacée de viol.

Je restai interdite, comme d'un miracle indécent. Sanson lui-même parut troublé, soit de mes dernières et violentes paroles, soit de me voir tout à coup ainsi parée d'une chevelure abondante et claire, ma seule beauté pour l'heure.

– Vous vous êtes fait mal, Catherine ?

L'émotion rendait tout son timbre à sa voix, qui n'était plus voilée, mais grave et profonde. C'est beau, une belle voix. Cela touche en nous quelque chose. Je me le redis quand je retrouvai Antoinette, la fille de la rue d'Enfer.

– Laissez-moi vous aider...

Il vint à moi, me tendit l'étoffe tombée à terre et, adroitement, m'aida à rassembler mes cheveux. Je m'amusais de cette adresse, de ces grandes mains qui frôlaient mon cou. Je demeurai ainsi un moment, immobile. Et puis l'idée me vint que ces mains avaient dû relever plus d'une chevelure avant de la couper, et de saisir la hache. Il me revint en un éclair que cet homme qui maintenait mes cheveux et murmurait : « L'épingle ? » pour finir de rattacher l'édifice avait débuté dans la vie en remplaçant sur l'échafaud son père vieilli, pour décapiter à l'épée la femme d'un conseiller.

Mes mains tremblaient en ramassant l'épingle sur la table. Je la fixai. Il me lâcha aussitôt. Il avait dû remarquer ce tremblement. Plus un mot ne nous venait. Nous étions face à face. Mon maître entra, gai, animé.

– Ah ! c'est là que vous vous cachez, Charles ?

Il lui serra la main. Charles Sanson parut rasséréné.

– Mon bon ami, je suis débordé. Le testament du Roi est cassé, le duc du Maine est dans les choux, Orléans a tout pris pour lui, les bâtards s'agitent comme des puces, le Parlement est divisé... Bref, mon ami, c'est la Régence !

– Alors je remporte la... fit Charles Sanson avec pudeur.

Mon maître n'avait pas de ces délicatesses.

– La jambe ? Oui, si ça ne vous ennuie pas. Vous pourrez sûrement la placer chez Desnoues ?

– On n'est jamais en peine, vous savez. Le premier élève de Desnoues passe tous les deux jours, et des étudiants, des curieux... Je me disais bien que vous ne disséqueriez pas aujourd'hui.

– Il faut que je fasse un compte rendu pour la Gazette. Vous sentez toute la délicatesse qu'il faut...

Il y a au Parlement des gens avec lesquels je suis lié... Mais venez donc prendre un en-cas à la cuisine. J'ai rapporté un pâté de lièvre... Tu peux venir aussi, petite !

Malgré le « petite », j'y allai. Célébrer un deuil avec un bon vin et un pâté de lièvre m'attire irrésistiblement. La faim l'emporte chez moi sur l'amour-propre, je l'avoue. Et la « petite » n'était pas fâchée d'en apprendre davantage sur les activités de son maître. Ma curiosité satisfaite serait ma vengeance : il est parfois bon de passer pour insignifiante.

J'ai dit longtemps, je dis toujours – mais pour des raisons différentes – *mon maître*. Et pourtant, d'être « propriété » d'un maître me chagrinait fort. C'était surtout d'y être contrainte qui m'enrageait. Le subterfuge de mon père me privait de toute liberté. Il est vrai que dans un couvent de province ou dans quelque mariage avec un Arnolphe, je n'en aurais eu guère plus. Au moins n'aurais-je pas été hors la loi, ce qui est encore un degré de plus dans la privation de liberté dont souffrent toutes les femmes. Il n'était pourtant pas impossible de tirer parti de ma situation. Ceci devait m'apparaître de plus en plus clairement dans l'effervescence des mois qui suivirent.

Je fis enfin connaissance avec la partie « officielle » de l'Hôtel des Arcoules : le bâtiment de façade où nous ne pénétrions jamais. Il se composait, au rez-de-chaussée, de deux salons vides de meubles, et d'un cabinet de curiosités. Le « bel étage », je ne devais le découvrir que beaucoup plus tard. Je me mis à nourrir quelques espérances lorsque, quelques mois après cette mort fêtée du vieux Roi, mon maître commença d'amener de temps à autre un visiteur. Parfois c'était un discoureur mal vêtu, en provenance directe du Café Gradot où se débitaient les nouvelles, tantôt une chaise, un fiacre, ou même, un jour de novembre, un carrosse, qui déposait des visiteurs plus aristocratiques, curieux de sciences naturelles.

Le cabinet de curiosités constitué par mon maître, et enrichi un peu à la hâte cet automne-là, s'il ne comportait qu'une seule chambre, était vaste. On y trouvait des oiseaux empaillés, des minéraux joliment disposés dans un grand meuble fait exprès, et soigneusement étiquetés (une pépite d'or du Pérou avait, seule, une valeur marchande), des fossiles et un ensemble de coquillages qui surprenait, car la mode n'en était pas encore lancée comme il advint quelques années plus tard. Bien entendu, les pièces principales étaient des cires anatomiques colorées : une tête dont on pouvait soulever le crâne et retirer un parfait moulage du cerveau, une cage thoracique ouverte sur le cœur, ses ventricules et ses oreillettes bien visibles; il y avait aussi un chien naturalisé, assez déplaisant. Mon maître me fit voir ces splendeurs avec pompe et y ajouta, sur un petit socle, la vésicule biliaire que je venais d'achever.

D'achever, mais non pas de signer. Car j'étais assurée que mon maître, ainsi que des autres pièces qui figuraient dans son cabinet, prétendait qu'elle était de sa main. Or je savais fort bien que l'une au moins des autres pièces exposées : le moulage du cerveau, était l'œuvre d'un petit rouquin, élève de notre auguste rival Desnoues, et qui travaillait parfois avec nous contre argent comptant. Ma situation ne me permettait pas de demander à être payée. Mais quand j'aurais travaillé trois ans sous la direction du Chevalier, durée normale d'un apprentissage (que je déteste ce mot!), n'aurais-je pas acquis le droit de signer de temps en temps une pièce, voire de la vendre à mon profit? C'est l'usage pour les « apprentis ». J'enrageais de l'être, mais bien davantage du soupçon que mon maître pouvait n'être pas en état de me mettre sur ce pied-là, tout modeste qu'il fût. Pourquoi n'enseignait-il pas? Pourquoi servait-il si rarement de démonstrateur? et dans de petits amphithéâtres privés? Pourquoi ses ressources (peu abondantes jusque-là) semblaient-elles provenir tantôt du jeu, tantôt d'un tour de plume qu'il donnait aux nouvelles des gazettiers ou des pamphlétaires que je voyais maintenant venir plus hardiment chercher leurs commandes? Il me revint que Martinelli avait mentionné un jour que ses lettres patentes avaient été perdues dans un naufrage.

– On croirait lire le grand Cyrus, avais-je observé avec ironie, car j'avais quelque doute sur ce naufrage opportun.

– Tu lis beaucoup trop pour ton bien, avait-il rétorqué avec dignité.

Pourtant il m'autorisait à fouiller dans sa chambre et à me servir dans une commode boiteuse, toute pleine d'ouvrages disparates et dépareillés.

– ... Et les autorités les plus respectables ont garanti les avoir vues avant ce fâcheux voyage.

– Je l'espère pour vous et pour moi.

Car si mon maître – et je le soupçonnais parfois – était lui aussi en délicatesse avec les lois, où allais-je finir?

Le temps passa et vint l'année 1716.

J'allais atteindre mes quinze ans : c'est un âge! Les allées et venues continuaient, et nous vendîmes plusieurs pièces nouvelles. L'hôtel délabré et sonore se meublait petit à petit. Du moins dans le corps de devant où les salons de réception s'ornèrent de damas, l'un bleu, l'autre grège, et virent s'installer un sofa, quelques fauteuils bien raides du siècle dernier, un cabinet espagnol tout marqueté, et même l'une de ces grandes tapisseries que l'on appelle des « verdures », un peu délavée, à dire vrai.

– Elle vient d'une succession, disait Martinelli gravement.

D'autres fois c'était le cadeau d'une grande dame éprise de lui, qui se cachait de son mari. Ou le paiement en nature d'un malade miraculeusement sauvé. Il est vrai qu'il sortait de plus en plus souvent, allait saigner dans Paris même, recevait des visites élégantes, mais qui semblaient toujours un peu clandestines. Mais je gardais un doute sur l'origine de cette prospérité toute neuve. Alors il me regardait fixement, de ses yeux clairs et perçants sous les sourcils broussailleux, comme pour me mettre au défi de le croire. Et il éclatait de rire devant ce qu'il appelait « ma prudente sottise ».

Étais-je sotte? N'avais-je pas tout à redouter d'un monde où il me serait malaisé de me faire une place? J'avais de bons jours, avec la réussite d'un moulage, une aubaine de venaison qui nous arrivait dans une bourriche, des belles relations que le Chevalier cultivait à présent, avec une sortie que je faisais déguisée en garçon, allant parfois jusqu'à la foire Saint-Laurent voir jouer les marionnettes, rapinant des fruits dans les paniers des maraîchers au petit matin, avant qu'ils ne partent pour les marchés du centre. Mais j'en avais de mauvais où, sentant autour de moi toute une agitation dont je ne faisais pas partie et dont je ne voyais pas comment je pourrais m'y introduire, je me sentais plus que jamais « petite » et seule, et perdue, avec mes mains rouges, et toujours impubère à quinze ans. Mon maître n'allégeait pas mes inquiétudes en me traitant toujours comme une enfant. Un soir, ce printemps-là, comme il montait l'escalier, moi déjà dans ma chambre, et qu'il m'entendait tirer le verrou de mon grenier, il cria très fort et en riant : « Tu t'enfermes? C'est ce qu'on appelle la Précaution Inutile! Regarde en face du lit! » En face du lit c'était cet énorme miroir fêlé et piqueté dont j'avais pris l'habitude au point de ne plus le voir. Mais ce soir-là je le regardai, et j'y vis une petite fille effrayée, serrant un drap troué contre son menton, une petite figure toute ronde avec de grands yeux, et qui pleurait.

Devina-t-il ma peine? En eut-il des regrets? Il m'acheta deux robes encore, une sorte de blouse, plus seyante que mon tablier de cuir, pour le travail, et qui avait l'avantage de pouvoir être retirée très vite en cas de visite. J'eus ainsi l'honneur d'être présentée à Monsieur Gourdon, nouvelliste, à Madame la duchesse d'Orlac qui nous acheta plusieurs pièces et trouva délicieusement amusant qu'une jeune fille se consacrât à l'anatomie. Son regard disait : se consacrât à l'anatomiste. Mais qu'importe. Je savais ma réputation perdue avant même l'âge d'en avoir une. Je m'y résignais. Partageant avec moi l'honneur de ces visites, le Chevalier partageait aussi l'abondance qui en résultait. Il chargeait les bras de Jeannette de fruits et de brioches pour les enfants, il apportait une bouteille au fantomatique cocher qui parfois disparaissait, parfois attendait dans la cour et qui la buvait sans quitter son siège, il m'invitait sans façons à partager son ordinaire, dans un coin du laboratoire ou dans la cuisine, plus chaude. Je m'étais à tel point aguerrie que j'étais capable de dévorer à belles dents, et mes dents sont bonnes, une aile de volaille ou une tranche de pâté à deux pas d'un corps plus ou moins tronçonné. Mon maître discourait alors. Tout le passionnait : les affaires (le duc du Maine, fils légitimé du vieux Roi et de la Montespan, garderait-il son droit de succession au trône?), l'économie (il était question d'un nouveau système de banque qui devait ramener la prospérité, compromise par tant de guerres passées), la passion nouvelle du public pour les sciences naturelles sur laquelle il bâtissait des projets chimériques... Et il parlait, il parlait, se levant, s'asseyant, se relevant, brusque, tonitruant même, hardi dans ses propos, avec un brin de folie, m'interpellant pour des réponses que je n'avais pas le temps de lui donner, et marchant sur ses grandes jambes, et s'ébouriffant les cheveux, pour tout à coup, rassis, tomber dans des songeries que je n'osais interrompre. Juchée sur un tabouret du laboratoire ou le coude appuyé sur la table de la cuisine, souvent je tombais de sommeil, exténuée de travail, le dos rompu, mais craignant de montrer ma fatigue pour ne pas déchaîner ces brusques colères, au cours desquelles il lui arrivait de casser quelque porcelaine, voire de lever sur moi une main qu'il rabaissait sans m'avoir touchée. Il était peut-être bon, en définitive.

Un soir du mois de mai 1716, nous étions ensemble, l'un et l'autre agacés, ayant attendu tout le jour le corps d'un malade de l'hôpital, fraîchement décédé. Le temps frais eût été très favorable à la dissection et mon maître avait avancé deux livres au porteur. Las! le misérable avait entrepris de les boire avant de faire sa livraison, et, comme il se désaltérait aux *Trois Épis*, ayant posé sa hotte devant la porte, il s'était fait voler le colis. C'est qu'on n'était pas dégoûté, dans ce temps-là. La sensibilité n'était pas à la mode, et un corps n'était plus un homme, mais sa vieille robe de chambre, son enveloppe; le sang, les humeurs, on s'y faisait, pensant seulement à se précautionner. Cela ne nous paraissait pas pire que de travailler dans une tannerie.

Nous mangions donc dans la cuisine quand le portail grinça. Je traversai la cour. Par-dessus ma blouse de travail, j'avais enfilé cette sorte de surcot doublé de lapin, défroque pleine de trous mais chaude, que mon maître avait tiré de la friperie de sa chambre, et mes cheveux étaient encore cachés par un bonnet informe. J'aperçus sous le porche une femme qui portait avec peine un gros paquet mal ficelé. Je m'approchai, et je reconnus la Sicard, cette grande jeune femme assez belle, qui voulait aller danser pour la mort du dernier Roi, et que j'avais deux ou trois fois revue.

– Pour le Chevalier Martinelli, me dit-elle d'une voix un peu rauque, mais agréable.

Et elle me tendit le paquet. Mais mon maître, arrivant sur mes talons, le lui arracha et m'intima d'une voix furieuse l'ordre d'aller le ranger dans la salle de chimie. Ce que je fis. Il était dans l'humeur de me prendre pour un garçon (dont cet attirail me donnait l'apparence), ce qui se traduisait par une série de taloches, après quoi, me considérant : « Ah ! c'est vrai, j'oubliais ! » murmurait-il. Je me hâtai donc.

Il me rejoignit quelques minutes après, et je m'éloignai prudemment de lui. Mais son humeur semblait avoir changé du tout au tout. Il sifflotait, tournait autour d'une lampe à huile sur laquelle chauffait un récipient contenant du mercure, et même tentait de me donner une idée de l'expérience.

– Ne devrais-je pas apprendre aussi un peu de chimie ?

– Perte de temps. Cantonne-toi dans ta spécialité. Il y a d'autres issues, dans la cire. Les ex-voto, les motifs décoratifs, les tableautins. C'est un vrai métier qui te restera quand je ne serai plus là. La voilà qui prend un air effaré ! Je ne vivrai pas toujours en France. J'aime les voyages, le changement... Allons, pas d'affolement ! Je t'emmènerai peut-être avec moi en Espagne.

– N'êtes-vous pas italien ?

– Quel rapport ? fit-il, agacé de nouveau. Cela m'interdit-il l'Espagne ? D'ailleurs j'ai dit l'Espagne comme j'aurais dit les Indes. Je t'emmènerai donc aux Indes.

– Oh oui ! m'écriai-je. Ce sera comme le début de *Gil Blas de Santillane*. Nous aurons des tas d'aventures, et je vous suivrai, déguisée en page pour n'être pas enlevée par des bandits de grand chemin.

– Tu ne pourras pas toujours passer pour un garçon, tu sais, dit-il assez gentiment. (Il plaisantait.) Même les petits singes comme toi finissent par devenir des femmes.

Je m'étais accoutumée à sa rudesse. Je ne m'en offusquais plus. Je croyais même depuis quelque temps percevoir sous ses moqueries une ombre d'amitié. Quand on a connu la faim, on n'est pas difficile sur ce qu'on mange.

Je repartis donc gaiement :

– Ce n'est pas pour tout de suite, rassurez-vous. Je vous parie de passer pour un garçon une journée entière, en plein Paris. D'ailleurs, vous avez vu, tout à l'heure, la Sicard ne m'a absolument pas reconnue.

– Quoi ? hurla-t-il en se retournant brusquement vers moi.

Dans ce mouvement, son coude heurta une coupe où reposait un liquide noirâtre, et l'éclatement du verre fit le bruit d'un canon.

– Attention ! C'est un composé arsenical !

Nous nous retrouvâmes dans la cour, ahuris, ébouriffés, nos haleines fumant dans l'air frais : deux fous. Et Jeannette dont nous ignorions la présence dans le chauffoir, accourue au bruit, joignait les mains et invoquait la Vierge.

– Qu'est-ce que tu fais là, toi ? criait Martinelli, hors de lui et gesticulant. Tu devrais disparaître au coucher du soleil ! Dehors ! Plus vite que ça !

La malheureuse, abasourdie, ramassa son marmot, qu'elle était venue réchauffer ou nourrir, comme un paquet de linge et s'enfuit. Lui, me tirant brutalement par le bras, me fit gravir l'escalier, trébuchante d'effroi, et me jeta plutôt qu'il ne me poussa dans sa chambre.

– Qu'est-ce que c'est que cette histoire? criait-il à pleins poumons. Alors que je me fie à elle, c'est une petite misérable, une petite espionne que j'abrite sous mon toit! Moi qui t'ai tout appris! Petite garce! Serpent!

Dans son émoi un peu d'accent lui revenait, semblable à celui qu'on prend quand on imite feu le cardinal Mazarin, et, tout en me reculant dans l'angle de la chambre, cela m'aida à me reprendre.

– Pour me traiter d'espionne, il faut qu'il y ait quelque chose à espionner, mon maître! Vous voyez bien que je ne m'en doutais pas. Vous en avez peut-être dit un peu long?

– C'est toi qui me questionnes? Tu oses?

– Il me faut bien comprendre ce que vous me reprochez. Je ne veux qu'éviter de vous mettre en colère...

– Mais je suis en colère!

– Je ne m'en étais pas aperçue, risquai-je.

Il s'apaisa aussi brusquement qu'il s'était emporté. Il s'assit sur son grand lit, encombré de livres, de planches de dessin, faillit s'asseoir dans une écuelle qui servait au chat et se trouvait là Dieu sait comme, et, moi debout devant lui, me prit les mains.

– Catherine, me dit-il avec un calme inaccoutumé, comment connais-tu Mademoiselle Sicard?

– Mais je ne la connais pas! Il y a peut-être huit mois, j'ai vu une femme chez le volailler qui disait qu'elle danserait volontiers pour la mort du feu Roi. Son air m'avait frappé. Une autre fois je l'ai revue, j'ai demandé : « Qui est-ce? » On m'a répondu : « Une nommée Antoinette Sicard qui habite rue d'Enfer. » Et voilà!

– Tu sais donc même son adresse...

– Pourquoi non? Elle nous est voisine. Et le jour

de la fête de Saint-Laurent, je l'ai vue par hasard qui sortait de chez elle à pied, et figurez-vous, elle portait une coiffe en batiste et de petits souliers qui ne faisaient pas, mais pas du tout, rue d'Enfer... Quand on sort à pied on ne porte pas ces choses-là. Mais elle n'est allée que jusqu'à la première borne, où il y avait une voiture arrêtée. Pourquoi pas devant chez elle ? Mais peut-être voulait-elle seulement parler à qui se trouvait dans la voiture ? Je ne pouvais pas rester là plantée, je suis passée près d'elle, je l'ai saluée, elle m'a rendu mon salut, mais de l'air de ne pas me reconnaître. Et aujourd'hui encore, quand je l'ai vue avec son paquet...

Je ne posai pas de questions, mais après cet éclat j'estimais que j'avais bien droit à quelques explications. Martinelli lâcha mes mains, se releva, s'ébouriffa les cheveux, revint vers moi, se rassit. Je vis bien qu'il pesait ce qu'il était prudent de me dire, et ce qu'il désirait me cacher. Mais je crus qu'avec un peu de finesse, dont je n'étais pas dépourvue, et l'imprudence qui était la sienne, je saurais le fin mot de cette Antoinette et de ses paquets. Si j'avais pu prévoir où elle nous entraînerait, c'est moi qui aurais emmené mon maître vers les Indes, et sur-le-champ.

– Catherine, dit-il gravement, il est temps que tu saches certaines choses. Que tu les saches pour mieux les taire, comprends-tu ?

Je pris moi-même un air de gravité.

Martinelli avait trente ans. Il était le cadet d'une famille de petite noblesse des environs de Syracuse, tombée au point d'être devenue les paysans de son propre domaine, qu'elle se refusait à quitter. A douze ans Martinelli fut adopté par un chanoine, féru de sciences, plus ou moins médicastre, qui l'éleva, le trouvant gentil. Du reste, l'enfant était doué. Fait exceptionnel on lui demanda son avis; son père était un honnête homme, sa mère, fort tendre, mais épuisée, ne pouvant opposer à ce projet aucune résistance.

– J'acceptai. La soif d'apprendre, le prestige du chanoine, la belle maison, la bonne table... Note bien, je sortais du cercle familial, de ses préoccupations non mesquines mais étroites. On me quittait dans les larmes, mais dans la conviction qu'on ne me devait plus rien. Solidarité, affection, soins d'avenir, on déléguait tout au chanoine, et on reprenait les labours; on consolidait les toitures, on remplaçait l'une après l'autre les poutres qui, l'une après l'autre, pourrissaient, on mangeait des châtaignes, parfois un petit porc noir comme ils en ont là-bas, ou on ne mangeait pas... C'était cela l'honneur.

– Vous les regrettez?

– Voilà le chanoine qui meurt quelques années après. Sans testament. On eût attendu plus de prévoyance d'un savant et d'un homme de Dieu. Il était fort distrait. La meute des cousins et des neveux se précipite, chasse cet enfant de quinze ans – ça ne te rappelle rien? –, trop instruit disent les uns, trop prétentieux disent les autres, pour en faire un domestique. C'est tout juste s'ils ne lui disputent pas son vestiaire et, pour éviter toute récrimination, murmurent que le chanoine avait des raisons bien immorales de le chérir. Les quelques vieux amis de l'ecclésiastique, qui eussent pu guider l'enfant, lui donner un état, bonnes gens mais pusillanimes, s'épouvantent de cette rumeur et le renvoient avec une bourse. Entendons-nous: une bourse à demi pleine. De quoi aller jusqu'à Venise. Pourquoi Venise? Une idée d'enfant que j'avais.

– Quand j'arrivai chez vous, dis-je, je fis demander

à mon père, par un billet que porta Jeannette, s'il ne voulait pas me faire porter mon lit d'enfant où je dormais dans la chambre de ma mère. Il me fit répondre tout à fait poliment qu'il regrettait de l'avoir vendu, ne se doutant pas que je voulais l'acheter...

– Amusant! Que devenir? L'armée, sans recommandation, c'est l'esclavage. Les sciences, dont j'avais des notions? Il m'eût fallu étudier encore, je n'avais pas le sou. Et là aussi, il faut des protections. Ne parlons pas de l'état ecclésiastique pour lequel je n'avais aucun goût et où ma réputation endommagée – ça ne te rappelle rien? – ne manquerait pas de me suivre. Je me retrouve gondolier à Venise. Moins dégradant que laquais, mais à peine.

Il tenait des discours exaltés à ceux qu'il chargeait, agitant l'aviron; la conversation était chez lui un besoin de nature. Un bourgeois trempé mais séduit, arrivant à quai, le prend pour factotum, intendant, lecteur, et surtout assistant, car c'est le fameux Guinnoli : le spécialiste des césariennes, chirurgien auprès de la meilleure société de Venise. Martinelli se perfectionne, tandis que Guinnoli saigne la duchesse, pose un vésicatoire à la servante.

Mais il apprend aussi qu'il n'est plus possesseur de son nom (un gondolier est forcément un homme du peuple, et le reste), qu'il n'est plus l'héritier, même spirituel, du chanoine – ne rameutons pas les cousins –, que sans références, sans passé, sans attaches et sans convictions, il n'est plus rien. Et voilà que Guinnoli s'aperçoit que son aide, ce garçon qu'il a eu la bonté d'engager, manie un peu trop bien le scalpel, pose un peu trop bien les ventouses, saigne et remet les fractures, masse les délicates foulures des délicates Vénitiennes avec talent, que lui, Guinnoli, vieillit, et qu'un jour Angela Frascati lui dira, si ce n'est déjà fait : « Ne vous dérangez pas, Manlio caro, c'est une toute petite foulure, indigne de vous. Envoyez donc ce garçon, votre aide... comment s'appelle-t-il déjà? », et le fait qu'il n'y ait en l'occurrence pas plus de foulure que de beurre en broche n'arrangera pas les choses. Qu'il s'agisse d'Angela Frascati ou de Marbella Leona Manin. Près de trois ans ont passé, c'est la durée normale d'un apprentissage, et le grand nigaud qui n'a pas encore tout appris, cet escogriffe dégingandé de dix-neuf ans, tout noir, tout décoiffé, tout naïveté, tout flamme, se hasarde à demander s'il ne serait pas temps, en passant un examen, avec la recommandation de son maître, il a du reste pu mettre un peu d'argent de côté, d'obtenir les lettres patentes qui, un jour très lointain, lui permettraient, à son tour, de se faire une clientèle?

Mais Guinnoli n'entend que ces mots : un jour, et ce jour – même très lointain –, c'est le jour où il ne pourra plus exercer, où il déclinera, où il mourra! Ingrat, insolent, misérable! Comment ose-t-il? Un gondolier! Après cela, il n'y a vraiment plus qu'à se débarrasser de l'insolent, du misérable, et comme Guinnoli est vénitien, le premier moyen qui lui vient à l'esprit, c'est le moyen classique vénitien : les « plombs », ces cachots ainsi appelés parce que situés sous la toiture en plomb, fort chauds ou tout à fait polaires, et dont on ne sort plus. Le faire jeter en prison ne pose pas de problème. Et l'insolent, l'ingrat, le misérable, si vif d'esprit et si adroit de ses mains, prendra dans ces cachots atroces une leçon de plus, qui déterminera sa vie quand il en verra s'ouvrir la porte. La leçon? C'est que tout Venise sait que les mains de Guinnoli tremblent, que tout Venise sait qu'il a raté l'accouchement de la Menotti dont la petite fille est morte, le crâne trop serré par les fers, que tout Venise se moque bien du fait que ce garçon si adroit et si amusant soit innocent ou coupable, auteur de quelque larcin domestique, sodomite, hérétique, ait empoisonné quelqu'un ou envoyé des lettres anonymes et vendu des pamphlets. S'en moque. Il ne fait pas partie du cercle. Il est sorti du monde étroit de la petite noblesse paysanne, a été jeté hors du nid des bénéfices ecclésiastiques, a voulu s'introduire (c'est le mot qu'on emploie) sans réflexion dans une « famille », dans un clan. A été rejeté. Cela le condamne.

Si la terre de Syracuse avait été plus productive... Si le chanoine n'était pas mort... Si Guinnoli avait été un esprit large et généreux... il aurait eu une chance d'entrer dans le jeu, la chaîne de ceux qui se passent et se repassent le furet. Perdant peut-être, mais faisant partie. C'est manqué.

– Note que j'aurais pu, aussi, me satisfaire de cette situation hybride auprès du vieux bonhomme. Il avait été génial, quelque temps. Au fond, il m'a rendu service. Je n'étais pas malheureux en subalterne. Je dormais.

Il faisait un rêve dont il ne sentait pas le venin. Cent ans plus tard, il eût pu se réveiller en pleine forêt comme Frédéric Barberousse, cherchant sa vie dans ses poches, comme un mouchoir perdu.

Guinnoli lui voulait du mal, mais médiocrement. Ce grand homme de science était un petit esprit. Martinelli accusé de sodomie, il aurait pu faire brûler cet agité ; de vol, le faire pendre. Mais il eût fallu assumer un meurtre, pourtant banal. Il préféra la disparition pure et simple de ce qui le gênait. Martinelli n'était plus pour lui ce grand garçon ébouriffé, étourdi, au sourire brusque, ce causeur intempestif et amusant, ce travailleur infatigable, ce curieux, cet inventif (« Comme si j'avais besoin qu'on m'aide ! »), mais une idée, une simple idée, un bourdonnement agaçant d'insecte qu'il suffit d'un geste pour écarter. Il choisit de se prétendre inquiet des textes subversifs qu'il aurait trouvés dans la soupente du garçon. (L'âge des soupentes, pour ces garçons-là, c'est vingt ans. Après, on les retrouve au salon ou noyés.) Guinnoli fit donc le geste, dit le peu de paroles qu'il fallait. Il croyait que les paroles s'effacent plus aisément que le sang. Toujours chirurgien.

Libelles donc, lettres anonymes, pamphlets signés *Le Maure* ou *Pulcinella*, tout ce qui traînait de subversif et de non résolu dans les bureaux de la police secrète, on les lui attribua. A en croire ses accusateurs, charmés de trouver en un seul homme la solution de cent énigmes (et, après dossier refermé, quelle paix ! On aurait de belles fins de journées pour jouer au reversi, manger du *tartuffo* glacé, regarder les femmes), Martinelli, dès son arrivée à Venise, se serait trouvé mystérieusement au courant des plus fines intrigues politiques et mondaines (elles s'enchevêtraient), et n'aurait pas cessé, payé par l'un, payé par l'autre, d'écrire et de semer le désordre. On mêlait à cela l'Autriche et la France, voire les Turcs. Pourquoi pas les Turcs ?

Lui, qui craignait la torture, avoua tout sans barguigner. Il avait tout de même compris que son innocence ou sa culpabilité ne jouait, dans son sort futur, qu'un très petit rôle. On lui sourit, on desserra ses fers, on l'informa, suite à sa bonne volonté, qu'il ne mourrait que de la chaleur ou de l'humidité vénitiennes. Lui se disait qu'il gagnait du temps. Il lui restait un peu d'espoir : un pucelage. Alors que la dernière des chambrières eût trouvé indigne d'elle et d'une extrême grossièreté de poser même une question sur ce qu'il était devenu.

Il en était au soupçon de cela quand on lui annonça, dans son cachot puant, un « gentilhomme » qui voulait lui parler. Le « gentilhomme » était d'une race que Martinelli ne connaissait pas encore : cordial, complice même, d'une vulgarité onctueuse. Il avait un tic des paupières, comme s'il clignait de l'œil sans arrêt. Il prenait le bras du prisonnier, lui tapait sur l'épaule. Il prenait possession de lui. Martinelli eut un peu peur, pour la première fois. L'autre lui offrit du tabac à priser, rien de tel contre l'humidité, et le félicita d'être un garçon d'esprit.

– J'ai cru étouffer de rire en voyant que vous reconnaissiez être l'auteur de cette pasquinade intitulée... voyons... *Vie officieuse des Officiels*...

– Vous avez aimé ? demanda l'autre à tout hasard.

– D'autant plus que j'en possède une première édition – elle a été complétée, il est vrai – de 1690, date à laquelle, il me semble, vous deviez avoir tout au plus trois ou quatre ans.

Martinelli s'ébouriffa les cheveux. On lui avait retiré sa perruque, un joli pourpoint vert qu'il s'était acheté (qui sait le rôle de ce pourpoint trop galant dans le mouvement d'humeur de Guinnoli ?) et une montre à laquelle il tenait. Il se sentait sale.

– Cet à-propos m'a touché. On ne rit pas tous les jours... Venez, je vous emmène. Vos talents peuvent être mieux utilisés que dans cet étouffoir.

Ils sortirent. Le jeune homme voyait avec une surprise qu'il dissimulait s'ouvrir les portes, défiler les couloirs. On descendait des escaliers plus larges, on remontait des bas-fonds de l'oubli vers la lumière douce et dorée de cette ville qui lui avait été cruelle. On arriva dans un cabinet médiocre, orné tout de même de gravures : le plan de la ville par quartiers. Il y reçut des instructions et un passeport.

– Nous avons un ami allemand, qui vous recevra quelques jours, jusqu'à votre départ en Espagne. Il vous initiera à quelques détails. De l'étranger – il voyage beaucoup –, il nous envoie quelques renseignements utiles, des rapports. Vous ferez de même, c'est tout simple. Vous verrez qu'une nouvelle vie s'ouvre à vous. Un peu de prudence... L'esprit ne vous manque pas, vous l'avez prouvé... Vous savez écrire, c'est un atout; vous êtes chirurgien, restez-le. Vous parlez le français? Excellent! Apprenez l'espagnol. Jusqu'au départ ne sortez pas. Vous n'avez pas d'adieux à faire.

Ce n'était pas une question. Martinelli le comprit. Cet espion de métier, auquel on avait, sur sa demande, « donné » Martinelli comme on offre un chiot au lieu de le noyer, eut un mouvement de bonté :

– Vous verrez, vous allez être mêlé à des choses passionnantes. Vous vous ferez des amis dans toute l'Europe. Nous formons, en somme, une petite société...

Il fit un bruit gourmand de la bouche, devant l'avenir que le garçon allait savourer. Et comme il le voyait encore un peu inquiet :

– Laissez-vous conduire. J'ai un fils de votre âge...

Et il le raccompagnait, le bras autour des épaules, prenait congé en lui serrant les deux mains, « allez droit à cette adresse, ne vous montrez pas, c'est votre intérêt », lui souriait encore comme il s'éloignait... Martinelli le sentait sincère, et c'était le plus dur à avaler.

L'humeur de mon maître était au relâchement. Mais impulsif comme il l'était, il pouvait d'un instant à l'autre passer à une extrême défiance.

– Voilà pourquoi je me trouve contraint à de petites besognes dont je préfère ne pas parler, dont je préfère que tu ne parles pas, pour ne pas me nuire plus tard, quand j'aurai établi ma situation. La Sicard y est un peu mêlée. Mais déjà tout change. Si le Régent fait de la chimie avec Homberg, pourquoi un noble italien ne ferait-il pas de l'anatomie? Cela sera admis, c'est en train de l'être. Inutile de me confondre avec la tourbe du Café Gradot ; je peux leur fournir des informations, grâce à mes voyages un peu partout en Europe – et grâce à mon éducation, corriger leurs griffonnages –, et même me faire payer un peu pour cela. Mais inutile qu'on le sache...

Il se leva, se heurtant la tête au jambon qui pendait au plafond – ce jambon fumé qui constituait « notre réserve » –, et le descendit pour s'en couper une tranche. Je vis bien qu'il entendait s'arrêter là dans la confidence.

– Vous êtes donc bien authentiquement et Chevalier et chirurgien ?

– Tu en doutais ?

– Cette adoption, ces lettres patentes perdues dans un naufrage me paraissaient bien un peu romanesques.

– J'avais étudié en Espagne, où on me les avait données. Ton propre père a garanti les avoir vues, lors de mon premier séjour en France.

Ah ! c'était donc mon père, ces « autorités respectables » qui s'étaient portées garantes pour Martinelli ! Et mon « adoption », le prix de ce service !

– Tu ne vas pas me le reprocher. Tu aurais pu tomber plus mal.

Il n'avait pas tout à fait tort. Mais je lui en voulais de m'avoir attendrie avec son enfance (« Cela ne te rappelle rien ? ») pour finalement ne me révéler que des bribes. Je vis même une affectation – avais-je tort ? – dans cette fringale qui le prenait, qui indiquait la fin des confidences.

– Vous mangez et je reste sur ma faim, dis-je aussi plaisamment que je le pus. Et cet homme de police ? Qu'exigea-t-il de vous ? Vous paya-t-il ? Comment fîtes-vous à l'étranger des études que vous ne pouviez vous offrir dans votre pays ? Il y avait sans doute, aussi, une contrepartie ?

– Je te l'ai dit (l'air absent, et mâchant son jambon), je mettais l'orthographe pour tous ces pamphlétaires qui se croient une importance et ne savent pas même tourner une phrase.

– En espagnol ?

Je me moquais car il me semblait qu'il n'employait ces pauvres inventions que pour se débarrasser de moi.

– Parfaitement ! dit-il avec colère.

Je ne voulais pas me laisser intimider.

– Et vous corrigez aujourd'hui la syntaxe de la Sicard ?

Je revenais au point de départ. Allait-il se déchaîner encore ?

– Pourquoi non ? Elle est peut-être ma maîtresse ? Ceci ne te concerne en rien, dit-il froidement.

– Quoi ! J'ai bien le droit de plaisanter un peu !

Il s'était rassis à sa grande table, et, toujours mâchant, feuilletait des papiers épars.

– Tu n'as aucun droit, dit-il de cette même voix froide et brève dont la colère ne s'adressait peut-être pas à moi. Aucun.

Je sortis en tirant violemment la porte.

C'est entendu, j'enrage, je pleure de colère. Je prends toute la mesure de ma situation. Je n'ai aucun droit, aucun état. Aux yeux du monde je suis moins avouable que Jeannette qui n'est qu'une servante mais qui, au moins, est cela, est mariée, et mère, et payée tant par semaine, et qui peut dire : « J'ai fini ma journée. » Moi aussi, je suis, comme dit le Chevalier, « sortie du cercle ». Il m'a peut-être confié cela pour me donner une leçon. Toute leçon est bonne à prendre et je l'accepte, Monsieur Martinelli. Mais sans le savoir il m'en a donné une autre : sur l'importance d'avoir prise. Mon père a eu prise sur Martinelli, comme l'homme de police vénitien. Quel profit en a tiré le second, je ne le sais pas encore – je le saurai. Quant au premier, votre servante. Il s'agit maintenant de retourner la situation. Ramasser des brindilles et construire le nid. Avoir prise, moi aussi. Peu de choses sont à ma portée, mais on n'est jamais tout à fait dépourvu quand on regarde autour de soi. N'avais-je pas spontanément remarqué cette Demoiselle Sicard, qui loge rue d'Enfer et porte des coiffes de batiste ? Maîtresse ? peut-être... Amie ? je ne crois pas. Commissionnaire ? elle n'en a pas l'allure. Il faut bien commencer par quelque chose : j'allais m'intéresser à Antoinette Sicard.

Je ne crois qu'à moitié à celui qu'on appelle maintenant « le Grand Être », et moins encore au diable, plus couru. Mais je crois qu'il y a des êtres qu'il ne faut pas croiser de trop près, qui apportent le trouble, l'incertitude, l'ombre. Ainsi en était-il d'Antoinette, et si je l'avais choisie au hasard, comme un bout de fil qui devait me mener quelque part, ce n'était pas un hasard bénéfique.

Peu après cette conversation si durement terminée par mon maître, plus d'un an et demi ayant passé depuis mon arrivée, je lui fis observer que j'avais fait de rapides progrès. Je venais d'achever un appareil digestif si réussi qu'il avait pris place dans le cabinet de curiosités. Ma vésicule biliaire avait été vendue. Je désirais deux choses : signer, toucher une part de l'argent de la vente. Il fallait pour cela faire mes preuves.

– Si nous pouvions nous procurer des mains, j'ai une idée de mains jointes dont l'une seulement en écorché, qui ferait de l'effet...

– Tu te crois sculpteur ? Et la science pure ? Ne mélangeons pas, j'ai horreur de ça.

– Et la jeune fille de Desnoues ? Il paraît que

Raquin a fait une femme admirable, dont on démonte tout l'appareil génital, et qui porte un embryon de trois mois. Tout le monde y court.

– Comment le sais-tu?

– Par Châteauneuf, le rouquin de chez Desnoues.

– Et la petite Catherine veut se lancer toute seule, comme une grande? Je ne t'empêche pas d'essayer.

– Mais j'ai besoin de vous! Je ne peux pas disséquer moi-même...

– Attendons de voir ce qui nous arrive. Rien ne presse.

Tout pressait, au contraire. Tout presse quand on a quinze ans et qu'on vit dans un temps où les modes changent, se précipitent, disparaissent. Je sortais toujours très peu, mais celui qu'on appelait le rouquin, Châteauneuf, me racontait l'afflux de visiteurs et de commandes dans leur officine. Il touchait peu, mais il touchait sur chacune des cires vendues où il avait mis la main, et allait aussitôt jouer ses gains dans un cercle à côté du Procope. Il jouait prudemment, sans fièvre, et, faisait-il un gain, il l'économisait pour moitié. Mais il avait vu se faire et se défaire des fortunes, ce qui nous faisait rêver.

Passablement fat, imbu de sa supériorité, il était pourtant de bon conseil et sans méchanceté. Il n'aima pas mon idée des deux mains. Ou fit semblant.

– Ou ça fait bigot, ou ça fait impie, dit-il d'un air profond. Mais, dans les deux sens, ça ne va pas assez loin.

Je lui donnai raison. Réflexion faite, je décidai de me consacrer à une tête, prenant exemple sur l'illustre Zumbo, inventeur de la céroplastie. Une tête de jeune fille, sur la moitié de laquelle je moulerais et je peindrais avec toute la précision souhaitable les muscles de l'œil, les canaux et les glandes lacrymales; tandis que l'autre profil serait une véritable sculpture, un demi-visage tout de beauté et de mélancolie, réalisant ainsi cette dissonance dont Châteauneuf m'avait dit que l'amateur était friand.

Mon maître parut s'intéresser fort peu à ce projet. Il avait disséqué plusieurs fois pour d'aristocratiques assemblées, et avait eu la chance d'ouvrir, pour une duchesse, le corps d'un beau pendu dont le foie et le pancréas étaient inversés. L'assemblée avait été ravie. Comme s'il y avait été pour quelque chose, on le réclamait, on le voulait. Il sortait le soir avec un justaucorps et une veste neufs (du moins le restèrent-ils quelques semaines). Allait-il jouer? Ce n'était pas pour le Café Gradot qu'il se poudrait! S'insinuait-il dans cette société il y a peu si fermée et où, me disait le rouquin, répétant sans doute des propos de son maître, on recevait maintenant « n'importe qui »? Je ne posais pas de questions, et il ne me donnait pas d'explications. Puisque je n'avais aucun droit... Pourtant je le surpris parlant avec le cocher, dans la cour, sous la pluie. Ils parlaient d'argent et, me sembla-t-il, d'une monnaie de papier qui allait apparaître. Qu'était-ce encore que cela? Où allions-nous? Que l'on essayât de transformer en or des matériaux vils comme le plomb, c'était de l'alchimie, et j'en avais entendu parler. On appelait cela « souffler ». C'était fort criminel, du moins pour les petites gens – mais le Régent lui-même « soufflait », ou du moins le prétendait-on. Mais changer de l'or en papier! Qui a jamais entendu parler de cela? Et en parler avec son cocher, sous la pluie? J'étais au centre de toutes sortes d'énigmes, et je n'en pouvais décrypter une seule. Je me serais battue.

J'eus enfin « ma » tête. Monsieur Sanson nous l'envoya porter. Elle ne provenait pas de sa clientèle, mais de l'Hôpital Général où il avait des accointances. C'était un paquet fort propre que tenait gauchement son aide principal, Guillaume, un benêt. Sanson la fit déposer dans la salle où travaillait le Chevalier.

– Attendez l'instant du moulage, me dit-il avec bonté. Laissez-le disséquer seul. Aussi bien pour cela il n'a pas besoin de vous.

– Mais j'ai déjà vu quantités de dissections, Monsieur Sanson, protestai-je avec un peu de forfanterie, car jamais je n'avais vu disséquer de tête, justement. (Mon maître m'introduisait en général dans la salle quand le plus gros était déjà fait, et que l'organe, comme un fruit pelé, oint de graisse, attendait le plâtre liquide. La rapidité de l'opération, mon attention fixée uniquement sur l'organe isolé me permettaient de distraire ma sensibilité de toute idée macabre.) Vous savez, je n'ai pas peur.

– C'est dommage... dit-il en me regardant de ses beaux yeux sérieux et tristes.

La phrase m'irrita.

– Et si j'avais peur, ou horreur, ou dégoût, cela m'avancerait beaucoup, n'est-ce pas?

– Du moins vous connaîtriez le tort qu'on vous a fait.

Lui, du moins, le reconnaissait.

– Vous êtes bien le seul à en prendre souci.

– Non, non, protesta-t-il. Le Chevalier, certainement... Mais il ne le montre pas. Je suis certain qu'il tentera quelque chose pour vous.

– Parce qu'il a fait quelque chose pour vous?

Lentement, comme s'il craignait de se brûler, il posa sa main sur la mienne. Nous étions dans le jardin, derrière les écuries. Je m'appuyais contre une urne de pierre. J'étais en blouse, mais les cheveux à l'air. Depuis peu, je me coiffais en petit chignon sur la nuque, comme le voulait la mode, comme le portait Antoinette Sicard.

– Il me reçoit, Catherine.... Comprenez-vous? Il

me reçoit, me serre la main, m'offre son vin d'Espagne, me donne des nouvelles...

– Est-ce si important pour vous, Charles?

Tout à coup il eut un sourire d'enfant, mais d'enfant battu. Le sourire ne l'embellissait pas, il était gauche, craintif jusqu'à lui donner un air un peu sournois. Puis il cessa de sourire. La chaleur de sa main remontait le long de mon bras.

– Vous m'appelez par mon nom de baptême, je ne vous fais pas horreur... C'est la première maison où je suis ainsi reçu. En dehors de ma profession, bien entendu.

Il s'assit sur le banc de pierre, et je m'assis aussi. Mais sa dernière phrase m'avait refroidie. On se fréquentait donc, entre bourreaux? Je n'avais jamais pensé à cela, bien que je susse qu'il était difficile à un bourreau, un « exécuteur » comme disait Sanson, d'épouser autre chose que la fille d'un bourreau, au fils, ou à la fille, de s'allier autrement. Cela faisait de tous les bourreaux une grande famille. Quoi d'étonnant à ce qu'ils se réunissent de temps à autre? Mais la multiplication à l'infini de ce qui m'avait paru un cas singulier et unique me glaça. Et cette main, posée maintenant sur mon épaule, ne me réchauffait plus.

– ... cela me touche extrêmement, poursuivait-il de sa voix douce. Aussi vous remarquerez que je vous fais passer avant les autres...

Il parlait de sa marchandise. Je commençai à être vraiment mal à l'aise.

– ... et j'ai toujours eu pour vous de la sympathie, Catherine. Si jeune, presque une enfant, vivre au-dessus de ces morts...

– Vous parlez comme notre servante, dis-je sans pouvoir maîtriser ma froideur. Pour moi ce ne sont pas des morts, ce sont des organes.

C'était encore vrai. Cela ne devait plus l'être longtemps. Mais si Monsieur Sanson cherchait quelqu'un à plaindre, il pouvait le chercher ailleurs. Mon maître me tira d'embarras en m'appelant d'une voix irritée.

– A très bientôt, Monsieur Sanson... Charles, dis-je en m'élançant très vite.

Me fussé-je attardée, je n'aurais pu ne pas le blesser, et je ne le souhaitais pas. Ou le souhaitais-je? Je remis à plus tard l'examen. Il s'agissait de mouler ma tête.

En attendant ce jour, je m'étais plu à esquisser au fusain des visages imaginaires qui puissent donner, à un pareil sujet, une nuance de beauté, de tristesse, compenser l'aspect scientifique et, pour certains, horrifiant, de la partie anatomique, par quelque noblesse. Et, quelques jours auparavant, comme, Jeannette à nouveau absente, j'allais chercher une tourte de lapereau que l'on m'avait promise, et à la pointe du jour (j'avais sans cesse en tête cette crainte de la Salpêtrière), je croisai la Sicard, drapée dans un châle sombre, qui allait comme déjà je l'avais vue aller, calme et égarée, vive et lente. Je me demandais, quand je la voyais, si elle venait de rencontrer le Chevalier. Peut-être était-ce chez elle qu'il allait en perruque poudrée? Mais allait-il en carrosse, où une chaise eût suffi, pour faire un quart de lieue? A vrai dire, je doutais un peu de cette liaison supposée, et bonne à mettre fin à mes questions. Mais si, par hasard, il avait dit vrai, qu'est-ce qui le séduisait chez ce grand cheval fou, avec sa crinière noire, et ses yeux dont on aurait dit qu'ils avaient vu le diable? On aurait imaginé pour maîtresse au Chevalier une bonne fille bien gaie, qui l'eût distrait de ses livres et de son scalpel, et, d'ailleurs, quand il en sortait, il avait bel appétit, buvait sec, et s'égayait aisément. Je l'avais même vu prendre sur un genou l'un des marmots de Jeannette, qu'elle amenait à la dérobée, et le faire sauter, ou lui donner un biscuit, ou alors quelque noble savante, qui eût financé ses travaux et regardé les astres avec lui dans son grand télescope. Mais celle-ci, qui ne reconnaissait jamais personne et pourtant regardait tout autour d'elle avec de grands regards perdus, et farouches, et comme sûrs de ne trouver personne qui y répondît; celle-ci qui s'habillait comme pour un souper et errait cependant à l'aube dans le faubourg! Je me le disais en la regardant passer, courant presque avec ses fins souliers qui n'étaient pas faits pour courir et même pas pour marcher, en quoi pouvait-elle lui plaire? Et comme, arrêtée près de la boutique qui n'était pas encore ouverte, je la regardais passer comme un nuage, soudain elle s'arrêta, de nouveau regarda autour d'elle avec cette sorte de stupeur qui lui donnait l'air de ne reconnaître ni l'hôtel où elle demeurait, ni la rue, ni peut-être l'univers où elle se trouvait par hasard, et, au bout de la rue, aperçut quelqu'un ou quelque chose que le recoin où j'étais tapie m'empêchait de voir, et son visage se réchauffa, s'éclaira de l'intérieur d'une lumière grave, intense, souriante et douloureuse, avec pourtant un reste de pâleur et d'absence, de grâce et d'égarement, et je me dis : « Mais elle est belle, cette femme! »

Je ne l'épiai pas. Ma curiosité s'était éteinte devant la révélation de sa beauté. Une seule idée me trottait en tête comme je retournai vers chez nous, tenant ma tourte toute penchée, qui en souffrit : « C'est elle! C'est le visage qu'il me faut! »

Et ce jour-là je décidai de donner un titre à mon buste (je voulais maintenant que ce fût un buste), comme à une œuvre vraie dont cette femme était digne et que je me sentais capable de réaliser. Je l'appellerais : *Les Larmes*.

CHAPITRE II

Où le bourreau songe à ses débuts, où Antoinette a peur de son ombre, et où Catherine s'aperçoit qu'un cadavre c'est un mort.

Il aurait dû habiter la maison du Pilori. C'était l'endroit désigné, obligatoire (enfin, obligatoire sans l'être, comme bien des règles non écrites de sa condition) ; et comme bien des coutumes aussi, celle-là (que l'exécuteur habitât la maison du Pilori – dont nous avons d'excellentes reproductions et estampes) était à double sens. Le pilori stigmatisait ceux qui y étaient condamnés : prévaricateurs, blasphémateurs, prostituées, mais stigmatisait aussi celui qui appliquait ou faisait appliquer cette peine.

Est-ce pour cela que Charles Sanson, premier du nom, et bien que la maison du Pilori lui fût concédée gracieusement et sans loyer, une fois bourreau de Paris acheta et habita hors les murs une maison sise près de l'église Saint-Laurent, et que Charles le deuxième, son fils, non loin de cette demeure, acheta la sienne propre rue Poissonnière, après avoir épousé Anne-Marthe, sœur de sa belle-mère, comme s'il lui était impossible, par le lieu comme par le sang, de se greffer ailleurs que dans le proche voisinage de ses origines?

Voisinage et pas voisinage. Obligation non obligatoire. L'office de bourreau n'est pas héréditaire. Le respect réprobateur, l'horreur sacrée sont héréditaires. La notion est ancrée dans la chair et l'esprit des hommes que celui qui donne la mort légitimement, qui a mandat de donner la mort à la place d'autres figures indistinctes (juges? scribes?), qui la donne sans colère, sans mouvement d'entrailles, au parfait inconnu qu'on lui amène et dont il ne sait presque rien, doit se trouver banni, lui et les siens, de toute société humaine. Dans des temps plus lointains il lui fallait vivre en dehors des villes ou villages. Riche pourtant, grâce au droit de havage : le prélèvement d'un dû sur toute marchandise visible. La charte du premier Sanson le dit : « ... *la jouissance de la maison et habitation du pilory des halles et circonstances et dépendances sans qu'il puisse y être troublé ni inquiété pour quelque cause que ce soit... avec le droit de percevoir de chacun marchand apportant œufs... de chaque charrette demi quarteron, et de chaque panier de pommes poires raisins... un sol... de ceux qui amènent tant par terre que par eau des pois verts, nèfles, chènevis, graine de sénevé, poulavin, millet... beurre, fromages, volailles et poissons d'eau douce... de chaque caisse d'oranges et de citrons qui seront apportées par les marchands forains tant par eau que par terre, un sol... Le dit Sanson jouira... aussi de l'exemption de tout subside de guet, de gardes, ponts, passages, entrées de vin et autres boissons... avec droit de ports d'armes offensives et défensives et ses serviteurs à cause de son office.* »

Ainsi le bourreau peut-il se définir aussi comme cet homme qui « prélève », ne paie pas d'impôts ni de loyer, qui ne paie pas pour passer les ponts. Cet homme qui « jouira » aussi, mais cela va sans dire, de la gratuité des cordes dont il aura besoin, pour lier ou pour pendre, auprès des jurés cordiers de

Paris. Cet homme dont le banc, à l'église, est à l'écart de celui des autres – comme un condamné, comme un roi. Et, comme un roi, il se souviendra devant Dieu, mais seulement devant Dieu, qu'il est à cet instant l'égal des autres hommes, car le seul moment où le bourreau n'est pas contraint (il l'est en toute autre circonstance, un édit de 1709 le lui rappelle fermement) de porter sur son vêtement l'échelle révélatrice (c'est l'échelle du pilori), c'est le moment de la communion. Et l'édit craignant sans doute que le bourreau, exécuteur-exécuté, ne cherche à passer inaperçu, n'essaie d'échapper – on ne peut éviter le mot – à son « châtiment », lui précise que, lorsqu'il portera un pourpoint rouge, il lui sera interdit de faire broder l'échelle « dénonciatrice » de la même couleur. Le seul moment où il en est dispensé, où il est momentanément « absous », c'est le moment où il communie.

On voit comment, si objectivement l'on s'efforce de décrire la condition de celui qui exécute les coupables, on ne peut le faire qu'en termes de culpabilité. Le bourreau ne châtie pas seulement le péché : il le porte.

Ainsi s'explique qu'ayant, et n'ayant pas, eu l'obligation de devenir à son tour bourreau, Charles le deuxième, fils de bourreau, fils de roi, petit-fils encore de bourreau par sa mère, se résigne à prendre la filière, n'ayant en somme que le choix entre devenir gibier de potence ou ordonnateur de ce même gibet – Montfaucon fut longtemps le lieu saint de ces souverains-là. Il n'est que de regarder l'histoire des fils, petits-fils, cousins même, de bourreau pour découvrir qu'une aura les suit, qu'une sorte de révélation survient tôt ou tard, comme ceux qui croient à la royauté croient qu'un roi se révèle, comme ceux qui croient à la famille croient que s'exprime, tout à coup, « la voix du sang ». Découvert, exclu (mais pas excommunié), comme un prince le fils de bourreau ne peut se mêler aux écoliers du commun. Il a des précepteurs, un jardin où il se promène seul, un jour une fiancée qui, avec un peu de chance, ne sera que la nièce du bourreau d'une autre ville. Quelques mésalliances : Charles II en est un exemple puisque son épouse, Marthe, n'est ni fille, ni nièce, ni cousine de bourreau ; mais, étant sœur d'une femme qui a épousé un bourreau – qui n'a pas hésité à épouser un bourreau (tous ces grains de sénevé, ce millet, ces prunes, ces œufs, ces carpes y sont peut-être pour quelque chose, Marthe et Renée sont de l'espèce vorace) –, Marthe porte le stigmate. Il ne lui reste qu'à en tirer profit. Et double profit si son mari, de bourreau se fait guérisseur, profite de la petite bibliothèque amassée par Charles Ier, le fondateur, bibliothèque de médecine, de chirurgie, de recettes pour guérir au moyen d'herbes les maladies les plus diverses. Il soigne, il distribue des baumes, il remet des membres démis. Il compense. Et comme il est encore de bonnes gens qui pensent que le roi guérit en les touchant les écrouelles, il s'en trouve pour penser que celui qui donne la mort peut aussi préserver la vie. On ne compte pas les procès faits par des médecins ou des chirurgiens indignés à la concurrence illicite de tel ou tel bourreau bienfaisant.

Charles continue la tradition. Il a même envisagé (après ses débuts difficiles avec cette Madame Tiquet, baptisée Angélique, et qu'il a dû se reprendre à quatre ou cinq fois avant de décapiter, aux huées de la foule – il n'avait pas d'expérience, il n'était encore que l'aide du bourreau de Pontoise, apprenti en somme, mis au pied du mur par une défaillance de son père, et allez faire du bon travail avec une décapitation à l'épée! Je dis bien « à l'épée ». Et quand il pleut! Ça glisse, que voulez-vous! On ne va pas lui reprocher cette pauvre Madame Tiquet toute sa vie!), il a envisagé, pour éviter aux débutants les mêmes déboires, d'écrire un petit *Manuel de l'Exécuteur* avec les tours de main les plus courants et les erreurs à éviter. Et puis l'idée de ce petit livre, passant de main en main, éternisant le nom de Sanson, bourreau, et que l'on croirait peut-être écrit avec une morbide complaisance, avec plaisir! Non. Il ne manque jamais d'occasions d'apprendre, malheureusement. Et les gens qui, prenant connaissance des « avantages » de la charte de bourreau, seraient tentés par ces œufs, ces montagnes de sénevé, de millet, de prunes, d'andouillettes, dont le soussigné « jouit », eh bien il leur souhaite bon appétit! Quand ils auront fait passer sur la roue deux ou trois condamnés (une mode venue d'Allemagne, et bien préjudiciable encore à la réputation des exécuteurs! Faites-le! Essayez, avec une barre de fer, manquez les jointures deux ou trois fois, et vous verrez si vous avez encore le goût de manger des carpes, même farcies, acquises à ce prix!), on verra bien s'ils ont encore la vocation!

Lui, Charles Sanson, fils de Charles, il a beau avoir perfectionné le baume contre les rhumatismes dont son père était l'inventeur, il a beau user du retentum aussi souvent que possible (Marthe, sa femme, le lui reproche assez : « Ce n'est pas que je n'aie pas pitié, mais enfin mets-toi un peu à la place des gens qui ont fait des lieues et des lieues secoués dans une carriole, pour voir rompre un cadavre! »), Charles se met plus aisément à la place du coupable qu'à celle de la foule qui hurle sa joie d'un parricide écartelé, et puis fuit le bourreau comme un pestiféré.

Remarquez, ça a un bon côté, et un seul :

l'exemple. L'exemplarité, comme disent ces Messieurs de la Faculté, ou du Jardin du Roi, qu'il a pu entendre discuter quelquefois. Ils ne sont pas certains, notez... « Est-ce que la vérole a jamais empêché quelqu'un de b... ? » a dit l'un de ces savants, qui, tout savant qu'il est, est un mal dégrossi. Et il y avait des dames! Mais Charles voudrait bien les voir conclure. En somme l'exemple, l'exemplarité, c'est sa justification à lui.

On devrait le comprendre. On devrait... Et on voit même des juges – des juges! – s'écarter du bourreau qui ne fait qu'appliquer leurs lois! Et on voit même des filles « du monde » (autrement dit de franches putains, l'expression « du monde » signifiant – il apprend cela – « qui appartient à tout le monde ». A tout le monde, vraiment?) faire la fine bouche devant un garçon de dix-sept ans qui, parce qu'il a « débuté » à Pontoise, espère passer inaperçu à Paris.

Charles Sanson se souvient.

A dix-sept ans il est grand, les cheveux châtains, les yeux noirs, un honnête visage un peu carré, des mains peut-être un peu grandes, mais les laboureurs, les forgerons, mais les artisans... Alors pourquoi le reconnaissent-elles, se mettent-elles entre elles à chuchoter, à s'éloigner imperceptiblement, alors qu'il reste seul au milieu de la ruelle – qu'il a choisie à dessein modeste, fréquentée par les moins chères, les plus lamentables des filles –, et voilà qu'elles s'écartent, qu'elles semblent avoir peur, comme si c'était elles qui couraient un danger alors qu'en venant rue du Coq, c'était plutôt lui qui aurait été justifié de ressentir un peu d'appréhension. Des filles telles que celles-là ne sont sûrement jamais contrôlées. A cette époque, il est encore armé d'une solide bonne foi. Il a le droit pour lui. Il n'a encore participé qu'à quelques pendaisons sans importance, des incendiaires, des voleurs de bétail... on ne peut pas s'identifier à ces gens-là. « Ces gens-là », se dit-il encore avec une bonne couche d'enfance bien matelassée qui le protège des regards en coin des garçons qui traversent la rue pour ne pas le croiser, des filles dont on lui apprend qu'il ne faut pas les regarder. Mais ne dit-on pas cela à tous les garçons de son âge ? Il a appris à lire, à écrire, et puis, dans les livres du père, des notions de médecine, de chirurgie, d'anatomie. Il a appris qu'il est la loi, qu'il fait partie de la loi, un mécanisme respectable, nécessaire, dont il est un rouage ni plus ni moins que les autres : juges, greffiers, huissiers, gardiens, aussi bien que gouverneurs de prisons et d'hôpitaux. C'est un univers où il a sa place, et que cette place soit entourée d'un cercle comme certains en tracent à la craie pour invoquer les démons, il ne le sait pas encore puisqu'il n'a jamais essayé d'en sortir.

Alors, ce jour de ses dix-sept ans, il se met en colère. Ces filles sont à vendre, pourquoi pas à lui ? Il saisit un bras mince qui passe à sa portée et ne regarde qu'ensuite. Il est pressé. Il a un peu peur. Il a eu si peu l'occasion de sortir seul, de voir la ville. Il regarde enfin sa prise.

– Comment t'appelle-t-on ?

– Madelon... répond-elle d'une voix faible.

Elle est pâle, les cheveux clairs, presque gris à force de blondeur anémique, elle est maigre, elle fait un lamentable effort pour lui sourire et découvre des dents passables dans des gencives blanches. Les autres filles se rapprochent et l'encouragent, maintenant.

– Ce n'est pas si terrible ! Il ne va pas te faire de mal ! Tu n'as encore rien fait de la journée...

Est-il si déplaisant qu'il faille de la résignation à cette mauviette pour accueillir un beau et robuste garçon ?

– Ton prix?

Elle ne répond rien. Il est sur le point de partir. Deux considérations le retiennent : pourra-t-il, un autre jour, se libérer? Prince et prisonnier, on le quitte peu de vue. Il y a toujours un cousin, un autre aide, quelqu'un pour l'escorter, et, depuis qu'ils habitent près de l'église Saint-Laurent – ce qui est, mais il ne le sait pas, une tolérance –, on s'arrange pour l'occuper à toutes sortes de besognes quand il n'est pas requis à Pontoise. Puis l'idée lui vient que la timidité de Madelon vient peut-être de ce qu'elle aussi débute.

– Alors? dit-il plus rudement qu'il ne le voudrait.

– Ce sera à votre gré... répond-elle d'une toute petite voix, qui le confirme dans sa rassurante conviction qu'elle n'a pas beaucoup plus d'expérience que lui.

Et, à l'applaudissement de toutes les filles qui, maintenant, s'esclaffent, elle le fait monter dans une pièce d'entresol, obscure mais propre, d'où sortent précipitamment deux autres personnes, ni belles ni jeunes, dont il s'étonne qu'elles fassent ce métier.

– Oh! elles ne le font pas! dit la pâle Madelon, un peu rassurée. Ma tante est boulangère, et ma mère servante à l'Image Sainte-Catherine. Elles viennent ici pour se reposer quand je ne travaille pas. Ma mère travaille très tard, et ma tante très tôt... et moi à toute heure si je pouvais... On a si peu de choses.

Elle se déshabillait en babillant ainsi, d'une voix fraîche et menue d'oiseau, pauvre oiseau déplumé, mal nourri, dont les os même semblaient fragiles. Il était un peu déçu, car (plus pour lutter contre le froid, sans doute, que par coquetterie) elle portait plusieurs épaisseurs de jupons qui lui avaient fait espérer plus de rondeurs. « Qu'elle est légère! pensa-t-il avec découragement. Si légère qu'on n'arriverait même pas à la pendre! » Puis il s'étonna de cette pensée. Car, bien que depuis un an ou deux son corps le tyrannisât et qu'il fît des rêves où lui apparaissaient des beautés plus dodues, il n'avait jamais fait de rapprochement entre son office, accompli sans émotion, et le souhait de plus en plus impérieux de son corps.

La petite s'était approchée d'une large couche qui servait sans doute à toute la parenté, et jetait pardessus une étoffe d'indienne assez coquette. Elle lui tournait le dos ; il aurait pu compter ses vertèbres saillantes, et ses omoplates tendaient une peau fine, presque diaphane, qui n'était pas déplaisante. Il sentit avec soulagement son désir renaître, et la bonté qui lui était naturelle revint en même temps.

– Je te donnerai un écu, dit-il, content de lui.

Elle se retourna, de joie devenue toute rose.

– Vrai ?

– Vrai. Quel âge as-tu ?

– Dix-sept ans.

– Juste comme moi.

– Oui, mais vous, dit-elle sans amertume, on voit que vous mangez. Je sais que je suis maigre, on me paie moins pour cela, alors comment veut-on que je grossisse ?

Elle avait dit cela d'un petit air malheureux et comique à la fois. Et il se mit à rire, la prit dans ses bras avec un sentiment qui était presque de camaraderie affectueuse, comme il eût jouté avec l'une de ses cousines, l'été, dans les foins. L'affaire était bien engagée quand il la sentit se crisper et gémir :

– Ne me faites pas mal...

C'est vrai qu'elle était si frêle... Il desserra son étreinte et conclut un peu vite.

Ils se séparèrent avec un gros soupir de soulagement qui fit rire l'un et rougir l'autre. « Enfin ! se disait-il, peu soucieux que la chose ait été quelque peu bâclée, le tout est de mettre le pied à l'étrier ! » Il avait déjà quitté Madelon en pensée quand il s'aperçut qu'elle s'excusait.

– J'espère que je ne vous ai pas offensé..., balbutiait-elle.

– Mais non, ne t'inquiète pas, c'était très bien, disait-il généreusement, quand il comprit « Ne me faites pas mal », « Il ne va pas te faire mal »...

Quand il était là de la façon la plus naturelle du monde, les filles voyaient en lui le bourreau ! C'était de cela que Madelon, rougissante, s'excusait. Dans ses bras, un peu trop serrée, elle avait pensé, elle aurait pu penser, qu'il mettait à lui faire du mal de la complaisance. Qu'il était cruel. Parce que bourreau.

Il restait interdit. C'était la première fois qu'il se rendait compte que sa fonction l'enveloppait tout entier, comme une peau. Qu'il n'était pas Charles, un peu lent d'esprit mais intelligent, rêveur, adroit de ses mains (même cet éloge qu'on lui avait fait tout petit, quand il découpait des images et, plus tard, quand il perfectionnait à l'usage de sa belle-mère quelque ustensile ménager, pouvait horriblement s'interpréter), mais qu'il était, à tout moment, le bourreau. Qu'il ne cesserait plus jamais de l'être. Il était le bourreau comme on est le roi : au lit, à table, sur l'échafaud ou aux commodités. Ou avec une fille frêle et tremblante qui avait son âge et qui avait peur de lui.

– Non, tu ne m'as pas offensé, dit-il pensivement. (Il lui donna l'écu promis.) Mange-le surtout. Ne le donne pas à ta mère ! Si tu grossis, je reviendrai te voir.

Il mit deux ou trois visites à s'apercevoir (bien qu'il la payât plus qu'un autre) qu'elle était gênée en le voyant arriver.

– Moi je vous aime bien, dit-elle avec résignation. Je vois bien comment vous êtes... Mais les autres sont jalouses, elles m'appellent la fiancée du... et ça me fait perdre des pratiques. Alors, comme je perds d'un côté ce que je gagne de l'autre...

Il comprit. Cette petite Madelon, si mince, si transparente, dans son obscure chambre, fut son premier chagrin d'amour. Un petit chagrin; trop petit pour satisfaire un gros garçon sanguin de dix-huit ans. Il rêva. Bien sûr, plus tard, quand il eut de l'usage, quand il connut un peu son Paris, il sut où s'adresser et que, moyennant finances, les filles n'ont pas toutes les délicatesses de Madelon. Mais le souvenir lui resta, mélancolique. Il lui resta doublement, d'ailleurs, car Madelon lui laissait un autre souvenir, plus cuisant, que sa belle-mère soigna en grommelant qu'il fallait le marier.

– Jamais! s'écria-t-il.

Pendant quelque temps il ne prit pas d'autre maîtresse. Mais après plusieurs années, s'il lui avait fallu parler – mais il parlait peu – de ses souvenirs de femmes (ces souvenirs qui demeurent toujours un peu vivants dans le passé d'un homme : un essaim de mouches, un bourdonnement agaçant, parfois mélodieux, symbole de l'été, avec l'ambiguïté du miel : nourriture des dieux, aux hommes indignes simple enduit poisseux qui colle aux doigts, déshonorant les fleurs de l'Hymette), s'il lui avait fallu exorciser l'une de ces femmes flottant en lui comme des ludions dans l'eau d'une espèce de placenta, une grossesse nerveuse, une grossesse de mâle qui n'arrive pas à mettre bas ses souvenirs, à leur donner vie, à s'en débarrasser, après Madelon il aurait dit bien entendu Angélique. Il aurait dit Angélique Tiquet. Et s'il avait prononcé ce nom, son interlocuteur, quel qu'il fût, aurait réfléchi un moment, et puis un sourire aurait éclairé son visage et il aurait dit (avec l'expression contrite de qui se moque, et a honte aussi de se moquer) : « Ah oui! C'est vous qui avez manqué, raté, la pauvre Angélique Tiquet! »

Et le mot même dont il se servirait serait équivoque, indiquerait, sans même que l'interlocuteur le voulût (mais son rire trahissait l'association d'idées qui se faisait inconsciemment entre le bourreau qui « rate » sa victime et l'amant qui déçoit l'amante par maladresse ou par impuissance), une dérision d'un caractère un peu grivois, macabrement grivois si on veut, mais qui regrouperait indissolublement, comme deux jumeaux siamois, le bourreau et l'homme qu'il était pour lequel il revendiquait en vain le droit d'exister, de son côté, dans l'ombre.

Angélique Tiquet était la femme d'un membre du Parlement de Paris. Mal contente d'un époux que l'on disait brutal et avare, elle avait projeté avec simplicité de le faire assassiner. Puis elle s'était ravisée. Il est bien triste de penser que ce revirement fut, probablement, à l'origine de son arrestation, puis de sa condamnation, les sbires par elle appointés, puis décommandés, l'ayant, par dépit, dénoncée. Fut-ce cette probabilité qui perturba l'exécuteur – qui devait être Charles Ier assisté de son fils âgé de dix-huit ans ? Au moment d'accomplir son office, une simple décapitation à l'épée, un malaise le prit et il pria son fils de se substituer à lui. Certains spectateurs (et de bons auteurs les suivirent) prétendirent que le trouble du bourreau venait de l'étroite ressemblance de Madame Tiquet, encore jeune et belle, avec une parente prénommée Colombe et qu'il aurait aimée autrefois. Cette explication, insuffisamment fondée, prouve en tout cas ceci : que devant la blonde et désolée Angélique, le père et le fils ressentirent l'un et l'autre, et sur l'échafaud même, que deux parties jusque-là en eux disjointes, comme la chair et l'esprit, la coque et la noisette, venaient de se rejoindre et que, non seulement un lien d'une espèce mystérieuse se tissait entre eux et le corps –

mince, délicat, expressif comme une lettre bien tracée, avec ses pleins et ses déliés –, de celle qui, expression courante, expression parlante, « leur appartenait dorénavant » (« Il, Elle, n'appartient plus qu'à la loi, qu'au bourreau », dit-on, démontrant bien qu'il s'agit d'une sorte de possession), mais encore qu'il en était ainsi aux yeux de la foule. Elle avait conscience d'assister à un spectacle obscène, équivoque, comme ces spectacles néroniens où, à l'intérieur de la fiction, intervenait tout à coup – dissonance exquise – une touche sanglante de réalité : le crucifié fictif réellement crucifié, la fille violée l'étant réellement, parfois par un âne qui la laissait en piteux état. Ici, un spectacle exemplaire et mythique, où l'amusement restait anecdotique – on ne pouvait s'identifier ni à la victime, trop criminelle, ni à l'abstraite justice qui l'exécutait –, faisait soudain place à un coupable divertissement de voyeur, une grande masturbation collective qui exigeait l'orgasme.

Le malaise du père, la transmission au fils de la besogne qui s'apparentait maintenant avec évidence à un viol étaient des signes. La pluie se mit à tomber en ce moment. Ses vêtements collés sur le corps, la jeune femme tremblait de peur et de froid; la foule se prenait d'un désir pervers. On voyait tout à coup le corps abstrait de la coupable devenir femme comme dans les contes la grenouille ou le renard se font prince ou sultane. Et le bourreau, à attendre que la pluie diminuât car elle rendait l'exécution plus problématique, se faisait homme, à son tour dévoilé. On remarquait qu'il était grand, de visage agréable. On croyait voir se hérisser d'appréhension les poils de ses bras. Malgré le temps, on voulait voir dans l'eau qui coulait sur son visage une sueur animale et on lui criait, comme à un chien qu'on excite : « Vas-y! Qu'est-ce que tu attends? » On entendait aussi : « Pauvre femme ! » Car la pitié est un plaisir.

Il dut s'y reprendre à trois fois. Sans doute, dès le premier coup qui fit jaillir un flot de sang, la malheureuse dut être assommée et ne plus rien sentir. Mais pour prolonger leur volupté ambiguë, les spectateurs prétendirent avoir vu, jusqu'au troisième coup qui lui trancha le col, le corps frémir. Et la Princesse Palatine, sur des rumeurs qui lui étaient parvenues, parla de cinq ou six coups d'épée, ce qui était exagéré.

A dater de ce jour, et bien qu'il n'en eût pas encore officiellement la charge, Charles Second, dix-huit ans, exerça les fonctions de bourreau de Paris.

L'hiver 1716-1717 fut horriblement froid. A vrai dire cela faisait des années, et presque depuis mon enfance, qu'on disait que les hivers étaient horriblement, anormalement, exceptionnellement froids. Je bénissais le grand poêle dans le chauffoir et le fourneau de la cuisine qui nous permettaient de survivre. Jeannette amenait ses enfants pour la journée qui se tenaient blottis près d'elle. Nous n'avions pas le cœur de le lui reprocher. Je nourrissais toujours mon idée de chef-d'œuvre. Ah ! on avait voulu faire de moi une apprentie ! On verrait ce que j'allais en tirer ! C'est dans cette obsession que je nourrissais, et la crainte que tout à coup ne nous arrivât une belle « pièce » (il me manquait une seconde tête, les premiers moulages n'étant pas parfaits) avant que j'eusse obtenu le consentement positif de mon maître, que je lui dis, un jour de cet hiver-là, peut-être après le Nouvel An :

– Mon maître, la Sicard est-elle vraiment votre maîtresse ?

Il se mit à rire à grands éclats, et posa la craie avec laquelle il dessinait une coupe de vertèbre.

– Qu'en penses-tu, Catherine Lesueur?

– Je pense que non, mon maître. Elle n'est pas revenue.

– Peut-être vient-elle sans que tu la voies? Peut-être vais-je chez elle, le soir, avec mon bel habit?

– Vous ne prendriez pas la peine de vous adoniser si elle était vôtre, je crois.

– Pas mal raisonné. Je mets mon bel habit pour aller dans les salons, faire des démonstrations de physique ou de chimie, entretenir ma réputation, et, parfois, j'y cède – car ma grande noblesse ne me permet pas d'en faire le commerce – des onguents de beauté, des baumes, des révulsifs, qui entretiennent ma réputation de savant et d'amateur. L'amateur est très bien porté, aujourd'hui. Ne sommes-nous pas gouvernés par un amateur? Ne...

Je l'interrompis, non sans malice.

– Et le matin... quand vous sortez très vite, en fiacre, et avec votre habit marron? Est-ce encore l'amateur qui se hâte?

– Oh! par pure bonté, je saigne quelques dames qui n'ont confiance qu'en moi.

– Allez-vous, par pure bonté, jusqu'au clystère?

– Je ne suis ni barbier ni apothicaire, Catherine! Et d'ailleurs, le croirais-tu? Même le clystère passe de mode! Nous vivons dans un tourbillon de changements! Il faudra songer à en tirer profit.

– Ceci, mon maître, est une philosophie et non une réponse.

– Une réponse au sujet de la Sicard? De quoi te soucies-tu? Un peu de jalousie?... L'élève se languit en secret pour son maître?

Bien que je susse qu'il me taquinait, je n'en rougis pas moins de colère.

– C'est que j'ai quelque chose à lui demander, dis-je en assurant ma voix.

Et sortant d'un tiroir une liasse de mes croquis, je les lui jetai violemment, non sans renverser un godet d'indigo, ce qui le fit éternuer. On voit que ses mauvaises manières avaient déteint sur moi.

Mais le voilà qui feuillette, et s'emballe, et s'enflamme :

– Pardieu ! c'est Antoinette ! C'est tout à fait elle ! Le nez, la bouche... c'est son air ! Quand tu auras réussi les yeux, ou plutôt l'œil puisqu'il ne s'agit que d'un profil... Tu as de l'or au bout des doigts, ma petite. Si un jour je quitte la France, il faudra... Mais qu'elle est douée, cette petite gueuse ! Et tu ne l'as vue que deux ou trois fois ! On dirait qu'elle a posé pour toi...

Et tout à coup, arrêté dans son élan par une pensée divergente, comme il lui arrivait, il se tut un instant et reprit presque bas, réentendant ses propres paroles :

– Mais oui ! Elle doit poser ! Elle posera pour toi, cela expliquera tout...

– C'est tout juste ce que je voulais vous demander, fis-je sans prêter attention à ses dernières paroles, dont je me souvins par la suite, et qui excuse mon indiscrétion...

– C'est cela ! Joue les victimes ! fit-il, décidément de bonne humeur. Nous en reparlerons quand tu auras raté ton buste.

Mais j'étais sûre que je ne raterais pas mon buste et, maîtresse ou pas, quelques jours après (Martinelli m'avait priée de transporter fusains, glaise, sellette, et tout mon matériel dans l'un des salons de façade, l'écurie n'étant pas digne de Mademoiselle Sicard), vers l'heure de midi, Antoinette se trouva assise devant moi, patiente, silencieuse, dans une bergère dont on avait en hâte raccommodé le pied.

***

J'avais été plusieurs jours à m'occuper, avec mon maître, du dépouillement et du moulage de la tête de femme que nous avions pu enfin nous procurer. Travail délicat qu'il ne fallait pas manquer. Plusieurs dissections et moulages sont en général nécessaires pour obtenir un résultat parfait, mais déjà nous avions été obligés de demander un crédit pour la première tête, cédée à regret par les hôpitaux, et l'aubaine pouvait ne pas se reproduire avant des semaines. Il fallait donc faire vite, avoir la main légère, couler le plâtre, ni trop ni trop peu, pour qu'il s'insinuât dans les moindres interstices avant de se solidifier.

Je me tenais au côté de Martinelli pour cette opération. J'observais la cloison nasale de la tête à demi dépouillée en me demandant si elle se souderait harmonieusement avec le profil d'Antoinette, quand un écœurement me vint. L'œil mort de la partie intacte du visage me parut avoir encore un regard. L'idée même de dissocier œil et regard ne m'était pas venue à l'esprit jusque-là.

– Je vais dépouiller aussi l'autre moitié, dit Martinelli qui s'affairait avec bonne humeur. Il te sera plus facile de refaire des profils de glaise que de retrouver une autre tête. La Faculté nous prend tout !

Je tendis un bras derrière moi pour me soutenir. La tête avait été celle d'une femme d'âge moyen, la quarantaine peut-être, morte de consomption, assez maigre, une belle ossature, un épiderme déjà sec. Une femme. Comme Antoinette. Comme moi. Et maintenant un objet, comme le chien naturalisé du cabinet de curiosités, qu'on débitait par morceaux avant de la brûler quand sa chair corrompue deviendrait poison, charogne. Et ce regard... Une légende dit que sur la rétine d'un homme assassiné l'image de son assassin se fixe. Des hommes de police même ont cru cela. Et de se pencher, et de scruter ces yeux, y cherchant le regard. Mais qu'est-ce que le regard? Et qui sait si, au lieu d'un assassin potentiel, ce n'est pas une dernière pensée qui se fixe sous cette paupière que le scalpel attaque?

J'eus beau lutter, un vertige me gagna. Je perdis mes sens. Cet évanouissement dura un certain temps, je suppose, puisqu'en revenant à moi, étendue sur une vieille causeuse toute défoncée qui se trouvait là Dieu sait comme, le chevalier me faisant respirer un mélange de sels d'ammoniaque de sa façon, je vis le travail fait, les derniers moules séchant sur l'établi, et les premiers déjà enduits d'huile de noix de manière à faciliter par après le décollement de la cire. Mon maître m'éventait d'un vieux morceau de cuir durci qui sentait fort mauvais. Mêlée aux sels d'ammoniaque, cette senteur eût fait revenir un mort.

– Il y a là une formule à étudier, vous savez!

Mais il ne riait pas.

– Qu'est-ce qui t'a donc pris, Catherine? Tu t'es coupée? Qu'est-ce qui s'est passé? Est-ce que c'est moi?...

Et il examinait mes mains et mes avant-bras avec une inquiétude qui me toucha.

– Elle a pourtant l'air fraîche, cette tête! murmurait-il avec un regard de rancune à l' « objet » posé sur le marbre.

Sottement, irrépressiblement, j'éclatai en sanglots.

– Mais c'est une femme! C'est une femme! répétai-je. Ô mon Dieu, mon maître, c'est une femme!

– Mon pauvre petit... disait-il sans comprendre. Tu as trop travaillé. Tu dois avoir une fièvre. Jeannette! Jeannette!

– Non, non. Laissez... Je vais me reprendre. Je suis trop sotte. Je n'avais jamais pensé...

– Quoi donc?

– Que c'était des morts. Je veux dire... qu'ils avaient été des vivants... comme nous.

Il se tut un moment, impuissant à me consoler et, peut-être, à me comprendre.

– J'espère que je n'ai rien gâché en tombant?

– Non, non, dit-il avec un empressement ingénu. J'ai fini les moules avant tout, tu penses!

Puis, s'inquiétant d'une tache de sang qui s'étendait sur la causeuse et allait s'élargissant :

– Mais tu es blessée! Tu es tombée sur quelque chose?

Et moi, cessant du coup de pleurer, de me mettre à rougir, à balbutier, je fus au comble de la gêne et de l'étonnement : ce sang qui aurait dû couler depuis deux ou trois ans et qui ne coulait pas, faisant de moi une attardée, presque une anormale, voilà qu'il se décidait tout d'un coup, me faisant femme dans des circonstances bien embarrassantes.

– Pardon... Permettez que je me retire... Je vais me reposer un peu.

Que dire? Lui aussi comprit tout à coup.

– Oui, va, va... (et, soudain, ces mots sortis du cœur :) Ma pauvre petite Catherine... tu n'étais donc vraiment qu'une enfant?

Quelques jours après j'attaquai la pièce définitive, en cire de Smyrne. Ou, du moins, son profil anatomique, l'arête du nez faisant frontière, que j'allais souder ensuite avec le second profil, celui d'Antoinette, moulé et refondu de la glaise à la cire. Pour colorants je disposais, en poudre fine, de laque de garance, de vermillon, de safran et d'indigo. Je sculptai les striations du muscle à froid, avec une pointe fine. J'appliquai en dernier les artères, les veines et les nerfs constitués de fils de soie revêtus de cire colorée. Je laissai glisser des gouttes de cire liquide pour indiquer les nodosités ou ganglions. Je ne laissai pas à mon maître le soin de peindre les vaisseaux, même les plus fins. Je voulais être responsable de l'œuvre autant que possible.

Je n'avais pas encore implanté les cheveux. J'avais à demi moulé, à demi sculpté le cou et un début d'épaule. Tout cela s'arrangeait, sans disparate. La tête était légèrement penchée sur la gauche, comme si elle avait voulu dérober aux regards la partie anatomique du visage, et je me demandais si j'avais réussi à donner au profil droit ce caractère de tristesse, d'incompréhension et de dignité qui m'avait frappé sur les traits d'Antoinette Sicard.

J'avais eu beaucoup de peine à y parvenir, malgré la patience du modèle et les encouragements du Chevalier. Je dessinais, je moulais la glaise, je retrouvais assez aisément la torsion du cou, le nez fin aux narines palpitantes, la bouche un peu grande, cet air de cheval et de cygne. Mais le regard se dérobait, l'angle des yeux longs, la paupière. Je déchirai le papier, je jetai plus d'une fois l'argile sur le sol, qui retombait en tas. Je pensai abandonner cent fois. La réflexion du Chevalier : « ce n'est pas de la science pure », dont il flétrissait la *Jeune Fille* de Desnoues, et même les premiers tableautins de Zummo (comme contenant une morale ou une réflexion), me revenaient à l'esprit et, quand dans ses mauvais jours il passait près de moi qui travaillait et murmurait : « Qu'est-ce que tu essaies de faire? De la poésie? », j'étais proche, moi-même, des larmes. Je ne tentais pas un portrait d'Antoinette, la ressemblance était donc de peu d'importance. Mais, ayant parfaitement réussi la partie anatomique de mon buste – du moins à ce qu'il me semblait –, je voulais entre ces deux profils créer une harmonie. Et là quelque chose me gênait, me hantait, s'interposait entre moi et la réussite de mon projet. C'était l'autre, l'inconnue, la morte de l'Hôpital Général, que personne n'avait réclamée, dont le corps avait été débité et vendu par pièces et morceaux, et dont le regard ne rencontrerait plus jamais d'autre regard. A moins qu'on ne puisse imaginer un regard sans rétine, sans globe oculaire, sans paupière... et qu'est-ce que ce serait, ce regard-là? Je cherchais le regard d'Antoinette, assise, patiente, regardant à travers mon visage et à travers le mur. Je m'impatientais. Je gâchais ma terre, je redessinais, je déchirais encore, quand je m'aperçus un jour que ce qu'Antoinette regardait c'était « son » profil anatomique, lui aussi patient, qui attendait sa moitié. Et elle dit en détirant ses longs bras gracieux et maigres, ses longues mains de brodeuse :

– Pauvre femme...

Et je vis qu'elle pensait, sans révolte et sans compréhension : « Pauvre moi... » Et ce jour-là, je saisis son regard, leur regard. Et je terminai.

– Voilà notre buste fini, dit le Chevalier avec satisfaction. Et grâce à l'ami Sanson.

– Pourquoi? La tête venait des hôpitaux.

Antoinette eut une petite grimace de répulsion. Elle était venue « fêter » l'achèvement de l'œuvre.

– Oui, dit Martinelli avec bonne humeur, mais c'est Charles qui nous l'avait obtenue. Et c'est lui qui me fait crédit.

Que le bourreau lui fît crédit, cela le faisait rire.

– Et pourquoi nous fait-il crédit?

– Ma chère petite Catherine, sous les Valois, dit-on, légende peut-être controuvée, deux conspirateurs, ou envoûteurs, que sais-je, furent arrêtés et condamnés à mort. L'un subit la question dans toute son horreur, l'autre y échappa grâce à divers artifices : les coins étant en cuir et non en bois – pour les détails interroger l'ami Charles...

Antoinette fit entendre un bref éclat de rire sans

gaieté, qui ressemblait au jappement d'un chien auquel on marche sur la patte.

– ... ce qui lui permit d'aller à l'échafaud – si, tout de même! – frais et gaillard, alors que l'autre y fut porté dans un état calamiteux. Piètre bénéfice, me direz-vous. Mais, outre la réputation de bravoure qu'il se fit tout à fait indûment tandis que l'autre passa pour un pleutre, il passa ses dernières heures à boire et à jouer, le second souffrant mort et martyre. Et tout cela, dit la légende, parce que le premier conspirateur, gascon, jovial et sans préjugés, aurait, le rencontrant en d'autres circonstances, serré la main du bourreau, tandis que l'autre la lui aurait refusée. Et voilà pourquoi votre fille est muette... Pardon! voilà pourquoi nous disposons d'une tête à crédit, outre la très charmante tête du modèle.

L'histoire me fit un peu rêver.

– Et c'était un Sanson?

– Tu crois que la noblesse des bourreaux remonte aux Croisades, comme certains qui en sont si fiers? Non, notre ami est un bourreau de fraîche date. Son père, m'a-t-il dit, étant le premier de la lignée.

– Il a fait choix de cet état?

– Il a fait choix d'une fille de bourreau, et de là tout découle.

– Quelle horreur! dit doucement Antoinette, qui parlait pour la première fois. Le pauvre homme, alors, n'y est pour rien?

Et se versa un grand verre de vin qu'elle but d'un trait, comme un cordial.

– Je suppose, dit le Chevalier avec indifférence.

– Son père est le premier d'une lignée qui, selon toute vraisemblance, se poursuivra. Un parvenu, en somme.

Je plaisantai :

– Croyez-vous vraiment que nous puissions continuer à le fréquenter?

– Hé, hé... On ne sait jamais ce qui peut arriver ! Si un jour nous nous trouvions dans une situation délicate, je suis sûr que Charles déploierait tout son tact...

Dans la joie d'avoir terminé un travail, dans la bonne chaleur qui venait du poêle et du fourneau allumé, nous riions de ce rire bête qui fait du bien. Et même Jeannette souriait en entassant de la vaisselle sur l'évier. Mais Antoinette ne riait pas. Elle n'avait guère mangé, non plus, malgré l'excellence de la chère, car nous avions reçu, ce jour-là, provenant de la table de la duchesse d'Orlac qui nous aimait, un énorme poisson à la chair rosée que nous ne pourrions pas finir. Aussi Martinelli autorisa-t-il Jeannette à en emporter un morceau pour ses enfants ; elle l'entoura aussitôt d'un linge comme si elle avait peur qu'il ne se ravisât. Mais son visage farouche et laid s'était un peu éclairé. Pour animer Antoinette (que je n'aimais pas tant que cela : je la soupçonnais d'affectation. Avait-elle réellement un appétit d'oiseau ? Quand le Chevalier se plaignit de ce que Jeannette avait fait tomber par mégarde une parcelle de ragoût sur l'épaule de son habit fleur-de-lin, la Sicard s'était précipitée avec un linge et de l'eau chaude avant même que nous eussions pu faire un geste. Elle faisait tout en hâte, et de l'air d'une femme poursuivie dans un bois), comme un silence tombait, je dis pour meubler un peu l'entretien :

– Antoinette, pourquoi vouliez-vous danser le soir de la mort du vieux roi ?

Elle me regarda d'un air de stupeur, toujours cet air d'être assaillie et, vite, comme si je l'avais menacée d'une arme :

– A cause des bâtards, dont je croyais qu'ils allaient prendre le pouvoir. Surtout le duc du Maine qui, étant si choyé de la Maintenon... C'était une maman pour lui, vous savez. Il boite un peu mais elle ne l'en aimait que davantage, et...

Elle avait dit cela tout d'une haleine et allait poursuivre quand le Chevalier l'interrompit sèchement.

– Antoinette, on ne vous demande pas un cours d'histoire. Catherine ne sait même pas qui est le duc du Maine.

– Je ne savais même pas, dis-je de mon ton le plus enjoué (car je trouvais mon Chevalier bien discourtois), que le vieux roi eût des bâtards.

Il répondit plus doucement :

– Parce que tu ne m'écoutes jamais lorsque je veux t'instruire. Il en eut de la duchesse de La Vallière, et il en eut de la Montespan, dont tu as bien dû entendre parler. L'aîné d'entre eux est le duc du Maine, prince légitimé que le vieux roi voulait apte à accéder au trône. Le duc d'Orléans, qui prenait la régence du droit de sa naissance, fit casser le testament et ôter bonne part des pouvoirs au bâtard, qui en fut très mal satisfait. L'histoire s'arrête là. On ne sait comment tourneront les choses.

– Et c'est pour cela qu'Antoinette voulait danser?

Elle commença une protestation que le Chevalier coupa net.

– Elle voulait danser parce qu'elle est folle, dit-il brutalement.

Puis se reprenant sous mon regard :

– Mais non. Elle voulait danser parce qu'elle a été élevée à Sceaux, où se trouve le château du duc et de la duchesse, et qu'elle voulait voir son village devenir résidence royale.

Antoinette ne témoigna d'aucune façon qu'elle approuvait cette explication.

– Vous avez encore envie de danser aujourd'hui, Antoinette? En cherchant bien, on vous trouverait une raison!

– Il fallait faire *Le Rire*, Catherine, et non *Les Larmes*. Les zygomes aussi sont intéressants, et cela aurait peut-être rendu notre amie un peu moins maussade. Jeannette, ne reste pas plantée là, va chercher les macarons... Mais où vas-tu?

– Je les ai mis dans le chauffoir, murmura-t-elle.

Et elle sortit, son poisson toujours à la main.

– Elle aussi, elle est folle, dit Martinelli d'un ton découragé. Dans le chauffoir, des macarons!... Elle aurait mieux fait de les mettre au frais.

Il se versa du vin, n'en donna ni à moi ni à Antoinette.

– Je vous rappelle que nous fêtons la fin de mon buste, Chevalier!

– Voilà qu'elle joue les duchesses, maintenant! Chevalier! (Il me rudoyait mais avec une nuance de cordialité, me semblait-il, qu'il n'avait pas pour la Sicard.) Tiens! Bois, puisque tu veux boire!

Il ne servit pas Antoinette. Je ne demandai pas pourquoi. Craignait-il que, buvant, elle ne parlât trop? Là-dessus, Wilhelm, cet homme qui nous servait parfois de cocher et qui était manchot et d'une mine très basse, entra, venant de la cour, regarda la table servie et dit:

– Quelle imprudence!

Quelle insolence, surtout! Je détestais cet homme. Jeannette sortait du chauffoir, tenant un plat garni de macarons et d'autres friandises, et, cette fois, elle semblait avoir abandonné quelque part son poisson. Mais comme elle se retournait pour refermer la porte, le déplaisant cocher bondit et se jeta dans la tourelle.

– Il y a là quelqu'un! cria-t-il.

Il y eut dans cette tour ronde qui servait de chauffoir et eût pu servir de pigeonnier un grand remue-ménage. Jeannette s'était jetée derrière le cocher dans la pénombre, et on l'entendait crier:

– Laissez-les! Mais laissez-les donc!

Le Chevalier restait immobile. Antoinette était livide.

Et puis le cocher sortit, l'air penaud, poussant devant lui assez rudement deux tout petits garçons, qui pouvaient avoir cinq et trois ans, et mâchonnaient encore, et Jeannette réapparut dépeignée, le bonnet dans le dos, portant le nourrisson que j'avais déjà vu.

– Mais... que signifie... commençait le Chevalier.

– C'était pour qu'ils mangent, Monsieur, protestait Jeannette. Chez moi, mon mari prend tout ce que vous me donnez et le vend au regrattier pour boire ou pour jouer. Je veux qu'ils mangent. Je veux qu'ils vivent! Il m'en a déjà perdu deux, de faiblesse... de rien d'autre! Ils sont sains! Regardez-les! Je veux les garder, mes enfants! Je veux les garder!

Elle avait dit cela avec une véhémence qui nous frappa. Les petits avaient l'air sain, en effet, les cheveux noirs, raides, et les joues rouges. Du reste fort sales et fleurant le poisson : ils venaient d'attaquer nos restes.

Mais on eût dit que l'épisode avait fait crever l'orage. Le cocher baissait la tête, Antoinette souriait, le Chevalier essayait un air de brusquerie sans trop y réussir.

– Calmez-vous, Jeannette! Calmez-vous! Retournez dans votre trou, vous autres. Wilhelm, allez dans la cour. Je vous verrai tout à l'heure. Vous êtes trop sourcilleux, mon cher. Finissons cet excellent claret. Jeannette?

Les petits garçons s'étaient prestement faufilés à nouveau dans le chauffoir, où ils devaient finir le poisson. Jeannette était debout devant nous comme une criminelle prête à se défendre jusqu'au bout, le tout petit dans les bras.

– Oui, Monsieur?

– Je suppose que vous avez aménagé une sorte de couche pour cet enfant? Oui? Alors recouchez-le. Et donnez des macarons aux autres. Je ne veux pas les entendre.

Nous achevâmes la soirée, on pourrait dire en tête à tête, Martinelli, moi, et Antoinette toujours se taisant. Nous parlions du buste pour lequel il s'était tout à coup échauffé. Il le déclarait admirable, un chef-d'œuvre d'artisan en même temps qu'une œuvre d'art, oui! (Plus question d'impureté scientifique.) Il me félicitait de la façon dont les deux moules, celui que j'avais réalisé sur la morte et celui que j'avais exécuté sur la glaise à l'image d'Antoinette, se joignaient sans qu'on pût en déceler l'artifice. Le regard surtout était beau, plus mélancolique et moins farouche que celui d'Antoinette, et sur sa joue un peu creuse, d'une goutte de vernis, j'avais simulé une larme qui donnait son titre à l'ouvrage.

– Une parfaite réussite!

Ce compliment me faisait plaisir. Et pourtant, quand je regardais Antoinette, accoudée devant l'assiette de fruits secs, la tête un peu penchée, dans la pose même du buste, je me demandais si je ne lui avais pas prêté, aux regards du Chevalier, un charme nouveau. Était-elle sa maîtresse? La sollicitait-il en vain, ce qui aurait expliqué une rudesse mécontente qui n'était pas dans son caractère? Il était brusque, il n'était pas brutal. La voyait-il, depuis qu'elle avait posé pour ce profil, différente? Peut-être n'avait-il cherché qu'à se moquer de moi en se prétendant attiré par elle, et avais-je sottement transformé la plaisanterie en réalité?

Martinelli faisait des projets. Nous serions définitivement lancés par ce buste. (*NOUS!* Enfin, il ne faut pas trop demander!) La céroplastie triompherait des autres sciences. Desnoues, notre rival, serait écrasé. Nous ouvririons un musée, nous aussi. Nous entrerions au Jardin du Roi ou à la Faculté de Médecine...

Je le voyais songer, et je m'attendrissais un peu. Il y avait chez lui un côté d'enfance et de chimère qui me faisait sentir que je grandissais.

– On ne fait pas un musée avec une seule pièce... On n'entre pas aisément à la Faculté...

– Non. Mais on décroche une commande avec une seule pièce! dit-il avec son habitude d'enthousiasme. Je ferai venir Madame d'Urfé, j'obtiendrai que l'abbé Dubois nous reçoive, il a été nommé au Conseil des Affaires Extérieures, il est de plus en plus influent... Ah! elle est vraiment admirable!

L'effigie, ou la femme? Je me rembrunissais. Antoinette se taisait, picorant de temps à autre un raisin de Corinthe.

Jeannette partit, emmenant ceux que le Chevalier baptisa « les rats du chauffoir ». Barbouillés, à demi endormis, ivres de bonne nourriture, ils étaient assez gentils à voir. Le cocher, ce cocher que l'on appelait « mon cher », devait attendre dans la cour. Par moments, on entendait renifler et piétiner les chevaux, puis le silence retombait. J'étais évidemment de trop.

– Qu'est-ce qu'on attend? hasardai-je.

– Mais j'attends que tu ne sois plus là pour faire ma cour à Madame! dit-il en se moquant.

Je sortis par la cour sans leur souhaiter le bonsoir. Ils m'agaçaient. Tout à coup je me sentais enfant de nouveau devant leur complicité d'adultes.

Dans ma chambre, je tirai la chaise sous ma lucarne en papier huilé que j'ouvris. La petite fille rageuse et décidée que j'avais été réapparaissait. J'en aurais le cœur net. Ce fut rapide. Ils sortirent de la cuisine. Il l'entraînait vers le bâtiment en façade. Je me disais bien qu'il devait y avoir une raison de me l'interdire, ainsi qu'à Jeannette! Il devait y avoir là ce que Mademoiselle de Scudéry appelle « le refuge des voluptés ». Peut-être y introduisait-il Antoinette de nuit, quand j'étais couchée et Jeannette retirée. Mais prendre tant de précautions pour une brodeuse de fin, résidant rue d'Enfer, était bien ridicule. Protégée par un grand seigneur? Cela eût expliqué certaines choses.

J'allais redescendre de mon escabeau quand je les vis ressortir. Voilà qui était lestement expédié! Non. Antoinette pliait sous le poids d'un paquet semblable à celui que je lui avais vu porter quelques mois auparavant. Mon maître se pencha pour l'aider. Ils déposèrent le paquet non loin du cocher, toujours immobile. Il me sembla qu'ils en examinaient le contenu. Cela dura un certain temps. J'observais toujours. Puis ils se redressèrent. Le cocher descendit de son siège et alla ouvrir le portail. Antoinette chargea le paquet dans la voiture et y monta. La voiture s'ébranla sans bruit (et je me fis la réflexion, plus tard, que, pour une voiture d'aspect aussi délabré, les roues en étaient singulièrement bien huilées). Le Chevalier referma le portail et rentra dans la maison. Je quittai mon perchoir. Tout cela méritait réflexion.

S'il y avait là quelque lucratif mystère de contrebande, je n'entendais pas en être exclue. Pas plus que de la renommée ou, plus modestement, de la curiosité que pouvait susciter mon buste. La petite Catherine ne se laisserait pas oublier dans son grenier, et était bien résolue à n'y pas passer sa vie. Ainsi protestant dans mon for intérieur, me promettant de veiller, d'écouter, et de surprendre ce dont on me tenait à l'écart, projetant, déduisant, j'oubliai, le temps de m'endormir, le malaise lié à mon buste et au visage d'Antoinette, pour des pensées plus riantes.

Le printemps 1717, encore que pluvieux, fut tout de même un printemps. Et dans tous les sens du terme! L'abondance pénétrait dans la demeure. Mieux payé, le petit jardinier faisait quelques efforts et le jardin ressemblait presque à un jardin. Des fiacres, et même des carrosses qui n'étaient pas de louage, vinrent jusqu'à nous. Il me semblait que je grandissais, que ma taille se faisait, que mon visage était moins rond, moins enfant. Restait mon malheureux petit nez, évidemment, qui contribuait à me donner un air à la fois comique et surpris, et n'inspirait pas le respect. On ne saurait tout avoir! Le Chevalier sortait davantage, changeait d'habit, se poudrait. J'avais le sentiment, tous mes sens en alerte, que quelque chose s'accélérait. Deux ans avaient passé depuis mon arrivée à l'Hôtel des Arcoules, et certains jours s'étaient traînés assez languissants, sans pour cela être désagréables : j'avais eu le temps de bien apprendre mon « métier », de m'occuper un peu à la cuisine et au jardin, de recueillir les ragots qui, maintenant que la Cour était à Paris et non plus à Versailles, abondaient, de m'initier, sous la direction capricieuse de mon maître, aux subtilités de l'orthographe que je mettais à présent presque bien, et certains soirs, par foucade, il me lisait, dans sa chambre en désordre ou sur le banc du jardin, des passages du Tasse, un poète italien qu'il travaillait à traduire, ou même des extraits de Virgile que je redoutais fort (et je n'ai pas cessé!).

Ce faisant, je m'étais familiarisée avec lui, avec sa façon d'être, de m'enseigner et puis de m'oublier, de se confier et, brusquement, de se taire, de se lancer dans des discours pleins de chimères et d'aboutir à des conclusions de philosophie cynique. Et j'apaisais les inquiétudes qui me venaient parfois et pour lui et pour moi en me disant : « C'est un original! » Mais pouvait-il réussir? Et le pouvais-je sans lui? Renoncerait-il un jour à sa déplaisante activité de pamphlétaire, aux basses besognes du nouvelliste appointé (ce que Voltaire appellerait plus tard un « folliculaire ») pour consacrer aux sciences son talent de plume, faire peut-être une découverte, et moi, bénéficiant de cette renommée me faisant une place à moi. Pourquoi pas? Mademoiselle de Scudéry, Madame Dacier l'ont bien fait! J'avais aussi mes chimères. Parfois elles me paraissaient de réalisables projets, parfois je doutais. Antoinette passait de temps en temps. Était-ce pour apporter ou reprendre ces mystérieux paquets? Un jour je la croisai devant le portail, courant presque dans la poussière de la chaussée, avec ses invraisemblables petits souliers.

– Où allez-vous ainsi, Antoinette? Il va pleuvoir. Wilhelm est là, il pourrait vous mener en ville.

– Jamais! dit-elle, comme s'il se fût agi de sa vie.

– Mais enfin, vos souliers... vous êtes si légèrement vêtue! Vous allez loin?

Elle se retourna, semblant chercher.

– En Bretagne, dit-elle. Je vais en Bretagne.

Et s'en fut, comme si elle y allait à pied.

– Il faudra, dis-je un de ces jours-là, faire voir notre buste à Monsieur Sanson.

– Et pourquoi? avait répondu mon maître vivement.

– Ne sommes-nous pas ses débiteurs? Et ne serait-ce pas aimable? Rappelez-vous l'anecdote dont vous nous fîtes une morale, il n'y a pas si longtemps. Ce serait une façon de lui serrer la main...

– Il ne faut pas prendre les anecdotes au pied de la lettre. Tu t'intéresses beaucoup, il me semble, à notre féroce ami.

– Il n'est pas féroce. Loin de là.

– Il a touché ton cœur? Tu le trouves pitoyable et bon? dit-il en se moquant.

– Il est pitoyable et bon, je crois. Mais il n'a pas touché mon cœur, si j'en ai un déjà.

– Et pourquoi?

– Justement parce qu'il est pitoyable, peut-être. Du moins en ce qui me concerne. Il y a des tentatives de pitié qui sont des tentatives de viol.

– Pas si bête, camuson! Pas si bête.

Ce que je ne lui dis pas, c'est que si la compassion de Sanson me déplaisait, son admiration ne m'eût pas tout à fait déplu. Je dis seulement :

– Nous pourrions tout de même lui montrer notre travail. Cela l'intéresse.

– Est-ce qu'il nous montre le sien?

– Oh! que cela est de bon goût!...

Il parut fâché puis, tout à coup, se mit à rire, me regarda en secouant la tête, me tapota la joue, et s'en fut à ses démarches. Il cherchait l'amateur qui pourrait à la fois nous donner du buste un bon prix, et qui ne l'ensevelirait pas dans un cabinet peu connu et peu visité. Projet qui n'était pas simple à réaliser. Plus les amateurs étaient haut placés, et moins ils payaient régulièrement.

J'avais gardé mes moules, enveloppés de linges, dans la cabane du jardin. Je craignais qu'on endommageât mon buste. La cire est fragile et il suffirait d'un geste maladroit ou d'une grosse chaleur comme nous en avions eu l'été précédent... Et puis – et cela je le cachai au Chevalier, j'avais bien droit moi aussi à mes petits mystères –, si jamais je voulais en faire un, ou plusieurs exemplaires? Quelquefois je l'avais accompagné en ville, dans l'un ou l'autre salon, pour l'assister dans une démonstration. Et j'y avais été l'objet d'une vive curiosité. « Une jeune fille! Et qui se passionne pour les sciences! Mais cela est admirable! Que cela est étrange! » Et l'une ou l'autre de ces dames ou de ces seigneurs, jeunes et vieux, m'offraient un présent, parfois même en argent ou en or, ce qui m'avait donné l'ambition d'une petite épargne. Les temps changeaient si vite, ne se pouvait-il envisager qu'un jour je me misse à mon compte, sans plus de maître d'aucune sorte? A moins, comme ma tante, de réunir une dot pour m'offrir un garde suisse? Non, cela je ne le désirais pas. Mais enfin, sans me faire de l'avenir une image très précise, je le voulais agréable et décent, pour autant que cela dépendît de moi.

Et comme répondant à cette attente vague, un de ces soirs du printemps 1717, je vis arriver Charles Sanson qui venait par les champs et le jardin, en se promenant, d'un pas calme et régulier, son habit à la bourgeoise bien boutonné, l'échelle brodée sur le bras droit dans un ton différent (comme l'y obligeait l'édit) mais éteint, son chapeau bien enfoncé sur la tête, sa perruque plus conséquente et mieux peignée que celle du Chevalier, et toute sa personne empreinte de cette gravité et de cette décence qu'il affectait – et que j'eusse trouvées bien bonhommes et bien ridicules s'il n'avait eu ces beaux yeux noirs presque féminins, cette voix douce, ces manières mesurées et précises qui me faisaient maintenant irrésistiblement penser à l'adresse dont il devait faire preuve dans certaines circonstances, et je ne pouvais y penser sans frissonner, le plaindre sans redouter son approche et peut-être la désirer.

Un homme m'approcherait-il un jour en pensant à ces corps que j'avais maniés, moulés, parfois éclaboussée d'humeurs ou de sang, et ne me tendrait-il la main qu'avec embarras? Dans le naturel avec lequel Sanson m'abordait, n'y avait-il pas le sentiment d'appartenir, de par la mort que nous approchions l'un et l'autre de si près, au même cercle infernal? Je prends le mot au sens antique, mais c'est encore trop. Et je me hérissais. Et j'étais attirée par ce qu'il savait de la mort et que je ne savais pas : ce moment, ce passage auquel je n'avais jamais assisté. Et je m'étonnais, une fois de plus, de le voir arriver avec déplaisir, et de lui parler avec agrément.

Comme le temps était doux, je faisais une pause, assise sur le banc du jardin, devant une Diane sans tête que le petit jardinier avait dégagée récemment des ronces qui la masquaient, et comme Charles Sanson venait s'asseoir à côté de moi avec une apparente aisance, je me tournai sur le côté, de peur que la vue de cette statue ne lui rappelât – ou à moi – des souvenirs désagréables.

– Je vois que le Chevalier est sorti en ville?

– Il l'est. Il l'est beaucoup en ce moment.

– Il le sera davantage à l'arrivée du Tsar de Russie. On ne parle que de cela.

– Devrait-il bien s'en mêler? Écrire dans ces petites feuilles? dis-je un peu malgré moi. (Et je pensais : « Il ferait mieux de s'occuper de nos affaires plutôt que de celles de l'État. Ce serait plus lucratif, et moins dangereux.)

Mais Sanson me surprit en me répondant sérieusement :

– Il cherche peut-être à sortir de cet état de chirurgie...

– Et pourquoi? Pourquoi en sortirait-il? Il n'y a rien de déshonorant...

– Certes non! dit-il vivement. Ce n'est pas ce que j'ai voulu dire! Mais cet état amène forcément à des réflexions... à des pensées... bien graves, bien pénibles... Pour lui, pour vous, surtout.

– Moi?

Il me regardait avec ses grands yeux sombres, attentif et mal à l'aise. Je pensais que j'avais si souvent reproché intérieurement au Chevalier de me regarder sans me voir.

– Vous. Presque une enfant, et confrontée sans cesse à cette idée de la fin, de la corruption, à ce doute...

– Le doute de quoi? (Je feignais de ne pas comprendre. Je ne voulais pas comprendre. Mais comment me lever et me retirer brusquement? Et il me tenait sous son regard doux et enveloppant : il me torturait.)

– Mais le doute de Dieu, Catherine, dit-il avec simplicité.

– Vous voulez dire : l'existence de Dieu ? fis-je, un peu incertaine.

J'avais entendu dire que cela se discutait beaucoup, notamment dans ces cafés où l'on contestait tout et où, en manière de dérision, on appelait Dieu « le Grand Être ». Mais je ne sais pourquoi cela ne m'avait paru d'aucune importance. Dieu, pour moi, c'était ma tante, les vêpres où la cuisinière me traînait pour compenser les repas insuffisants ou brûlés, et le couvent où j'étais menacée de finir mes jours.

– Non, pas son existence, dit Charles Sanson. Plutôt, est-ce un Dieu bon ?

Voilà ce qui me plaisait et me déplaisait, en lui : ce sérieux, cette simplicité, la parfaite égalité avec laquelle il me parlait et qui faisait qu'on ne pouvait lui échapper. Cela me plaisait parce que je sentais que mon opinion et ma personne avaient pour lui de l'importance. Cela me déplaisait parce que je ne pouvais m'empêcher de l'imaginer disant à un condamné, avant de lui rompre les os, avec le même calme et le même sérieux : « Que voulez-vous, j'y suis contraint, c'est la loi... » Aussi lui répondis-je assez vivement :

– Est-ce un Dieu qui approuve ce que vous faites ?

– Ce que je fais ! Catherine, ce n'est pas moi qui juge ! Si c'est un Dieu qui rectifie les jugements portés... ou même... les vies, vous voyez ? Celles qui finissent sur votre table de marbre, ou à la Faculté, ou...

– Ou sur l'échafaud ?

Il ne réagit pas.

– ... S'il y a une autre vie, oui, où tout cela est réparé, compensé...

– Cela vous arrangerait bien de le croire !

– Cela me consolerait, c'est pourquoi je n'arrive pas à le croire tout à fait. Y arrivez-vous ?

J'étais peut-être prête, dans mes bons moments, à considérer Charles Sanson comme la victime d'une injuste malédiction, mais je n'étais sûrement pas prête à me laisser considérer par lui comme une espèce de compagne d'infortune.

– Mais je n'ai pas besoin de croire à cela, Charles. Je n'ai pas besoin de consolation !

Il me regarda avec un étonnement triste.

– Mais voyons, Catherine... on m'a parlé... On m'a dit que vous aviez fait une sculpture, une tête ou une statue, je ne sais, qui s'intitulerait *Les Larmes*. Il faut bien que vous pensiez à la douleur des hommes...

Je restai stupéfaite. Ainsi c'était pour cela qu'il venait me voir et me parler de nos fins dernières ? A cause du buste qu'il n'avait même pas vu ?

– Il s'intitule *Les Larmes* parce que c'est une étude anatomique des glandes lacrymales, dis-je aussi froidement que je le pus.

C'était une fin de non-recevoir. Il le comprit, soupira, cherchant ses mots pour prendre congé. Ses yeux se levèrent sur la Diane décapitée, entourée de lilas tôt fleuris.

– Ferez-vous bientôt autre chose ? demanda-t-il par pure courtoisie.

– J'avais l'idée de deux mains jointes, l'une d'une beauté très classique, à l'antique, dis-je en m'échauffant un peu (car, sortie de ces spéculations déprimantes, je ne demandais qu'à bavarder un peu – j'étais fort seule ces jours-là), et l'autre dépouillée de son épiderme et, soit réduite aux métacarpiens et aux phalanges, soit en étude des muscles et tendons. J'avais cette idée avant celle de la tête. Le Chevalier se moque, trouve l'idée, soit d'une bigoterie à la Maintenon, soit pouvant passer pour une bravade. J'y renonce. Et voilà qu'on m'apprend que la sculpture a été exécutée, et non seulement exécutée, mais vendue. Et à qui ? Au duc de Richelieu ! C'est le petit Châteauneuf, un élève de Desnoues, qui m'a pris mon idée qu'il disait irréalisable! Il est vrai que j'avais dit que j'y renonçais parce que le Chevalier m'avait découragée...

Sanson était déjà debout, mais écoutait avec attention. Il écoutait très bien. C'était l'un de ses mérites.

– C'était une belle idée, pourtant. Qu'est-ce que notre ami lui reprochait?

– D'être une idée, justement... De mêler une idée à la recherche anatomique. Il le reproche d'ailleurs aussi à mon buste, bien que le trouvant réussi. Il appelle cela un mélange impur.

Sanson laissa errer son regard sur la Diane, sur le jardin, sur moi, et remit son chapeau sans m'avoir saluée. C'était la première fois que je le voyais distrait.

– Vous savez, Catherine, je crois qu'il a raison. Oui, je le crois. C'est une belle idée... mais impure. Oui.

Et, toujours rêveur, il s'en alla par le fond du jardin, méditant sans nul doute de sombres choses. « Oh! mon bon Chevalier, me dis-je en retournant travailler, que je préfère ta folie, ta distraction et même ton injustice! »

On fait une chose, elle sort de vos doigts, on la juge, on la modifie. Tout à coup un décret prononcé Dieu sait où vous fait savoir qu'elle est terminée. Alors, c'est elle qui vous regarde. Et qui vous modifie.

CHAPITRE III

Où le Tsar de Russie visite Paris et y dérobe du linge, ce qui impressionne fort peu les protagonistes de cette histoire. Où Monsieur Sanson raconte son mariage dont il se repent comme la plupart des gens. Où le buste trouve un Amateur et où Antoinette la folle dit la chose la plus sensée du monde, à savoir que tout est possible.

– Nous avons un Amateur, cette fois j'en suis sûr! Il en a déjà été sûr plus d'une fois. Mais enfin c'est peut-être la bonne. Wilhelm le cocher est là, avec un air de fatuité tout à fait déplacé (à moins que ce ne soit lui qui ait trouvé l'Amateur), et les chevaux piétinent. Nous nous offrons, Jeannette et moi, et jusqu'au gamin qui arrive du jardin attiré par la curiosité et un râteau à la main, à aider le Chevalier. Non. Il fera sa toilette lui-même, s'impatiente, veut poudrer tout seul sa perruque (cette poudre-là nous dit que l'Amateur est d'importance), a déjà enfilé son justaucorps noir que nous mettrons un bon moment à brosser car il l'a poudré tout autant, et, en le réendossant, fera sauter un bouton qu'il nous faudra recoudre, bien qu'il prétende que personne ne s'en apercevra. Et puis frotte ses pieds au grattoir au tout dernier moment et s'y prend de telle façon que voilà une boucle de soulier sur le pavé. « Gardez-la en souvenir! » s'écrie-t-il gaiement. Le buste a été emballé avec un soin minutieux, entouré de paille, de plumes, que sais-je, dans une caisse qui se trouve déjà dans la voiture. Et les voilà partis comme pour une mi-Carême, carrosse sans armes (mais ne portant pas non plus le numéro jaune des voitures de louage), cocher manchot en livrée de nulle part. Et, comme chaque fois qu'il sort en carrosse, mon maître mettra bien certainement dix fois, par oiseuse curiosité, la tête à la fenêtre, y perdant la moitié de sa poudre. Sur qui pensent-ils faire impression, en pareil équipage?

Il est certain que je ne déparerais pas l'ensemble, même dans ma meilleure robe de basin gris. Est-ce pour cela que mon maître refuse catégoriquement de m'emmener pour présenter la pièce?

– Je ne dirai pas un mot! Je vous aiderai seulement à la mettre sur son support!

– L'Amateur ne manque pas de laquais.

– Au moins vous lui direz que j'y ai travaillé?

– Tu as peur que je te spolie?

– C'est se moquer, ce n'est pas répondre!

– Pourquoi ne pas l'emmener, au fond? dit le cocher qui se mêle toujours de tout. Elle pourrait servir d'appât.

– D'appât! Comme s'il était besoin...

– Une jolie fille fait vendre n'importe quoi.

– Mon buste, ce n'est pas n'importe quoi! C'est une pièce anatomique... et de valeur! dis-je.

– Catherine, dit le Chevalier avec un mécontentement sérieux, il n'est pas question que tu viennes, c'est tout. Je te demande de ne pas insister.

Je n'insiste pas. D'autant que l'odieux Wilhelm ajoute d'un air railleur:

– D'ailleurs, elle n'est pas assez jolie...

Il a dit « pas assez jolie », il n'a pas dit « trop laide ». Allons, je monte en grade!... Le compliment de l'homme le plus déplaisant fait toujours plaisir. Aussi je retourne sans trop de mélancolie vers les écuries, où je découvre Jeannette se querellant avec un assez beau garçon, presque élégant, ma foi, et qui lui tient les deux bras.

– Mais puisque je te dis que je ne suis à Paris que pour une quinzaine, disait-il, mi-supplication, mi-menace, en tentant de l'attirer vers lui. (S'il est vrai que le plus sot compliment fait plaisir, il est vrai aussi que la plus laide peut trouver un galant. Jeannette, qui était laide et farouche, s'offrait apparemment le luxe de repousser celui-ci.)

– Quinze jours ou un seul, c'est non, non et non! disait-elle.

– J'ai de l'argent!

– De l'argent pas bien propre! Je me demande d'où il vient...

– De ma pacotille, et rien d'autre! Allez, viens...

– Même s'il est le plus honnête du monde, je n'en veux pas, de ton argent.

– Je pourrais te forcer, dit-il sans trop de conviction. Je suis là avec des camarades.

– Essaie un peu! dit-elle en reculant.

Et de la poche de son tablier sortit une fourchette à deux dents dont on se servait pour découper mais qui faisait une arme fort convenable.

Mais en reculant elle m'aperçut et, d'un signe de tête, me désigna au garçon qui recula aussi.

– File! dit-elle avec une violence concentrée, mais que l'on sentait dangereuse. File si tu ne veux pas que j'appelle le guet, pour qu'il s'intéresse à ta pacotille!

Il battit promptement en retraite, sans un mot. Puis, arrivé au fond du jardin, comme se sentant plus en sécurité (peur du guet, ou de la fourchette?), cria bien fort: « Je reviendrai! »

Jeannette retournait vers la cuisine en levant les épaules, et nullement impressionnée. Je la suivis.

– Vous vous y entendez pour les repousser, les hommes!

Elle rit sans gaieté.

– Pourquoi le rebutez-vous? demandai-je par curiosité pure. Je l'ai trouvé bien fait, bien vêtu, et d'assez bonne mine.

– C'est mon mari, dit-elle.

Je me dis que si la mode de dédaigner son mari, ou sa femme, se répandait dans le petit peuple, où trouverait-on des couples assortis?

Le Chevalier revint à la nuit tombée, avec le buste qu'il réinstalla dans le cabinet de curiosités, avec le même luxe de précautions. Il semblait rêveur plus que mécontent. Et pourtant le buste nous revenait... Alors?

– Eh bien, Monsieur? lui dis-je avec une pompe qui cachait mon inquiétude.

– Eh bien quoi?

– Est-ce qu'il achète le buste, l'Amateur? Est-ce qu'il lui a plu? L'exposera-t-il? Pourquoi le rapportez-vous?

– Que de questions! Oui, il l'achète. Je le rapporte parce que l'Amateur, comme tu dis, veut l'exposer dans une petite maison, une folie qu'il a ou qu'on lui prête, rue de Charonne, comme clou d'une fête qu'il donnera.

Tout en parlant il traversait la cour, prenait l'escalier d'angle et montait vers sa chambre. Mais on ne se débarrasse pas de moi si aisément.

– Mon maître, irai-je? Le clou d'une fête! Cela fera parler, certainement... Nous aurons d'autres commandes. J'ai l'idée de faire une femme tout entière, sur le modèle de la Vénus de Cyrène, avec une coiffure de nattes qui s'enlèverait comme un petit chapeau pour montrer la structure du cerveau, et l'un des seins...

– Que tu es bavarde, Catherine!

Il se laissa tomber sur le bord de son lit, jeta sa perruque qui alla choir dans la cuvette, s'ébouriffa les cheveux, se défit de son habit brun qui trouva son emploi comme oreiller, et ne bougea plus.

– L'Amateur vous a régalé, je vois! dis-je, en essayant d'une autre tactique. Avec une bonne loupe, on pourrait déchiffrer le menu sur votre justaucorps... Attendez que je voie : relevé aux truffes sans doute, vol-au-vent à l'essence de champignons...

– Tu me fatigues.

– Vous me fatiguez aussi de curiosité, mon maître! Quand donc aura lieu ce banquet?

– A son bon plaisir.

– Oh! vous vous en faites accroire, dis-je, déçue. Vous rapportez le buste, vous n'avez pas de date pour cette prétendue fête... Il vous a fait quelques vagues compliments de politesse. On fait respirer ainsi la fumée du rôt, mais on ne dîne pas pour autant...

D'un bond il se rassit sur le bord du lit et, dépliant la veste qui lui servait de coussin, en retira une bourse.

– Vois! dit-il majestueusement.

Et il tira de cette bourse dix pièces d'argent qu'il me remit une à une, en les faisant sonner, comme si j'étais une enfant qui n'en eût pas compris la valeur.

– Voilà pour toi. Et ce ne seront pas les dernières. Tu peux, dès maintenant, te commander cette nouvelle robe, battante, flottante, à queue, à tournure ou à paniers, dans laquelle tu seras aussi ridicule que tu le désires!...

Je ne m'arrêtai pas à ce propos. C'est vrai que je voulais me commander une robe à mon goût, et qui ne vînt pas de chez la revendeuse, mais je savais que je ne serais pas ridicule. J'ai le visage commun peut-être, enfant sans doute, mais je suis bien faite et je le sais.

– Merci. J'en ferai bon usage. M'emmènerez-vous à la fête si je me fais faire les nouvelles manches pagodes qu'on vient de lancer?

– T'emmener dans une fête qui se passera dans une petite maison? Où il y aura... Dieu sait qui! C'est pour le coup que ton père aurait beau jeu de te faire enfermer. Et moi avec.

Je me résignai. En apparence, du moins.

– Dites-moi au moins ce qu'il a dit. Anatomiquement, il a trouvé le travail assez précis? Il doit s'y connaître un peu, je suppose, puisqu'il a acheté le buste. Et la dissonance des deux profils? A-t-il été choqué? Ou attiré, ou...

– Il n'en a pas parlé, dit mon maître avec une certaine lassitude.

– Mais il a bien dit quelque chose, tout de même!

– Il a dit qu'il aimerait rencontrer le modèle...

– Oh! Alors ce n'est pas une réussite, dis-je, consternée.

A ma grande surprise, il prit son temps pour me répondre.

– Je ne sais pas. J'aurais pu être un nouvel Homberg... Ce n'est peut-être pas la réussite que j'espérais, mais, en y réfléchissant, c'est peut-être tout de même une réussite...

Et il me fit sortir, refermant derrière moi la porte de sa chambre, mais fort doucement, comme pour ne pas interrompre le cours de ses propres pensées.

Pourquoi le Chevalier, qui sans doute me voulait du bien, refusait-il de m'introduire auprès de l'Amateur, et pourquoi Wilhelm le cocher, qui ne cachait pas l'agacement que lui procurait ma petite personne, faisait-il profession d'un avis contraire? Je ne le savais pas. Mais qu'il y eût derrière tout cela un plan auquel je n'étais pas initiée, j'en étais sûre. Fort bien! J'aurais mon plan à moi... Et, profitant de l'arrivée du Tsar à Paris, qui faisait grand bruit et agitait tout le monde, je fis passer un billet à mon amie d'enfance Basseporte, la priant de venir me voir, s'il se pouvait. Elle me fit savoir qu'elle viendrait. Je comptais sur son amitié, et je n'avais pas tort. Madeleine était de ces natures fortes et douces, obstinées dans leurs préjugés, mais dans leurs fidélités tout autant. C'était elle qui, la première, m'avait fait sentir le porte-à-faux de ma condition, qui s'accentuait à mesure que je devenais femme. Sans révolte en elle, elle était pourtant lucide et réfléchie. Elle m'avait répondu sans attendre et nous nous rencontrâmes dans une petite dépendance du couvent des Dames-Noires qu'elle connaissait et auxquelles elle portait des dessins de fleurs pour leurs broderies. Ainsi sa présence dans le voisinage s'expliquerait-elle tout naturellement si on venait à la rencontrer. J'aurais été bien sotte de me formaliser de sa prudence. Je la ressentais, cependant. Mais elle me fut, comme toujours, de froid et bon conseil.

– Le plus grand danger vient de ton père, dit-elle. Il faut avant tout dissiper cette légende selon laquelle tu te serais enfuie.

– Il n'y consentira jamais.

– C'est pourquoi il faut le surprendre. Entends-moi bien : il y a de plus en plus de cercles et de salons qui s'intéressent aux sciences : chimie, anatomie, sciences naturelles, sous tous leurs aspects. Il faut que ton chirurgien (petite moue) t'emmène et te présente dans l'un de ces salons-là. Je ne sais comment il s'y est introduit, mais je sais qu'il les fréquente. Mon père l'y croise (petite moue). La société est de plus en plus mêlée, c'est ta chance.

– Merci.

– Ne t'en formalise pas, mais si on parlait de toi – et heureusement on n'en parle pas – tu serais parfaitement perdue de réputation. Mais si tu te trouvais, comme assistante du... Chevalier (petite moue) dans l'un de ces salons, et si, par un hasard que l'on peut provoquer, ton père aussi s'y trouvait, il n'aurait que deux ressources : faire un scandale, et s'y risquerait-il ? Il est aisé de faire arrêter sa fille, mais, de nos jours, elle plaide, elle se défend. Cela fait du bruit, et un bruit qui ne lui ferait pas forcément honneur.

– Comme on voit que tu es d'une famille de robins, dis-je pour lui rendre un peu la monnaie de sa pièce.

Elle continua paisiblement. Elle était ainsi, Madeleine : rien ne la décontenançait ; elle était née majestueuse et bonne.

– ... Ou alors il te serre dans ses bras, s'extasie sur tes capacités qui te viennent de lui, et comme il y a là des personnes de bon rang, il ne peut plus prétendre jamais que tu as fui pour te dévergonder. Cette menace écartée, tu peux hardiment prétendre te faire connaître pour ton travail, et sois assurée que je parlerai de toi autour de moi. Je commence à avoir un début d'influence.

– Il y a un risque.

– Et à vivre comme tu vis, il n'y a pas de risques ?

Ce n'était que trop juste.

– Tu vas me faire une liste des endroits où il va, dit Madeleine. Il lâche bien un nom de temps en temps, une adresse ?

– Sans doute. Il est secret et bavard.

– Je me fie à toi, dit-elle en m'embrassant. Sitôt que je recevrai cette petite liste, je la confronterai avec les relations de mon père. Je fais inviter le tien et le... Chevalier (petite moue : décidément, cela ne passait pas !) et je parle de toi comme d'une curiosité, d'un phénomène, qu'il faut produire brusquement et convoquer dans le secret, avant qu'un autre salon ne mette la main sur l'animal curieux. Voilà !

Ne tarde pas. Je vais porter mes dessins à la tourière. Envoie-moi ta Jeannette au plus vite... encore qu'elle ne soit guère décorative. Et ne pourrait-elle pas se déplacer sans ce marmot? (Petite moue.)

Elle s'en allait.

– Madeleine!

– Oui?

– Où vas-tu si vite?

– M'habiller pour une réception où sera le Tsar.

– Le Tsar de Russie?

– Il n'y en a pas d'autres. (Elle s'anima.) J'en suis extrêmement curieuse, je ne l'ai pas encore vu.

– Est-il bel homme? Spirituel? Tout ce que je sais, c'est qu'il porte un habit de simple bouracan. Oui! cette nouvelle-là arrive même au faubourg Poissonnière, mais pour le reste...

– C'est peut-être un grand homme, dit Madeleine. Je suppose même qu'il l'est, puisqu'on dit qu'il boit plus que notre Régent, et avec moins d'inconvénients. Mais il change tous les projets de visite et aussi l'ordonnance des tables au dernier moment (on sentait, au froncement de sourcils de Madeleine, combien ce point lui paraissait condamnable. Puis elle se détendit jusqu'à sourire, et termina :) Il se déplace avec un régiment de « demoiselles » et, reçu chez des hôtes de marque, lui et sa suite emportèrent le linge de chambre.

– Le linge de chambre, Madeleine!

– Le linge de chambre. Je le sais par le maréchal de Tessé qui le guide pour lui faire voir ce qu'il désire.

On ne la prenait jamais sans ver. Ses sources étaient toujours sûres, et elle répondait toujours aux questions. Mais qu'on s'en émerveillât la touchait au point sensible, et si elle avait eu une vanité, c'eût été celle de passer pour infaillible. Je marquai donc pour son récit un peu plus d'intérêt que je n'en éprouvais.

– Cela peut fortifier l'alliance avec l'Angleterre, ajouta-t-elle gravement. L'alliance franco-russe ne se fera pas.

– A cause du linge volé?

– Voyons!... Bien sûr que non! A cause des négociations qui traînent à l'Hôtel de Lesdiguières, et n'aboutiront point. Cela n'arrange pas les affaires du Régent, qui en devient plus impopulaire encore.

– Le Régent est donc impopulaire?

– D'où tombes-tu, Catherine? Le Régent veut une alliance avec l'Angleterre, ce qui lui suscite tant d'ennemis dans la vieille Cour, alors qu'il a déjà contre lui les légitimés, les états généraux de Bretagne, d'autres encore qui fomentent tous ces complots, répandent toutes ces rumeurs...

Du coup, elle n'était plus pressée. Eussé-je insisté, qu'elle m'aurait démonté tout le mécanisme de la politique du moment, ou du moins le point de vue de sa famille qui, comme elle, était toujours extrêmement renseignée, extrêmement renseignante et, si j'ose dire, extrêmement et majestueusement modérée. Mais j'en savais assez. Je ne pus me tenir cependant de lui demander, comme on ne résiste pas à feuilleter un dictionnaire:

– Madeleine, qui était Homberg?

Elle répondit sans surprise et sans hésitation.

– Il fut premier médecin du duc d'Orléans, il y a dix ou douze ans, et lui enseigna la chimie. Il a fait connaître en France le phosphore, dont il a bien parlé. Il inventa aussi un système pour décacheter les lettres sans que cela se vît. Il a toujours été attaché à la personne du prince. On l'a dit mêlé à la disparition du grand Dauphin, et à celles qui ont suivi, amenant la Régence actuelle.

– Était-ce vrai, Madeleine?

– Que t'importe, ma bonne amie? Il est mort, et je suis en retard. Pense à cette liste!

Elle partit sans plus d'effusion. Ce qu'elle avait promis, elle le ferait, je le savais. Elle était ainsi, Madeleine. Un arbre qui donnerait des fruits, mais pas de fleurs. Elle ne cherchait qu'à m'aider, mais cela ne l'amusait pas.

Pour moi, outre notre projet, je savais désormais quelque chose sur le Tsar, je savais qui était Homberg et, par déduction (que j'étais bien décidée à garder pour moi), qui était l'Amateur.

Il n'était pas huit heures du matin, le 15 du mois de juin, qui était, et c'est pourquoi je m'en souviens, la veille de mon jour de naissance, que le Chevalier envoyait Jeannette chercher la Sicard. Je vis la servante partir en courant, le bébé noué dans son châle. Elle ne se gênait plus maintenant et installait carrément sa couvée dans la cabane du jardin, sous l'escalier, dans le chauffoir. On les trouvait partout, silencieux, effrontés, souriants. Il est vrai qu'elle fournissait des journées plus longues. C'était du moins le raisonnement de Martinelli qui ne tenait pas compte du surcroît de bouches à nourrir. Je me tenais dans ma chambre. On y entendait presque tout, tandis que dans mon laboratoire-écurie, tourné vers le jardin, j'aurais tout ignoré de ce qui allait se passer. Malgré sa distraction, mon maître dut y penser car, à peine Jeannette partie, il appela « Catherine ! Catie ? ». Je ne répondis pas. Il n'allait pas vérifier : ce n'était pas dans son tempérament.

J'entendis Antoinette monter l'escalier de son pas léger et hâtif. Elle arrivait comme un orage, comme une pluie balayée par le vent, parlant à mi-voix dès le début de l'escalier, à elle-même, aux murs, à sa propre hâte : « Mais qu'est-ce qu'il veut, que puis-je faire de plus, je meurs de fatigue, ils savent bien que tout ce que j'ai pu faire... », et, tout en se parlant à elle-même, entra dans la chambre dont elle referma la porte. J'ouvris ma lucarne.

D'abord ils parlèrent presque en même temps. Lui, calme, apaisant, la mettant, c'était évident, en état de l'entendre, et elle poursuivant son petit monologue fiévreux, léger, où il était question de diligence et de retard, de ses voisins qui lui en voulaient, et de quelqu'un qui lui avait refusé un châle. Le nom de Wilhelm, le cocher, me frappa, au milieu de ce babil dépourvu de sens. Puis un silence tomba, où les paroles du Chevalier devinrent plus pesantes, plus autoritaires. Il fallait qu'elle y allât, le temps pressait maintenant, son père (elle avait donc un père? Et qui pouvait-il être?) y tenait, insistait, c'était la seule chose à faire... Elle émit un « non! » strident comme un cri. J'entendis nettement :

– Mais voyons, ma petite, ce ne sera qu'un simulacre!

Et elle, d'une voix redescendue, rauque, pressée comme un torrent :

– Non! Je ne pourrai jamais! Je refuse, vous entendez... Je refuse, je lui cracherais à la figure! Je le hais! On ne peut pas me demander cela, c'est injuste. Je veux bien le tuer, si on y tient... Je veux bien le tuer, je l'étranglerai, j'ai de la force, vous savez, dans les mains... En Hollande je fendais du bois, je hachais des os, de gros os, pour les bêtes, mais ça... Et tout à coup elle cria très fort : « Et, après tout, pourquoi y serais-je obligée? », puis dut se laisser tomber dans un fauteuil que j'entendis grincer, et sanglota sans contrainte.

J'étais frappée d'étonnement. Elle avait donc été en Hollande? Elle haïssait donc quelqu'un? Et à quoi le Chevalier voulait-il la contraindre? « Il a dit qu'il aimerait rencontrer le modèle... » Mon maître s'abaisserait-il, pour se faire connaître, au bas métier de proxénète?

– Mais enfin, c'est une occasion unique! L'occasion que nous attendions! Vous n'êtes obligée à rien, mais je sais les promesses qu'on vous a faites. On les tiendra, vous pouvez en être sûre. Voulez-vous que Wilhelm vous obtienne une garantie?

Un bref silence encore. Répondait-elle quelque chose? Posait-elle une question, une condition? Et, tout à coup, à nouveau son pas dans l'escalier, rapide, léger, qui fuyait toujours, ce pas si caractéristique, ce bruit de pluie des fins talons sur les marches, sur le pavé de la cour, sur les dalles cassées du jardin. Et la voix du Chevalier qui n'avait pas tenté de la retenir et qui disait tout haut, avec accablement : « Complètement folle! »

C'était la veille de mon jour de naissance. J'étais assise dans l'escalier en pas de vis. Je pensais qu'Antoinette, que je n'aimais pas, était malheureuse. Que Sanson, qui me faisait peur, était malheureux. Que Jeannette même, malgré le farouche attachement qu'elle semblait avoir pour ses enfants, souffrait de sentiments contradictoires. Le matin était beau, le jardin se parait, malgré ses broussailles, de fleurs entêtées, un bruit d'eau indiquait que le gamin sans nom (auquel je n'avais jamais pensé à demander son nom) arrosait de son mieux. « Je déteste le malheur », me dis-je avec résolution. Et, mes souliers à la main (je ne tenais pas à ce que mon maître sût que je l'épiais), je descendis vers l'écurie. On voyait encore la lune dans le ciel, et un léger brouillard de chaleur donnait du charme aux statues mutilées, aux allées envahies de ronces, au lilas fatigué que le garçon arrosait. Je ne l'avais jamais regardé de près. Il était maigre et sournois, dépourvu de cette malice que donnait aux enfants de Jeannette la certitude d'être aimés. Étais-je ainsi quand je débarquai à l'Hôtel des Arcoules?

– Comment t'appelles-tu? demandai-je avant d'entrer dans mon « laboratoire ».

Il me considéra avec stupeur. C'est vrai qu'on ne

lui parlait jamais, seul le Chevalier, parfois, lui disant quelques mots.

– Georget, répondit-il enfin.

– Georges ?

– Georget.

– C'est ainsi que dit ta mère ?

Je m'attendais à ce qu'il me répondît qu'elle était morte. Il y avait une tristesse, une sorte de condamnation dans ce beau matin.

– Ma mère, on l'a prise pour la Louisiane, dit-il avec plus de confiance... mais elle reviendra. Elle me l'a promis.

Et je me souvins que, par périodes, des rafles emmenaient sans beaucoup de discernement des colons peupler ces régions lointaines, mélangeant pauvres et condamnés, comme si la pauvreté impliquait en soi une condamnation.

J'avais toujours su cela, je l'avais entendu dire, j'avais même entendu chanter là-dessus une chanson dont il me revenait des bribes :

Faut-il pour être belle
Qu'il nous faille parti
Pour le Mississipy
Avec douleur mortelle.

Même sous Louis XIV on avait déporté des filles, vertueuses ou pas, des mendiants, des voleuses, des hommes aussi : vagabonds, faux-sauniers. Je crois que ma tante s'occupait plus ou moins d'une œuvre de charité pour équiper un peu ces gens-là qui, souvent, partaient avec seulement leur chemise, et souvent même n'arrivaient pas. Mais cela fait partie des rumeurs, du paysage, en quelque sorte. On n'y prête pas plus attention qu'au froid lorsque l'on est couvert. Et tout à coup l'on se rend compte que cela se passe à côté de vous, dans votre jardin.

– Oui, dis-je pour le faire sourire. Elle reviendra sûrement.

– Si elle ne revient pas, j'irai la trouver, dit-il en ramassant son arrosoir. J'aurai de l'argent et ils embaucheront là-bas. Dans deux, trois ans, j'aurai l'âge.

– Quel âge as-tu donc?

– Treize ans. Monsieur le Chevalier dit que je lui suis bien utile.

Et lui donnait sans doute quelques pièces... Et nourrissait les enfants de Jeannette. Et projetait sans doute de vendre Antoinette à l'Amateur. Comment cela est-il compatible?

C'était la veille de mon jour de naissance. Je m'enfermai dans l'écurie sous prétexte d'étudier les circonvolutions cérébrales sur un dessin de Lavelli récemment arrivé d'Italie. Je me sentais bien seule, et j'allais avoir seize ans.

Le lendemain, Antoinette était là de nouveau, après dîner. Coiffée à ravir d'un chignon qui gonflait un bonnet de dentelle très fine, la mantille ouverte sur une superposition d'étoffes qui devaient constituer les fameuses robes « ballantes » ou « flottantes » que l'on lançait alors. Et ces étoffes roses et grises lui donnaient un air négligé qui lui allait à merveille. Ce genre d'habit était fort critiqué, notamment par Madame Palatine qui disait : « On a l'air de sortir du lit. » Si cela était un peu vrai, le lit dont sortait Antoinette était un lit de prince. Elle était poudrée avec art, à peine, d'une poudre argentée qui allait avec le croissant de lune qui fixait le chignon. Une mouche au coin de l'œil, peu de rouge, et ses petits talons de bois qui cliquetaient plus joyeusement aujourd'hui.

– Que vous êtes belle, Antoinette! lui dis-je avec sincérité. Vous êtes vêtue en nuage. (Elle l'était toujours un peu.)

Elle me remercia avec une indifférence qui n'allait pas à mon compliment, mais à sa propre apparence. Le Chevalier arrivait, ne semblant pas la voir, mais passablement élégant lui aussi. Wilhelm attendait sur le siège du carrosse qui, lui-même lavé et peut-être çà et là ayant reçu quelques coups de pinceau, paraissait plus propre et plus coquet. Il était évident qu'ils allaient accomplir une démarche d'importance. S'agissait-il vraiment, comme je l'avais soupçonné, de livrer Antoinette à l'Amateur? Comment elle, si révoltée la veille, était-elle là aujourd'hui, parée, passive? J'en aurais le cœur net!

– Vous me laissez encore? dis-je au Chevalier. S'il nous vient un cerveau, je ne serai pas prête. Il faut que vous me l'expliquiez...

– File dans ta chambre et ne nous retarde pas! dit-il avec une brusquerie que j'avais sciemment provoquée.

– Fort bien. Je vois que vous entendez fêter mon jour de naissance.

– Comment? c'est... dit-il avec un peu de regret.

– Oui, Monsieur. J'ai seize ans.

Et de courir dans l'escalier, jusqu'à ma chambre, claquant fort la porte et tirant bruyamment le verrou antique, qui s'y prêtait, pour faire croire à une bouderie qui me servirait de prétexte. Mais, cependant, avec toute la célérité dont j'étais capable, je me revêtis de la vieille culotte qui me servait pour le travail, de bas de laine grossière, de souliers d'homme rembourrés d'étoupe, et d'un surtout usé trouvé dans une malle. Ajoutons-y un bonnet de police qui dissimulait mes cheveux, et j'obtins un aspect de commissionnaire ni trop pouilleux, pour n'être pas arrêtée par une ronde, ni trop propre, pour n'être pas dévalisée. Il y avait quelque temps déjà que j'avais préparé cet attirail. Je m'en étais servie pour aller à la foire aux Fromages, aux marionnettes. Mais j'y avais ajouté tout dernièrement un raffinement dont je n'étais pas mécontente, et dont on verra l'utilité.

Il m'était apparu ces derniers jours qu'on ne me dirait rien, et que, cependant, se tramait quelque chose que j'aurais grand intérêt à savoir. Donc, que ce fût le Chevalier, ou la Sicard, ou le cocher lui-même qui avait sur eux une autorité bien suspecte, je m'étais préparée à les suivre. Aujourd'hui qu'ils étaient réunis tous les trois, et dans cet appareil, l'occasion me parut se présenter d'apprendre quelque chose. D'où mon apparente bouderie et ma disparition.

Mon entreprise comportait une difficulté. C'était de suivre l'attelage sans me faire remarquer, jusqu'à ce qu'il entrât dans Paris même.

Une fois l'enceinte de la ville franchie, les embarras de la rue me permettraient sûrement de suivre le carrosse jusqu'à destination. J'étais leste, Paris était fort peuplé, il faudrait jouer de malchance pour ne pas réussir. Et si je ne réussissais pas, je recommencerais ! Il ne serait pas dit que l'on se moquerait longtemps de la petite Catherine.

Je les suis donc. Je me fais éclabousser, insulter, bousculer, dès que je suis à l'intérieur des murs. Le faubourg Poissonnière est peut-être inélégant et décrié mais, au moins, on y peut circuler ! Je tire de ma poche mon arme secrète, un pli que j'ai préparé, orné de trois beaux cachets rouges fort impressionnants (ce n'est pas pour rien qu'on travaille la cire !) et, chaque fois que je suis en danger de perdre la voiture de vue, je crie « Place ! Place ! » en agitant ma missive, et de l'air affolé de qui va se faire donner sur les doigts s'il n'arrive pas à temps. Pas si méchants, au fond, les Parisiens ! car ils s'écartent et même sourient au petit garçon qu'ils pensent que je suis. Hors d'haleine, contusionnée, je les vois enfin s'arrêter à proximité des Tuileries.

Là, surprise! La voiture s'arrête, le cocher descend et fait descendre Antoinette avec toutes les apparences du respect. Le Chevalier saute lestement sur la chaussée que traverse le trio n'ayant pu se ranger le long du jardin, et le Wilhelm frayant servilement le passage à « ses maîtres » d'une heure. Ils pénètrent dans le jardin.

Quoi! tout ce mystère, pour s'en aller promener aux Tuileries! Ils déambulent sous les arbres. Le Chevalier a offert son bras à la prétendue brodeuse de fin qui s'y agrippe, fort gracieusement ma foi, et le Wilhelm suit à trois pas, comme un laquais (dont il a l'âme, à mon avis, sinon l'état). De temps à autre quelqu'un les croise et les salue. Je savais bien que le Chevalier fréquentait quelques salons « éclairés », mais pas qu'il était entré si avant dans la bonne société. Quant à Antoinette, il apparaît qu'on ne la connaît pas; mais que son apparence, son aisance, son indifférence même, la recommandent. A un moment, elle s'arrête près d'un chalet où l'on vend des sortes de galettes, les montre du doigt et le Chevalier s'empresse de lui en offrir. Quel jeu joue-t-il donc? J'ai à peine le temps d'admirer la grâce avec laquelle elle accepte et déguste la galette, en ayant l'air de l'effleurer à peine des lèvres, qu'un bourgeois me dit rudement, comme s'il me connaissait :

– Qu'est-ce que tu fais là, à bayer aux corneilles? On te paie pour porter un pli, et tu t'amuses!

Je constate qu'une arme est souvent à double tranchant. Le temps de prendre un air effaré, de m'élancer apparemment vers la sortie, de m'arrêter derrière un arbre pour dissimuler la lettre pour le moment inutile, et je les ai perdus. La matinée s'avance, les promeneurs se font plus nombreux, les marchands de toute sorte se répandent dans les allées, on voit même des enfants, menés par leur nourrice. On se rencontre, on se salue. Je dirai même qu'on se mélange, car je vois tel gentilhomme magnifiquement poudré et emplumé qui échange quelques mots avec un homme de mine basse, vêtu de bouracan (comme le Tsar !) et auquel, sans doute, il doit de l'argent. A moins que les choses ne soient, cette année, bien différentes de la façon dont me les décrivait ma tante ? Il est vrai qu'elle avait trente ans et me parlait de l'ancien règne. Ah ! les voilà, qui ont trouvé un endroit presque tranquille, au pied de la terrasse. Ils ne sont pas seuls. Je me doutais bien de quelque rendez-vous. Un grand homme noir, avec une perruque en crinière, un grand air de supériorité, des manchettes de dentelle un peu fournies (à mon sens), les a rejoints. Le cocher s'est rapproché et a perdu sa contenance respectueuse. Mon Chevalier regarde autour de lui, lève les épaules avec découragement comme lorsqu'il n'arrive pas à convaincre, puis se reprend à discourir. Antoinette s'appuie sur un banc. Elle a l'air de poser pour un peintre qui ne lui agréerait pas. Et, comme je ne puis sans me trahir m'approcher pour les entendre, ils m'apparaissent tous les quatre comme un tableau, en effet, avec le mystère de la toile qui cache et révèle à la fois. Malgré ses dentelles, ses talons, et son affectation de grandeur, je vois bien que l'homme noir est subjugué par le verbe de notre « cocher », qui s'est redressé et qui, sans geste, par le seul aspect de sa physionomie énergique et rude, ce visage carré, cette mâchoire affirmée, ces yeux qui regardent avec une assurance insolente, le domine. L'air dur et maniéré à la fois de l'homme noir fait place à une incertitude. Il cède du terrain. Mon maître intervient de temps à autre comme un chien fou qui s'élance à l'assaut, puis se décourage et, brusquement, s'empare d'un bâton pour jouer. Je connais si bien chez lui ces alternatives d'énergie et de découragement qui le font s'acharner sur une expérience, puis, au moment où elle va peut-être réussir, l'abandonner et, parfois, l'oublier. (D'où ces fréquentes petites explosions, ces débuts d'incendie, ces odeurs méphitiques, qui terrorisent Jeannette qui craint pour ses enfants. « Vous les empoisonnerez, comme le Régent a empoisonné sa famille ! » s'écrie-t-elle alors. Un jour : « Vous n'aimez pas le Régent, Jeannette ? Que vous a-t-il donc fait ? » « Il a ruiné mon mari, comme tous les gens de Versailles, en venant habiter Paris. » Elle ne sortira pas de là. « Mais je vous croyais fâchée avec votre mari ? » « Fâchée ? Oh non ! dit-elle, son visage s'adoucissant. Nous ne sommes pas d'accord, c'est tout. »)

Mais voilà mon quatuor, ou plutôt mon trio, qui semble avoir fait affaire. Le grand homme à grande perruque serre la main du Chevalier. Il sourit largement, ce qui ne le rend pas plus aimable. Cette perruque noire ! Cette veste à basques flottantes, qui fait prétentieux et négligé à la fois, et en tout cas beaucoup trop jeune pour lui qui a bien la cinquantaine sonnée ! Ne serait-ce pas un comédien ? Le Wilhelm se répand maintenant en compliments, remerciements et saluts, mais ce peut être pour se moquer. Je m'amuse comme à la Comédie Italienne. Mon Chevalier tourne sur lui-même, cherche à conclure, sans doute ? C'est encore bien lui ! Il n'arrive jamais à partir. Il discourt. Le « comédien » écoute avec un semblant de politesse, cependant que Wilhelm fait un pas en arrière, un pas en avant, pour mettre fin à ces compliments. Mais qu'est-ce que c'est que ces gens-là ? Que trament-ils ? Et pourquoi la grande perruque glisse-t-elle à mon maître une bourse que celui-ci, de son air le plus grandiose, passe immédiatement au cocher ? Un marché a été conclu, c'est sûr, où Wilhelm aura sa part. Mais qu'est-ce que le Chevalier a à vendre en secret? Sa plume? Aura-t-il écrit une pièce? Ou quelque pamphlet séditieux? Ou encore – j'ai su que cela se faisait – a-t-il rédigé pour cet homme de qualité (ce ne doit pas être un comédien tout compte fait, sa perruque est trop considérable) des madrigaux ou une épître que celui-ci donnera comme de son cru? Me l'aurait-il caché? Pourquoi? Qui, entre lui et cet homme si ridiculement bien mis, a servi d'intermédiaire? Wilhelm qui touche sûrement sa part, ou Antoinette qui n'a aucune raison d'être là?

Alors je la regarde. Sous son rouge et son blanc, on ne peut discerner aucune altération de ses traits. Mais ses yeux sont agrandis comme si elle avait pris une potion opiacée. Elle fixe les trois hommes. Comme s'ils le sentaient, ils se tournent vers elle avec un embarras colère, celui des gens qui font mal, le savent et s'en irritent. Et, dans un bref arrêt de la rumeur du jardin, je l'entends très distinctement dire d'une voix plate, étale, qui angoisse :

– C'est bien. Je le ferai.

Folle! Enfant que je prétends ne plus être, et que je suis! Je me suis laissé distraire par l'amusement de me travestir, la malice de les avoir si bien suivis et retrouvés, le comique de cette grande marionnette à perruque qui joue les hommes de cour, la curiosité, la nouveauté même de la promenade où je n'étais jamais venue. Et j'ai oublié (ou tenu pour nuls, absurdes) les cris de révolte et les sanglots entendus la veille. Tout m'apparaît soudain dans sa bassesse et sa laideur. L'homme à perruque est un envoyé, plus ou moins bénévole, de l'Amateur. Mon maître et Wilhelm, qui a sur Antoinette une emprise quelconque, l'ont parée, contrainte, amenée là pour que l'entremetteur vérifie que c'est bien elle, qu'elle est bien telle que le buste, telle qu'on la lui a décrite :

belle. Ces trois hommes, influence, faveur, argent, espèrent un grand profit de leur entremise. Et Antoinette, la Sicard, l'égarée, la ployante et fuyante Antoinette, s'est laissé mener, menacée de quoi? et finalement a dit, de cette voix qui était celle-là même du désespoir : « C'est bien. Je le ferai. »

Je n'ai plus envie de rire. J'ai même un peu envie de pleurer. Pour Antoinette que je n'aime guère? Ou pour le Chevalier que... auquel je me suis habituée? Je n'attends pas la fin de l'entrevue. Je rentre lentement, bousculée et bousculant, essayant de relever un peu mon maître dans mon esprit, avec cette bourse qu'il a si grandement donnée à Wilhelm... Mais qu'il ait agi par avidité ou par désir de voir aboutir cette fête autour du buste, l'action est-elle moins laide? Je n'ai pas tant de moralité que je le juge impardonnable pour une entremise que, je crois, de plus hauts placés pratiquent. Basseporte me disait l'autre jour encore que les mœurs étaient à ce point tombées que des filles choisissaient à l'usage de leur père ou de leur mari qu'elles dominaient ainsi les plus jolies femmes de chambre. Que des femmes de qualité payaient quasiment leur poids d'or les plus beaux laquais qu'on puisse trouver, et dont on devine l'usage qu'elles en font. Que... Tout ceci ne se passe, bien entendu, que dans la meilleure société. Le Chevalier l'a peut-être récemment un peu trop fréquentée. N'aurais-je pas pu le lui pardonner, ou du moins l'excuser un peu, s'il ne s'était agi que de vendre une bonne fille, bien gaie, et qui n'eût pas demandé mieux moyennant qu'elle y trouvât son avantage? Oui, mais j'avais sculpté le buste des Larmes. J'avais pris Antoinette pour modèle. L'Amateur avait vu *Les Larmes* et rêvé du modèle. Cela me mêlait à l'affaire et lui donnait quelque chose d'intolérable.

On ne pouvait (me semblait-il) voir Antoinette et

l'aimer. Sa beauté, sa tristesse égarée faisaient peur. Mais on ne pouvait, non plus, voir Antoinette et lui faire, ni même lui laisser faire, du mal. Que le Chevalier ne le sentît pas m'éloignait de lui.

La journée était belle, les échoppes débordaient sur la chaussée, les badauds paraissaient joyeux, le terrible hiver oublié, et le brûlant été qui l'avait précédé anéantissant tant de récoltes. Et la faim était oubliée par ceux qui avaient survécu, et qui achetaient des moulinets de papier pour leurs marmots ou des rubans pour leur amoureuse. Dans la cour de l'Hôtel des Arcoules, Jeannette étendait du linge sur un fil, un petit garçon de chaque côté de sa jupe, la tenant fermement et, sur un carré d'herbe au début du jardin, le bébé, tout nu (je vis ce jour que c'était une fillette), s'ébattait et suçait une fleur. Georget sarclait vaillamment et devait rêver de la Louisiane. Le silence était peuplé d'abeilles. La cloche d'argent de la chapelle des Dames-Noires sonnait le quart, et mon sort ne me serait pas apparu si terrible sans cette mélancolie qui m'était nouvelle.

Je ne montai pas dans mon grenier, je n'entrai pas au laboratoire, je m'éloignai au fond du jardin. J'allai vers les champs, la campagne, le petit bois où je pouvais disparaître quelques heures. L'idée du Chevalier rentrant content de lui et m'adressant la parole m'était odieuse. « Et j'ai seize ans! me répétai-je. Et j'ai seize ans! », comme si cela dût aggraver ma fâcherie, qui était de la peine. « J'aurais dû prendre un livre », me disais-je en franchissant la barrière du Champ-Valoir, mais qu'avais-je comme livre divertissant, hormis un *Don Quichotte* cent fois relu et dont il me semblait avoir, aujourd'hui, bien involontairement, partagé les illusions? Je marchais plus vite, maintenant. Je voulais m'éloigner de cette maison, de ce travail, de cet homme, qui pourtant étaient mon seul refuge, ma seule ressource, ma seule amitié. Et, à la lisière du champ, là où commence le petit bois où vont les amoureux le dimanche, je tombai sur un homme assis au bord du talus, et qui pleurait dans un mouchoir de toile. Moi je ne possédais pas de mouchoir. C'est peut-être pourquoi je ne pleurais jamais.

– Sanson! soupirai-je avec découragement.

S'il y avait quelqu'un que je ne souhaitais pas rencontrer en ce moment, c'était bien Charles Sanson. Mais il leva vers moi ses yeux sombres, et l'expression que j'y lus était si proche de celle d'Antoinette – un regard morne, à bout d'espérance, à bout de force –, que je n'eus pas le courage de le fuir immédiatement. D'ailleurs il ne m'en laissa pas le temps. Repliant machinalement son mouchoir, pour en essuyer son front couvert de sueur, il dit avec une confiance d'animal :

– Catherine, il m'arrive quelque chose de terrible. Marthe est enceinte.

Après cela, il n'y avait plus qu'à tirer l'échelle. Si toutefois on peut parler d'échelle en présence d'un bourreau. Je m'assis, résignée, près de cet homme débraillé, en sueur, qui aurait pu être mon père, et je lui dis avec autant de douceur que j'en pus trouver en moi :

– Allons, racontez-moi cela.

Et c'était mon jour de naissance!

C'est de l'amour, c'est de la femme qu'est venu le péché, nous enseigne la Bible. Peut-être seulement de la femme. Charles pense : de l'amour. Car si Charles Sanson le père n'avait pas rencontré, pas aimé, pas voulu à tout prix (et rarement l'expression a eu autant de poids) Marguerite Jouënne, fille du bourreau de Dieppe, il serait resté militaire, désargenté sans doute, déserteur peut-être, mais pas bourreau. Jamais bourreau! Quelles que soient les exactions que l'on peut commettre à la guerre sans ordres, sans justifications, qui blâme un soldat pour quelques pillages, quelques viols, quelques enfants mis à la broche? « Mon père m'a condamné », avait pensé le jeune Charles quand il était sorti des léthargies de l'adolescence. Il détesta son père, ce qui était classique. Une soif d'apprendre lui vint. Il apprenait comme on se débauche, pour ne pas penser. Il lut, il interrogea. Il souhaita par-dessus tout assister à quelques démonstrations, s'introduire au Jardin des Apothicaires pour y apprendre leurs recettes, s'initier à la petite chirurgie : saignées, ventouses, pansements, vésicatoires, cautères, ouvertures d'abcès. Son père avait fait de même. Il lui demandait parfois, avec humeur, un conseil. Tout le vieux savoir était maintenant discuté. Des nouveautés se préparaient dans ce domaine. Mais bien des démarches qui, pour un autre, eussent été fort simples, pour lui étaient presque insurmontables. C'était alors une nature un peu lourde, un pain qui n'avait pas levé. Bon, plus tard, il n'était encore que bonasse. Un grand enfant, tout honteux de s'être, par Madelon, laissé coller une chaude-pisse et, par Angélique, une culpabilité qu'il espérait encore guérir.

Son père avait une nombreuse clientèle de pauvres gens qui lui faisaient confiance. De bourgeois qui venaient à la nuit, vêtus des hardes de leurs domestiques. Ils achetaient ce baume Nerval qui est censé contenir de la graisse humaine (ce pour quoi les bonnes gens préfèrent l'acheter chez le bourreau, ils craignent moins d'être floués), ou ces emplâtres de Vigo, appelés aussi « de ranis » comme contenant des parties de grenouilles. Il remettait des membres démis. Il s'intéressait aux eaux distillées, aux sels volatils, ce qui lui permettait de se considérer comme une sorte de savant, d'expérimentateur, auquel incomberait de temps en temps la tâche déplaisante mais banale d'exécuter quelque malandrin. Cela compensait-il vraiment? pensait Charles le fils. Et, après Angélique : non! Décidément non!

Dorénavant il prêta attention à la petite lueur de la vie quand elle s'éteint. Cette flamme si petite et si belle, si pareille, quand elle brille pour la dernière fois, chez le plus pâle voyou ou chez le condamné politique ou chez la voleuse de mouchoirs, ou chez la pauvre servante condamnée – cela arrive encore – pour avoir séduit un trop jeune homme de la famille qu'elle sert, ou... Il vit la similitude de toutes les douleurs qui ramènent les hommes à l'enfance par l'étonnement. C'était peut-être là son rôle, pour qu'ils pussent mourir dans l'état même où ils étaient venus au monde, absous?

Ces pensées-là sont lourdes à dix-huit ans. Son père, las de sa solitude, se remaria. Lui se jurait : « Je ne me marierai jamais. » Au moins le mal, la douleur, ne se transmettraient pas par lui. On lui proposait des jeunes filles, des Jouënne, des Zeller, une nièce Collet de Charmoy, grandes dynasties de bourreaux de Dieppe, de Montpellier ou de Soissons, qui s'alliaient entre elles, pensaient « Noblesse oblige », et le pensaient sérieusement. Le remariage du père stupéfia le fils. Elle se nommait Jeanne-Renée Dubut, patronyme sans éclat mais qui n'a rien de maléfique. Elle était fille d'un maître charpentier.

Charles le jeune en resta stupéfait, oui. Elle (comme autrefois Charles Ier rencontrant Marguerite Jouënne) l'épouse, et elle avait le choix? Alors? Qui est cette femme? Elle a accepté sans problème un homme plus tout jeune, mais tranquille, lui laissant les coudées franches, bien physiquement avec sa barbe patriarcale. Et puis il faut considérer aussi le sénevé, les carpes, le sol prélevé sur les paniers de noisettes, etc. Quant à l'état, mon Dieu... « Il faut bien que quelqu'un le fasse, n'est-ce pas? » dit-elle aux clients qui viennent par la ruelle de derrière faire soigner leur pied foulé ou leur eczéma tenace. C'est tout juste si elle ne considère pas qu'en les débarrassant de la corvée de se faire justice eux-mêmes, Charles Ier n'a pas droit à un titre de bienfaiteur public. Ceux qui traversent la rue, à la vue de l'échelle brodée sur la manche (en un ton différent), ou même qui crachent – il y en a! –, c'est la tourbe, la racaille, qui, un jour ou l'autre, se retrouveront au gibet ou la tête sur le billot. Et l'auront bien mérité! Et elle crève l'œil du lapin, saigne la poule et la pend par les pattes avec la même bonne conscience de ménagère. Ainsi va le monde. Et s'il était boucher, son homme? Les bêtes, elles, elles n'ont rien fait...

C'est une femme au visage encore frais, aux cheveux blonds-roux. Placide. Et Charles II ne se querelle jamais ouvertement avec son père, sinon pour des détails insignifiants : les ingrédients d'une pommade, « Tu en es encore au Codex de 1638 », mais cela veut dire autre chose. Il regarde ce couple, il regarde leur vie, il se souvient d'Angélique, il dit : « Je ne me marierai jamais. »

Au moins cela il est libre de le choisir. La lignée s'arrêtera. Le malheur s'arrêtera, celui dont il est plus ou moins responsable. L'idée le réconforte quand il avance, place de Grève ou à la Croix du Trahoir où le public plus populaire lui crie : « Vas-y, Charlot! », tandis que les femmes le jaugent du regard. Il n'y a pas à se gêner. Et c'est un bel homme, en effet, pour ce public-là : calme et massif, et sérieux, ce qu'on attend d'un bourreau. Mais si l'exécution est considérée comme expédiée un peu vite, si un condamné qui déplaît bénéficie du retentum, si le moindre incident survient : une corde qui casse, une barre de fer qui glisse, un gémissement qui « leur » parvient, tout à coup, comme dans une réaction chimique, la fureur sanguinaire se transforme en pitié, le liquide passe du rouge au blanc, et voilà que certains qui ont en mémoire ses débuts difficiles (une vraie légende, avec exagération à l'appui) lui crient, en manière de dérision : « Angélique ! Angélique ! », et racontent à l'entour la triste histoire de la présidente Tiquet.

Et Charles se dit alors que ce n'est pas la petite Madelon, ni la future qu'on veut lui imposer, que c'est elle, Angélique, la véritable « fiancée du bourreau ».

Jusqu'à ce qu'il ait vu *Les Larmes*.

Il avait toujours aimé le mot : douleur. Il lui semblait que c'était un nom de femme. Madelon, Angélique, une autre. Mais aujourd'hui il l'a entrevue, par la fenêtre du cabinet de curiosités. Il a reconnu l'œil long, plein d'une promesse triste, et le teint transparent qui était celui d'une sainte, miraculeusement préservée dans son tombeau de la corruption, et qui lévite entre deux mondes. Il a entendu son nom réel, ce bruissement, le nom qui n'est pas un nom, de cette femme faite pour lui : Les Larmes.

Il n'a vu, cependant, à travers les barreaux de la fenêtre (et c'était son sort de voir ainsi les choses : encagé dans sa condition), qu'un profil, qu'une larme qui brillait dans un rayon de soleil. Il lui a semblé que s'il avait pu la regarder assez longtemps, il aurait compris quelque chose d'important, d'essentiel. Il n'a pas osé s'attarder. De peur d'être surpris, d'abord. Et parce qu'à ce visage douloureux, déjà vu en rêve, reconnu, il avait fait serment autrefois de ne se marier jamais, et l'avait trahi.

***

– Je voudrais que vous voyiez ma sœur qui a une mauvaise enflure à la main gauche, lui avait dit sa belle-mère.

– Je ne savais même pas que vous aviez une sœur.

– Demi-sœur. Bien plus jeune que moi. On l'avait envoyée en condition à Moulins.

– Ah! Depuis longtemps? avait-il demandé par pure civilité.

– Depuis mon mariage, avait répondu Jeanne-Renée.

Il avait bien compris. Mais comme elle était de celles qui mettent trop d'épices dans la pâtisserie, trop de sel dans le potage, trop de saindoux dans les fritures, elle avait ajouté pour faire bon poids :

– Elle n'aurait pas trouvé à Paris, vous pensez... Les choses se savent...

Il s'était dit : « Mais alors? » Il s'était dit : « Tiens... » Il s'était dit, touché : « Elle est plus sensible que je n'aurais cru... » Il se trompait encore. Il croyait Jeanne-Renée trop sotte pour feindre, comme si on était jamais trop sot pour feindre. Bref, le piège.

Il avait vu Marthe. Elle ne ressemblait pas à sa sœur. Elle était jeune, jolie, brune, avec un visage en forme d'olive, l'œil long, les mains fines. Il l'avait soignée (la main). Il l'avait touchée. Sa peau était extrêmement douce. Elle parlait peu.

« Comme elle ne se mariera pas, on pourrait peut-être la prendre chez nous? » avait suggéré Jeanne-Renée. Ils avaient de l'argent; ils disposaient de plus de chambres qu'il ne leur en fallait. Pourquoi pas? Il aurait mieux fait de se dire : « Pourquoi? » Elle passait dans les pièces, mince, déliée, les yeux très bleus dans cette peau brune, avec un air de tristesse voluptueuse, languide, et son silence était compensé par ses longs regards paresseux qui posaient des questions et ne demandaient qu'une seule réponse. Elle aidait Jeanne-Renée, qui la brusquait, non sans raisons. « On dirait toujours que tu as la vie devant toi ! On ne t'a pas recueillie pour paresser ! » Une larme perlait au bord des cils noirs, tombait des yeux couleur d'ancolie. Charles s'émouvait. Le Père se taisait. Parfois il faisait remarquer, à table, que, toute mince qu'elle fût, Marthe avait bon appétit. Le joli visage fonçait alors légèrement. C'était sa façon de rougir.

Un jour Charles la surprit dans le jardin, qui creusait un trou avec les mains, comme un chat, pour y dissimuler une tasse cassée.

– Enfin ! vous avez bien le droit de casser une tasse !

– Oh, non ! Je n'en ai pas le droit... dit-elle presque à voix basse.

Elle se releva, tête baissée, égalisa la terre avec son joli pied fin. Il la prit dans ses bras et l'embrassa. Jeanne-Renée arriva par l'arrière-cuisine et s'écria, rayonnante :

– Je m'en doutais !

Le tour était joué. Le Père ne se donna pas la peine de feindre la surprise. Tout rentrait dans l'ordre.

Sauf dans la tête de Charles. Le soupçon. Les reproches, les humiliations que la sœur aînée faisait subir à la cadette avaient cessé comme par magie. Il se demanda si Jeanne-Renée n'avait pas spéculé sur sa pitié. Le Père lui-même... Il revint à ce jour fatal de l'exécution d'Angélique. « Tiens, prends l'épée, j'ai un malaise » ou (il ne se rappelait pas bien les mots) « J'ai comme un vertige », peut-être. N'était-ce pas déjà une façon de le mettre devant le fait accompli ?

Petit à petit, il se trouvait forcé d'endosser, comme un vêtement, l'image du Père, son infamie, son rachat, son amour peut-être. Il ne soupçonnait pas encore Marthe.

Ils se marièrent. Le choix parut évident à la

famille : elle était là, à sa charge de toute façon, elle était jeune encore, jolie. Il n'avait pas, comme le lui avait fait remarquer sa belle-mère, l'embarras du choix ; c'eût été inévitablement une Jouënne (sa cousine ?), une Zeller. Et là, au moins, il rendait service, il réparait un tort qui lui avait été fait, pensait-il encore comme Marthe se couronnait de fleurs d'oranger. Il était un peu amoureux, tout de même, d'une façon fraternelle. Pauvre Marthe : elle et lui, dans le même sac, pensait-il, l'ironie lui venant avec la réflexion.

Il y eut une fête. Un grand repas. On avait les moyens. Tout le monde rayonnait et la mariée était ravissante. Quand ils furent seuls elle l'entoura de ses bras, lui dit qu'elle l'aimait, qu'il lui avait toujours plu, et qu'il ne fallait pas croire : si elle avait voulu, elle aurait pu épouser Monsieur Brisseau chez lequel elle était intendante à Moulins, ou le commis de son père, Lartiron, qui se moquait pas mal des parentés... Mais elle, du jour où elle l'avait vu, elle avait dit à sa sœur...

Le soir même de ses noces il découvrit le complot que Marthe avait été trop sotte pour ourdir, et même pour comprendre. C'était Jeanne-Renée et le Père qui avaient spéculé sur sa pitié, sur son besoin de rachat. Le babil de Marthe, la sensualité ingénue qu'elle dévoilait, la sincérité même de ces propos qui auraient dû lui prouver sa tendresse ne lui montrèrent que son incompréhension. Il quitta le lit conjugal et sortit marcher un peu.

Près des cuisines, une bande de mendiants haillonneux attendaient qu'on leur distribuât les restes du festin. Ils le saluèrent de cris joyeux. Était-ce là ses pairs, les seuls qu'il pût fréquenter sans leur faire horreur? Son rêve d'une compagne qui serait son égale, compagne et compagnon, coupable, victime et condamnée avec lui, près de lui, s'était évanoui à l'instant même où il avait compris que Marthe, loin d'être cette compagne d'infortune avec laquelle il avait rêvé de partager, d'arriver peut-être à accepter la malédiction, que Marthe avait eu le choix. Comme le Père. Figures maléfiques. Comment choisir la malédiction, la splendeur de la solitude? Et si l'on pouvait soupçonner chez le Père l'attrait de l'ombre, l'ambition du sacre, quelque chose qui ressemblait à ce qu'on appelait il y a peu la sorcellerie, et que l'on n'appelle plus d'aucun nom aujourd'hui (ce qui ne signifie pas qu'on n'y croie plus, qu'elle ne resurgisse pas comme une eau souterraine et noire à d'autres endroits, sous d'autres formes, la mare se faisant cascade, le ruisseau domestiqué se mettant à l'abri des bois pour rugir), si l'on pouvait soupçonner derrière la barbe patriarcale le regard droit, résigné à ne rencontrer que des regards fuyants, cette fierté, peut-être – mais seulement peut-être – coupable, dans les yeux brillants de la jolie Marthe, rien de tout cela. C'était l'opacité, la paix de l'incompréhension totale. Il l'envia et elle lui devint étrangère.

Au petit matin, il rentra subrepticement, s'en fut à la chambre commune et consomma son mariage. En pénétrant Marthe qui soupirait un peu, il pensait à Angélique s'agenouillant devant le billot. En se sentant étreint par les bras minces, il pensait à l'estrapade, au moment où le corps retombe en s'étirant avec ce long cri de femme. En répondant à cette étreinte, il la soumettait au tenaillement. Il haïssait sa victime, le jugement qui les avait condamnés tous les deux, la fausseté odieuse d'une situation où, en appliquant une loi, on est par elle-même stigmatisé (l'échelle!) et où, en usant de son corps de la façon immémoriale dont l'homme en tire sa jouissance, on renforce le lien qui vous unit à tous les corps martyrisés.

Boisson un peu forte pour un lourdaud. Une certaine finesse acheva de naître en lui ce jour-là. L'innocence creva comme un placenta. Ce fut leur enfant, porté par lui seul, cette révolte dont il lui faudrait bien, à l'avenir, s'accommoder. Il mit longtemps à se satisfaire. Marthe le trouva plein d'égards.

D'ailleurs, elle s'y attendait. « Un bourreau, cela doit savoir », avait pensé cette vierge. Charles retrouva « Angélique » qui l'attendait quelque part, le visage penché de la douleur, dont il rêvait. Le ménage officiel vivait dans la mésentente la plus paisible.

Pour compléter « son bonheur », Marthe perça d'épingles les « redingotes anglaises » que portait, pendant les ébats conjugaux, son prudent mari. Elle fut enceinte, et loua le Seigneur.

Elle lui annonça sa grossesse, et il dit : « C'est bien », et s'en fut marcher dans les bois, sans perruque, la veste mal boutonnée, avec le besoin de crier à l'injustice, de mettre le feu, de pleurer un bon coup, de parler à n'importe qui. A la petite Catherine, qui l'écouta.

Je n'étais pas au bout de mes peines, ni de mes perplexités.

Rentrant sans me hâter, je trouve mon Chevalier attablé avec Antoinette dans la cuisine, et le cocher buvant familièrement à la même table. Ce m'est une preuve de plus qu'ils sont complices. Sans quoi, supporterait-il la familiarité de cet homme ? Ils viennent, semble-t-il, de ramener Antoinette, comme ils l'ont emmenée, sans égards, sans douceur. J'ai compris cependant qu'ils avaient besoin d'elle. Cette fête, ce banquet, peut-être cette orgie sur laquelle compte Martinelli, ne saurait avoir lieu sans elle. « Il a dit qu'il aimerait rencontrer le modèle. » Et elle, elle a dit : « Je le hais. »

Je les regarde. Je me tais, ce qui ne m'est pas habituel. Mais ils pensent que je les boude toujours, pour ne pas être sortie avec eux. Qu'ils le pensent. Ils verront quand le temps viendra que je ne suis pas une Antoinette.

Je voudrais bien savoir tout de même de quel moyen ils ont usé pour la réduire. Je ne trouve que des raisons de roman : enfant caché, vieux père dans une geôle, amant aimé menacé de mort. On est toujours dans l'absurde avec Antoinette. Ils la font boire. Elle boit, elle divague.

– Il faut aller vite. L'édit sera prononcé bientôt. Ils sont dépouillés, rejetés... Comme moi, rejetés... Vous avez vu ? Il ne m'a même pas embrassée... Il me torture encore, et pourtant, tout ce qu'il a voulu, je l'ai fait... Il ne m'acceptera jamais...

– Mais si, dit Wilhelm fermement. Quand nous aurons réussi, tout changera pour vous, vous verrez.

Le Chevalier lui lance un regard interrogateur. Il semblerait qu'il n'est pas au courant de tout, le Chevalier. Qu'a-t-on pu promettre à cette pauvre Sicard ? Wilhelm lui répond par un geste d'une ignoble vulgarité, signifiant qu'elle a bu et qu'elle est folle.

– Vous croyez ? demande la pauvre fille. Tout, vraiment ?

Elle est assise à la table de la cuisine. Jeannette est partie sans rien ranger, pas même une petite balle de laine jaune sur le pétrin, qui a dû amuser le bébé. Une jatte est là, demi pleine de lait. Le pichet de vin n'est pas frais. Une tourte entamée est en train de rassir. Je veux l'envelopper d'un linge, le Chevalier m'arrête d'un geste, comme si des divagations somnambuliques d'Antoinette devait sortir une révélation. Elle a pleuré, ses yeux sont rouges, sa poudre a disparu, ses cheveux sont défaits, et pourtant elle n'arrive pas à être laide. Elle a la beauté d'un animal traqué, l'un de ces animaux doux et farouches que les hommes aiment chasser, parce que c'est facile.

Elle roule sa tête d'une épaule à l'autre. Peut-être ne sait-elle même pas qu'elle souffre. Elle parle à voix basse, et c'est comme si elle criait, gémissait, chantait.

– Je leur ai dit... Je leur ai dit cent fois... Je le ferai. J'en suis capable... Il ne le croit pas.

– Ce n'est pas ce que vous me disiez l'autre jour, dit Martinelli d'une voix brève.

– C'est vrai. Je ne voulais pas aller jusqu'à... J'avais peur... (Brusquement elle se tourne vers lui, les yeux agrandis par la peur.) Vous lui aviez dit? Si, si! vous lui aviez dit que j'avais refusé d'abord. J'en suis sûre! C'est pour cela qu'il m'a marqué tant de froideur, si peu d'égards...

Wilhelm intervient brutalement, par méchanceté pure, ou parce que ce regard est insoutenable.

– Des égards! Il te faut des égards, maintenant? C'est le procès des bâtards qui te monte à la tête? Mais il y a bâtard et bâtard, ma belle!

Antoinette relève la tête. Son regard se fait plus violent, mais sans se fixer, comme si elle ne savait vers qui diriger le sursaut de révolte qui l'anime.

– Non, non! Pas bâtarde! Il n'y a qu'à demander à la Mère Sainte-Sophie. Elle est vieille, mais elle vit encore. Elle vous dira que jamais, jamais... Il n'y a même pas eu procès... D'ailleurs, si j'étais bâtarde, je n'aurais pas été si bien élevée. On a pris soin de moi : danse, clavecin, écriture sainte, broderie. J'ai même fait un pastel de la Révérende Mère qui se trouve encore au parloir. Et pas de procès, jamais. Eux, ils en ont un, les bâtards. Les Condé, les Conti, les ducs, tout le monde leur en fait, des procès! (Elle eut un rire léger, brusque. Elle regardait dans le vide avec assurance.) Naturellement, je ne dis rien. Je fais celle qui ignore... Puisque moi, je n'en ai pas eu, vous comprenez...

Tout en parlant, et comme nous restions cloués sur place par ce monologue insensé – à travers lequel pourtant on devinait, comme à travers un brouillard ou un voile, la forme confuse d'une vérité –, tout en riant d'un rire de bonne compagnie, avec le visage du désespoir, elle avait machinalement posé la main sur la lame du couteau qui servait à découper la tourte et, comme elle disait encore à voix modérée, ferme, la voix d'une femme qui aurait toute sa raison, « ils auront beau chercher, ils n'en trouveront pas trace, de procès. Parce qu'il n'y en a pas », elle referma la main sur le tranchant de la lame, rêveusement, et le sang lui gicla entre les doigts.

– Arrête! Tu es folle! cria Wilhelm.

Le Chevalier avait pâli, mais ne fit pas un geste. J'allais m'élancer, un geste de lui me retint. Le cocher s'était jeté sur Antoinette, mais déjà le couteau échappait à sa main, glissait à terre, et Antoinette s'évanouissait, une grande coulée rouge tachant ses jupes grises.

L'Allemand avait dans sa poche un flacon qu'il lui fit respirer, et l'étendit au fond de la cuisine sur une banquette basse. Le Chevalier lui fit un pansement sommaire, étant allé chercher ce qu'il fallait.

– Elle va revenir, dit Wilhelm, rassurant. Elle a de ces crises...

– Et si elle en a une au mauvais moment? murmura le Chevalier. Cette fille représente un risque. Pourquoi...

– Pourquoi l'avez-vous prise pour modèle? Pourquoi lui a-t-elle plu? On ne peut plus reculer maintenant.

Antoinette se redressait, se passait un mouchoir imprégné d'eau de senteur sur le front, sortait sur le pas de la porte ouverte pour respirer l'air de la nuit. Je la suivis.

– Vous sentez-vous mieux?

Elle regardait sa main pansée.

– J'ai de ces absences quelquefois, dit-elle d'un ton rêveur et enjoué, comme avouant une charmante faiblesse.

– Vous pourriez vous faire mal.

– Mal?

Elle avait de nouveau son air absent. Mais je ne m'y laissai pas prendre. Sans doute n'avait-elle pas son entière raison, mais elle se servait de cet égarement pour dissimuler quelque chose.

– Mal. De diverses façons... Je ne sais rien de vous, Antoinette, ni ne cherche à rien savoir. Mais, si j'étais vous, je m'en irais très vite, très loin, et j'essaierais d'une autre vie.

– Une autre vie... murmura-t-elle sans s'étonner. Oui, ce serait bien. Mais vite... (elle désigna du menton l'Allemand qui discutait toujours avec Martinelli, au fond de la cuisine)... il ne voudra pas.

– Comment pourrait-il vous en empêcher?

– Il m'enfermerait... Il me frapperait... Il ne me laisse d'argent que juste ce qu'il m'en faut pour la journée.

J'allais répliquer « sauf lorsque vous allez en Bretagne ». Mais j'eus peur de m'aliéner tout à fait sa confiance. Qu'elle me crût ignorante et sotte m'arrangeait pour l'instant. Pourtant sa résignation m'agaça.

– Il n'oserait pas vous frapper! Un cocher! Mais c'est impossible!

Elle eut encore ce petit rire, léger, désolé.

– Catherine, vous êtes bien jeune. Mais croyez-moi . rien n'est impossible. Absolument rien.

Autour de nous, la nuit, définitivement tombée, installait son noble silence.

CHAPITRE IV

Où le bourreau s'intéresse aux nouveautés du siècle. Où un Souper Anatomique devient l'une de ces plus mémorables nouveautés. Et où le Chevalier court plusieurs dangers, dont celui de passer pour impuissant.

Les glandes lacrymales sécrètent en permanence un liquide qui nettoie la cornée et lui conserve sa transparence. L'iris est la partie colorée qui entoure la pupille. Chez Antoinette l'iris est gris, d'un gris rare et lumineux. Ses cils très noirs le soulignent. Elle épile légèrement ses sourcils, on s'en aperçoit en l'observant bien. L'œil est ainsi plus dégagé. Les rayons lumineux émis par un objet que nous regardons traversent les milieux transparents de l'œil. Puis le cristallin les concentre sur la rétine en une image renversée. Cette image est alors convertie en signaux et transmise ainsi au cerveau qui la « voit » dans le bon sens. Ainsi me l'expliqua du moins le bon Père Scapp, un savant homme qui venait parfois nous voir, avant le scandale (et qui, ensuite, crainte qu'on ne lui retirât un petit bénéfice dont il vivait, s'abstint), et il soutenait que si l'on pouvait, simple hypothèse, faire vivre un homme la tête en bas pendant un temps donné, l'image se rétablirait dans le bon sens. L'expérience est évidemment impossible autant que comique. Mais cette définition du cerveau commandant aux organes jusqu'à leurs perceptions me laisse rêveuse. N'est-il pas quelquefois défaillant? Ne se peut-il pas que certains faits, aussi, nous les percevions à l'envers, ou de biais, et que le « redressement » que devrait opérer notre cerveau ne se fasse pas? La folie serait alors un défaut mécanique?

Mais n'est-il pas possible aussi que ce « redressement » soit lui-même une illusion, et qu'il impose un ordre arbitraire à des faits que notre œil percevrait différemment sans lui?

Je regarde Antoinette. Je la regarde autrement qu'au moment où je dessinais ses traits. Antoinette parle peu, agréablement, en femme bien éduquée sinon instruite. Puis tout à coup son regard se perd, et de sa belle bouche, un peu grande, s'échappent des soupirs sans raison, des mots sans suite, des phrases décousues, évoquant des souvenirs informes, des injustices vagues qu'elle aurait subies, des torts qu'elle aurait causés, rêvés peut-être. Parfois ce chuchotement se fait rapide, torrentueux, sans pourtant qu'elle élève la voix. Et puis elle s'arrête, se fige, les lèvres encore entrouvertes : des lèvres qui forment le dessin d'un cri, sans qu'aucun son s'en échappe. Elle fixe l'air, devant elle, comme si quelqu'un qui lui fait peur, atrocement peur, venait d'ouvrir la porte. L'air lui manque, ses narines palpitent, pâlissent. Elle respire à petites saccades. Elle s'est levée à demi sur sa chaise, elle y retombe. Un moment, la tête penchée, son visage est caché par ses cheveux véhéments. Toutes ces mèches noires semblent crier à sa place. Puis elle les rassemble d'une main qui tremble encore, regarde autour d'elle avec de longs regards tourterelle redevenus présents, retrouvant une souffrance quotidienne, et elle demande : « Qu'est-ce que nous disions? »

Sans doute ce comportement surprend. Mais si c'était elle, dans son incohérence, qui reflétait l'image vraie, l'image pure, sans les altérations que lui apportent les convenances, les conventions, le langage même tel qu'on nous l'enseigne? L'image d'une douleur que le cerveau, en l'organisant, détruirait?

Martinelli et Wilhelm ne feignent plus maintenant d'être maître et serviteur. Ils sont complices, cela crève les yeux. Mais leurs secrets, que je n'ai pas totalement déchiffrés, sont bien peu de chose à côté de ce secret qu'Antoinette porte en elle. Énigme qu'elle-même ne parvient pas à résoudre et qu'elle semble nous tendre avec un tacite et continuel « pourquoi? », auquel j'ai donné, en modelant *Les Larmes*, une forme et un nom, mais pas de réponse. Sans doute n'y en a-t-il pas.

Le Tsar est reparti (avec son linge de chambre) ayant abondamment compissé les carrosses royaux, embrassé avec vigueur le petit roi et un apprenti de la fabrique des Gobelins, assisté à un défilé militaire aux Champs-Élysées, et trouvé Paris plaisant mais ridiculement petit. Ce dernier renseignement est parvenu jusqu'aux oreilles de Jeannette. « Nous nous en contentons! » s'est-elle écriée dans un élan d'indignation contre « cette brute ». Elle partagea en cela l'opinion de l'abbé Dubois, ancien précepteur et actuel conseiller du Régent, qui aurait déclaré ce souverain « un simple extravagant, juste bon à faire un contremaître hollandais ».

– Voilà au moins une bonne chose que l'abbé Dubois aura dite! s'écrie l'Allemand, maintenant si bien installé à demeure qu'il vient souper quasiment tous les jours et a « son » vin – un vin du Rhin qu'il fait venir par caisses. Antoinette aussi vient souvent, à pied, sans craindre les agressions, elle qui craint tout. Par contre Monsieur Sanson se fait rare. Nous mangeons, nous buvons, nous parlons. Jeannette, singulièrement enhardie depuis que ses enfants sont tacitement admis, nous donnant ce que Wilhelm appelle avec grandeur « l'avis du petit peuple ». Elle abonde en renseignements et anecdotes que nous ignorons. Comment, l'hiver dernier, par le terrible froid qui régna, trois blanchisseuses ayant chu dans la Seine eurent la tête coupée net par la glace... qu'à la foire Saint-Germain, un âne savant danse sur une corde... que le Tsar, toujours lui, préférait au bon vin la bière – sauvage ! – et qu'achetant, pour l'offrir, un manchon, il l'avait marchandé.

– Je croyais qu'il n'y avait que Dubois pour être aussi ladre, dit l'Allemand. Il se familiarise aussi, et se plaît à nous montrer comment, avec sa main unique, il désosse les viandes, débouche les bouteilles (c'est même ce qu'il réussit le mieux et le plus souvent) et va, dans son plaisir d'être admiré, jusqu'à façonner une feuille de papier en manière de bateau et à en faire cadeau au petit Luc, ou Lucien (on ne les reconnaît pas l'un de l'autre), qui demeure extasié par la somptuosité de ce cadeau. Du coup Jeannette cesse de le toiser, et confectionne même à son intention des roulés aux pommes et à la cannelle.

On attend quelque chose, comme on attend l'orage. Est-ce seulement la date du banquet qui nous consacrera ? Je suis restée plusieurs jours un peu froide, espérant une explication, peut-être une justification de mon maître. Rien. Il ne semble même pas s'apercevoir de ma bouderie. Alors, lassée, j'interviens.

– On ne sait toujours pas le jour du banquet, où l'on verra le buste ?

– Non.

– J'espère au moins que vous m'emmènerez, cette fois ?

Peut-être, en avertissant Madeleine, pourrais-je y faire inviter mon père et résoudre déjà une partie de mes problèmes? Mais il semble que ce ne soit pas « ce genre de fête », c'est-à-dire une fête où un père soit aise de rencontrer sa fille.

– C'est peu probable.

– Comment... c'est peu probable?

Le Chevalier me fait la grâce d'un peu d'embarras.

– Ce sont des soupers, tu comprends... un peu légers... Tu es trop jeune. Et si ton père apprenait...

– C'est une orgie alors! une bacchanale! Et vous y traînez Antoinette!

– Rassurez-vous, dit Antoinette qui a ses grands airs ce jour-là. On ne me traîne pas. Je ne suis plus une petite fille.

Elle est assise dans la cour, sur une chaise dépaillée, profitant de l'air du soir, et elle brode. Elle brode vraiment, et fort joliment, un bonnet. Moi qui ai cru que cette dénomination de « brodeuse de fin » qu'elle se donne était le paravent d'autre chose, je dois constater qu'elle travaille à la perfection. Et le bout de ses doigts, légèrement gonflé et marqué de piqûres, témoigne que ce n'est pas pour la première fois. Jeannette admire aussi.

– Vous ne pourriez pas me montrer, Mademoiselle? Je voudrais faire un bonnet pareil pour la petite.

– Je vous en ferai un, murmure Antoinette distraitement.

Elle ajoute, sans lien apparent :

– Je n'aime pas travailler pour les enfants... mais de telle façon que même Jeannette ne se fâche pas.

Elle s'éloigne seulement, comme un animal devant une chose morte.

On attend. Le temps s'étire. Ces soirées de juin, parfois belles, parfois pluvieuses, se passent dans la cour ou dans la cuisine, dans un étrange climat, tendu et familial. Les enfants aux yeux noirs dévorent, profitant de notre peu d'appétit, et nous les laissons faire comme on laisse terminer les plats à des animaux familiers qu'on est trop las pour repousser. Dans la journée, nous ne nous voyons pas. Antoinette est chez elle, ou le dit. Wilhelm vaque à ses affaires mystérieuses, et parfois nous revient en bourgeois, en porteur ou en militaire. Aucune question n'est posée. Le mari de Jeannette fait une réapparition, un anneau d'or à l'oreille, avec de petites vestes de futaine pour les garçons qui hurlent de joie et les enfilent aussitôt à l'envers. On a beau les raisonner, ils se refusent à les retirer fût-ce un instant. Brève altercation dans le jardin, entre deux draps pendus, entre Jeannette et son mari. On entend : « Non ! Non ! » (Jeannette), « Allons, sois gentille ! » (lui). Les draps s'agitent. Jeannette ressort très rouge, le mari s'éloigne à grandes enjambées, l'air fâché. On ne pose aucune question. Cela semble devenu la règle à l'Hôtel des Arcoules. Jeannette reste coucher dans l'un des greniers, avec les petits, et pleure toute la nuit. Aucune question...

Dans un sens, cela me convient. Comme le Chevalier court les cafés et les salons, ressortant mes moules de la cabane du jardinier (je glisse un petit sou à Georget pour qu'il se taise : ça le rapproche de la Louisiane), je me mets à une copie du buste d'Antoinette. Car j'ai une commande. L'Amateur ne sera pas seul à comparer profil gracieux et profil anatomique. Monsieur Charles Sanson, exécuteur des hautes œuvres, a commandé une copie des *Larmes*. Et il la paiera bien. Il m'a promis des actions de la Compagnie d'Occident qui va se fonder et qui, dit-il, donnera à ses actionnaires du six, peut-être du sept pour cent par an. Voilà un langage que j'entends. Je garde pour moi et la commande et la promesse. Le Chevalier me dit-il tout ? Je puis me trouver d'un jour à l'autre sans ressources, il est normal que je me précautionne.

On attend. Qu'est-ce qu'on attend? A force de le harceler, je tire quelques mots du Chevalier.

– Toute la Cour est occupée de l'issue du procès des bâtards. Le Conseil de Régence se prononcera le 1er juillet. Avant cela, point de souper.

On dit cependant que, des soupers, il y en a tous les soirs au Palais-Royal, et des plus gais, quoi qu'il advienne. Mais n'insistons pas trop.

– Ce qui veut dire, en clair?

– Eh bien, que les princes légitimés, les bâtards de Louis XIV, perdraient le droit de succession au trône qu'il leur avait accordé.

– Alors, si le petit roi mourait, qui?...

– Le Régent. Ou, selon, Philippe V qui désignerait lui-même un régent, sans doute le duc du Maine.

– Et qui c'est, Philippe V?

– Le petit-fils du vieux roi, devenu roi d'Espagne, répond-il avec une patience exaspérée.

L'Espagne, l'Espagne... La livrée que porte parfois Wilhelm... les lettres patentes du Chevalier qui venaient de là-bas... Le marché passé à Venise... les paquets... Tout cela a un lien. Mais quel rapport avec mon buste et la céroplastie? Avec Antoinette et *Les Larmes*? Catherine, Catherine! fais-tu bien d'approfondir? Il vaut mieux en tout cas ne pas le laisser voir.

Le 1er juillet 1717, par décision du Conseil de Régence, les princes légitimés perdirent leur droit à la succession au trône, et leur qualité de princes du sang.

La copie du buste était presque achevée. Et le Chevalier Martinelli, coureur de ruelles et amateur de gazettes, ne s'était aperçu de rien. Il vint, tout triomphant, nous annoncer que le souper aurait lieu avant la fin du mois.

Basseporte n'avait toujours pas trouvé de solution à mon problème, bien que je lui envoyasse fidèlement tout ce que je pouvais savoir du programme du Chevalier. Je voulus donc intervenir.

– Vous croyez vraiment que je ne pourrai pas venir?

– Il n'en est absolument pas question, dit Martinelli sérieusement.

J'en eus les larmes aux yeux.

– Alors, je n'ai plus aucun droit sur mon buste? Il ne va servir qu'à divertir le public d'une orgie! C'est tout de même mon idée... mon travail!

– Mais non... mais non! ce ne sera pas une *orchie*, dit l'Allemand avec son accent de lard fumé. C'est un *betit* souper scientifique, voilà tout!

– C'est ça! Comme c'est vraisemblable! Un souper anatomique où je ne puis pas figurer!

Je n'avais pas fini ma phrase qu'à ma grande stupeur le Chevalier se lève d'un bond, radieux, et me serre dans ses bras.

– Cette enfant a du génie! Un souper anatomique! C'est cela qu'il faut proposer. Il ne refusera pas. Il ne pourra pas refuser! Cela ne s'est jamais fait, c'est d'une nouveauté!... Ils ont eu des soupers à l'antique, habillés ou déshabillés en dieux de l'Olympe, des travestissements de religieux et religieuses – vous savez que Mademoiselle de Valois s'est fait peindre en récollette? –, mais un souper anatomique, cela ne s'est encore jamais vu! Nous fabriquerons des costumes figurant les différents systèmes, les viscères, le réseau artériel... Oui, oui! ce sera un peu écœurant mais, justement, cela plaira. Et le buste présidera. C'est cela, l'idée! Antoinette exigera que la chose se passe dans un endroit discret, petite maison, folie, et...

– Et quoi? dis-je, furieuse, car « discret » ne me convenait pas du tout, et je voyais mes beaux projets de gloire s'en aller en fumée.

– Mais plus on demandera aux invités de garder le silence, plus ils en parleront, voyons ! Pour se vanter d'en avoir été ! Nous serons à la pointe de la mode, et nos noms seront sur toutes les lèvres !

– Je pense qu'on parlera aussi beaucoup d'Antoinette, si elle se montre dans un costume... anatomique. J'ai beau être « trop jeune », comme vous dites, je me doute de ce qui pourra se passer.

– On essaiera de lui éviter le pire, dit le Chevalier sans trop de conviction.

Je l'aurais battu ! Antoinette se taisait.

– Et vous acceptez ça ? Pour qu'on parle de nous ? Quel intérêt y avez-vous ? De quoi vous a-t-on menacée ? Ou encore : que vous a-t-on promis ? demandai-je avec une certaine âpreté qui me surprit moi-même. Mais on me salissait Antoinette... on me salissait mon buste... on me...

– Ne pose pas de questions, dit le Chevalier avec lassitude. Tu ne connais rien du monde. De toute façon, on ne fera aucun mal à Antoinette. (Et il ajouta doucement, comme pour lui :) Du moins on ne lui fera pas plus de mal qu'on ne lui en a déjà fait.

Elle restait là, comme un objet dont on dispose. Je la regardais avec horreur et pitié.

– Mais enfin, est-ce qu'on ne pourrait pas trouver, pour tenir ce rôle, une fille, une fille publique, qui ressemble à Antoinette ? Après tout, l'Amateur n'a jamais vu que de la cire !

– Personne ne ressemble à Antoinette, dit le cocher, avec une subite mélancolie qui me frappa venant de ce grossier sac à vin.

Elle devait nous aider à couper des sortes de toges que nous comptions tendre comme des toiles, sur châssis, et peindre en situant approximativement la place des organes, comme on voit, sur les beaux dessins de Testelin, un Hercule ou un Apollon dépouillés par endroits de leur peau, nous montrer leur foie ou leur appareil génital. Déjà mon maître et moi préparions des esquisses, réconciliés par la fièvre du travail et par la promesse qu'il me fit qu'il tenterait de me présenter à l'Amateur avant le souper, en rendant justice à mon travail.

– La difficulté, c'est que je ne veux pas qu'il t'invite à te joindre aux autres, invitation que nous ne pourrions refuser...

– Et pourquoi devrais-je refuser une invitation qu'Antoinette acceptera?

Je n'obtins pas de réponse. Antoinette, désormais admise dans les écuries dites laboratoires, dites encore ateliers, coupait déjà l'étoffe crissante. Penchée en avant, vêtue seulement, à cause de la chaleur et pour ne pas gâcher sa jupe, d'un triple jupon brun serré, sur sa taille fine, d'un cordonnet, et d'une camisole rouge foncé qui lui découvrait une épaule, son corps mince, raide, gracieux pourtant, n'avait rien de sensuel. Du moins ce que j'appelle sensuel, avec une idée de gaieté, d'appétit, un rire à fleur de peau, un abandon. Le corps d'Antoinette n'inspirait aucune idée d'abandon. Il fallait le respecter ou le détruire. Il est vrai que détruire est, pour certains, une forme de plaisir. J'ai appris cela. Il aurait mieux valu, sans doute, que je ne l'apprenne pas.

Nous étions dans cette activité fébrile, car il s'agissait de profiter d'un caprice, de la chance qui passait, quand Martinelli, qui nous avait quittées pour une heure, avec son inséparable manchot et un modèle de toge que j'avais exécuté, revint tout accablé.

– Ils n'en veulent plus! Vous pouvez cesser de gâcher de l'étoffe!

– Comment!... Ils n'en veulent plus? Il n'y a plus de souper anatomique?

– Oh si! seulement...

– Oui?

– Seulement l'Amateur a eu cette idée de supprimer les toges... Oui, de nous faire peindre à même le corps des beautés qui participeront au souper; elles représenteront qui l'appareil digestif, qui le cœur et les vaisseaux sanguins qui l'entourent, qui...

– A même la peau?

– Parfaitement.

– Mais alors, elles seront...

– Nues. Elles ou ils. Il faudra peindre aussi les hommes. Ce sera tellement paradoxal de porter en dehors ce qui se trouve en dedans... ce sera si galant de voir s'étreindre ces écorchés, plus que nus et moins que nus... Ce sera un divertissement unique, du jamais vu, dit l'Amateur.

Antoinette et le buste devaient être les divinités de cet étrange festin. Eu égard à la pudeur supposée d'Antoinette, elle porterait un fin maillot figurant le réseau sanguin, qui dissimulerait un peu – très peu – ses charmes. Et le buste serait placé sur la cheminée du salon où l'on souperait. S'il ne leur coupait pas l'appétit, ce devaient être de fameux originaux que les amis de l'Amateur...

Je pris Martinelli à part. Comme elle était devenue momentanément inutile, Antoinette tressait des joncs sur le banc du jardin.

– Il n'y a plus moyen de refuser, je vois.

– Non. Le sort en est jeté.

– Bien. Je ne discuterai pas avec vous. Ça va être un travail difficile. Il faudra des couleurs éprouvées, qui tiennent et ne causent pas de malaises. On a empoisonné avec des couleurs, vous savez! Vous vous souvenez, un comédien de Molière est mort d'un habit vert teint d'un composé d'arsenic.

– Tu me l'apprends, dit-il en se moquant. (Puis :) C'est moi qui les préparerai, j'en réponds. Il faudra préparer aussi les croquis, et tout exécuter en une journée.

– On peut faire venir Châteauneuf de chez Desnoues pour nous aider. Nous ne serons pas trop de trois.

– Le rouquin ? Il parlera.

– Pas si on le paie bien.

– J'ai carte blanche.

– Reste Antoinette. Si j'ai bien compris, l'Amateur voudra aller jusqu'à l'apothéose...

– Là est la finesse, dit Martinelli. Tu m'aideras, nous lui coudrons sur le corps un maillot couleur chair, avec toute son anatomie, un travail tout en finesse qu'il hésitera à détruire tout de suite. Car le maillot sera cousu très serré. Et quand il aura à le lui arracher – et ce sera du travail solide –, une petite poudre dans son vin aura eu le temps d'agir, et il tombera ivre mort. Antoinette, outragée, se retirera. Et il y a neuf chances sur dix que, le lendemain, les hommes sont ainsi, le souvenir de son échec le dégoûte complètement d'Antoinette. Mais pas du buste ! Mais pas de l'anatomie ! De toute façon, la rumeur se répandra, nous l'orchestrerons, et nous serons...

– Riches et glorieux, je sais. C'est une comédie-ballet digne de Monsieur Lulli. Mais si vous vous emmêlez les jambes ?

– Tout est prévu. Il y a dans le jardin de la folie un petit pavillon, une sorte de kiosque. La pudeur d'Antoinette...

– On n'en aura jamais tant parlé, de la pudeur d'Antoinette !

– ... la pudeur d'Antoinette, disais-je, l'empêchera de s'abandonner au milieu du souper. Elle se dérobera, fuira pour être rattrapée, et attirera l'Amateur dans le kiosque du jardin. C'est un petit édifice arrangé à la mode persane, délicieux paraît-il. Là les attend un vin également délicieux, également préparé, et l'Amateur s'endort comme dans les contes, trouvant au réveil son anatomique beauté disparue.

– Admettons... Ne vous semble-t-il pas que c'est vous donner beaucoup de peine et user de bien des détours, pour faire connaître notre mérite?

– On n'a rien sans scandale, aujourd'hui. As-tu entendu parler de l'Écossais?

Je fis l'innocente.

– Celui qui change l'or en papier?

– Si tu veux. Ce papier-là, je t'en souhaite. Mais enfin, comment a-t-il réussi? En faisant parler de lui à tous les coins de rue, dans tous les salons, dans toutes les boutiques, dans...

– Admettons encore. Mon maître, je vois bien là-dedans notre avantage, encore qu'il me paraisse bien hasardé. Mais celui d'Antoinette?

– Tu le lui demanderas, dit-il avec humeur, et fit mine de s'en aller.

Je le retins sans façon par la manche. Il y avait là-dessous quelque chose que je démêlais mal, et que je voulais tirer au clair sans révéler mes sources. Pourquoi Antoinette s'était-elle si fort émue du sort des bâtards? Parce qu'elle-même était bâtarde? L'homme aux dentelles qui était venu la trouver aux Tuileries pouvait être son père, ou son amant (elle avait paru tant souffrir de son « manque d'égards »), ou quelque émissaire – émissaire d'une famille assez considérable pour s'intéresser aux Affaires ou assez ignoble pour trafiquer d'une parente au meilleur prix, l'un n'excluant pas l'autre à y bien réfléchir.

– Mon maître, si l'Amateur est de grande naissance...

– Oui?

– ... ne risquez-vous pas beaucoup à l'endormir

ainsi? Ne peut-on vous accuser d'empoisonnement vrai? Et si vous prenez ce risque, et votre Allemand, je suppose bien que vous avez vos raisons, que vous ne me dites pas toutes. Mais Antoinette...

– Encore Antoinette!... Toujours Antoinette! Elle vous a ensorcelés, ma parole, toi et Wilhelm! Que lui, encore... il a ses raisons.

– Ses raisons? Un cocher?

– Tu veux me faire dire ce que je ne veux pas dire, petit singe! Mais je te dirai qu'il y a des dames du meilleur monde que leur cocher honore, ou qui honorent leur cocher. Passe. Mais toi tu n'as rien à y voir.

– C'est que je vois bien que l'on profite d'un état où se trouve Antoinette, et qui a trait à la bâtardise, sans doute, pour l'obliger...

– Que l'on profite!... s'écria-t-il dans un grand éclat. Que l'on profite! Qu'on l'oblige!... Mais tu m'accuses, c'est un comble! Tu viens fourrer ton vilain petit nez là où il n'a que faire... tu crois comprendre alors que tu ne sais rien... et d'ailleurs je t'ai interdit de poser des questions!

– Vous n'avez aucun titre à m'interdire quoi que ce soit! dis-je, lassée à la fin de tous ces mystères. Et vous ne pouvez m'empêcher de voir, d'entendre et de penser!

Et lui, scandalisé, furieux, il en lâchait toujours trop à ces moments-là.

– Je n'ai aucun titre! Je suis un criminel! J'abuse, je profite d'Antoinette! Alors que toute l'idée vient d'elle!

Lente, avec son regard d'aveugle, elle revenait vers nous du jardin.

Quelques jours avant ce fameux Souper Anatomique, qui devait si mal se terminer, mon maître m'envoya chercher une teinture de safran qui lui manquait du côté de la rue des Bons-Enfants. Au moment où je sortais de la boutique avec mon paquet, ne voilà-t-il pas que je me sens happée par un maigre bras, dévisagée par un vilain museau chafouin qui s'efforçait de rire, sous une petite perruque mal frisée et de couleur pisseuse. C'était mon père qui passait, dans une de ces chaises à bon marché que l'on nommait « brouette », et qui m'avait reconnue.

– Eh ! c'est bien vous, Cateau ?

Je lui fis la révérence, pas mécontente d'être à mon avantage, certes allant à pied, mais couverte d'une mantille fraîche, avec dessous une jupe à fleurs étoffée de crin qui m'avantageait.

– C'est bien moi, Monsieur. (Je serais morte plutôt que de lui dire : mon père.)

– Vous voilà fort présentable, et prospère, dirait-on. Je ne vous ai pas trop mal placée, je vois.

Il s'avantageait encore de m'avoir vendue ! J'étouffais de rage. Je ne pus lui répondre que par une autre révérence. Si j'avais ouvert la bouche, je lui aurais craché au visage.

– Et que devient notre Chevalier-barbier-nouvelliste ? Il paraît qu'il fait son chemin dans le monde... qu'on le voit partout, dans les cafés, les salons... Pendant que je demeure obscur... Que ne peut l'intrigue ! Je vois qu'il vous habille bien. Profitez-en, ma mie, pendant que cela dure ! Voulez-vous mon avis ? Faites-vous donner une bonne pelisse. Les nuits sont froides, à la Bastille !... Porteur !

Et le voilà reparti dans sa brouette, ballotté sans plus de manières. Du moins il ne fatiguait pas ses porteurs : il devait peser au plus soixante livres !

Ses venimeux propos m'inquiétèrent ; j'y vis non seulement la menace, toujours existante, dont m'avait parlé Basseporte, mais une allusion à des soupçons de sédition qui planaient sur mon maître, et que je m'étais mise moi-même à concevoir. Toutefois, cela allait mal avec ses efforts pour se concilier l'Amateur. Peut-être jouait-il un double jeu, pour gagner d'un côté ou de l'autre ? Cela me le gâchait un peu. Mais nous fûmes, mon maître, Châteauneuf et moi, tant occupés pendant les quelques jours qui précédèrent le souper, que le temps d'y penser même me manqua. La composition des couleurs regardait surtout mon maître, expert en chimie. Châteauneuf et moi, au mépris de toute pudeur, essayions l'un sur l'autre une façon de peindre qui s'adaptât au jeu naturel des muscles, à l'embonpoint ou à la maigreur de ceux que nous aurions à travestir ainsi. Il fallait que le Souper Anatomique fût une réussite.

Au Café Mignot, le cabaret du faubourg Poissonnière, derrière une bonne table de bois, un jarret de porc bien servi dans l'assiette de terre, le ratafia versé d'une cruche ébréchée mais dont la teneur en alcool vous remonterait un mort, l'homme de police serait tout à fait heureux si on ne venait pas d'ajouter à ses attributions – déjà nombreuses – l'observation des « soupers, collations, réunions de jeux et autres réunions », se situant le soir et dans des intérieurs privés. Trop c'est trop ! Le soir ! Perdre l'une de ces voluptueuses soirées où, un verre de vin posé devant lui, un livre à la main, quelques tranches de jambon à portée, il attend l'heure du plus grand silence pour prendre la plume et travailler à ses fiches, rajouter un détail, entamer une nouvelle « mise en boîte ». Car François Jailleau ne se contente pas de faire emprisonner l'un ou l'autre – sans plaisir excessif d'ailleurs –, il les collationne, les collectionne, fait prisonniers et prisonnières de sa plume, de ses tiroirs, de ses chemises de couleurs différentes – petits volumes qui en feront un jour un gros –, filles, femmes, aventuriers du plus haut au plus bas niveau, « curiosités » humaines auxquels il est, comme à une œuvre, si attaché qu'il en oublie parfois l'usage qu'en tant qu'homme de police il pourrait en faire.

Il ne se sépare d'une anecdote pittoresque, d'un vice inédit (utile cependant pour faire pression sur tel ou tel si bien placé), qu'avec un regret d'avare, et on peut dire que les affaires sur lesquelles il se trouve, par hasard ou par adresse, bien renseigné, et qui peuvent lui apporter avancement et considération (considération parmi ceux de sa condition, s'entend !), ne lui procurent pas autant de plaisir que celles qui restent insolubles ou doivent, pour quelque raison, être étouffées. (Ah ! s'il avait été là, aux côtés de La Reynie, pendant l'Affaire des Poisons !) Dès qu'il y a divulgation, la fiche sort du tiroir; l'intrigue se banalise; cent nouvellistes s'en emparent et le petit peuple y ajoute du sien. Il a le sentiment d'être volé.

Ainsi craint-il pour une affaire ravissante qu'il vient de mettre au jour : certains abbés, moines, ecclésiastiques de toutes sortes et de province – ce détail est important –, s'en venant à Paris pour de quelconques missions, sollicitations, placets, dépôts, qu'importe, s'en promettaient mille secrètes voluptés et prenaient langue avec de belles filles ou de beaux garçons qu'ils espéraient discrets. Une bande d'aventuriers a vent de la chose, leur chef a l'ingénieuse idée de les travestir en exempts. Ils suivent les malheureux abbés, les faisant même parfois provoquer par des raccrocheuses de leur connaissance, et, les prenant au nid encore chaud, les rançonnent. Terrifiés, car ces faiblesses de la chair, selon que vous serez puissant ou misérable, peuvent mener loin ou passer inaperçues, lesdits ecclésiastiques paient, parfois fort cher, et trop contents! Pratique peu recommandable. Jailleau fait déguiser quelques exempts en faux abbés, pour prendre au piège les faux exempts. Mais il advient que ces faux abbés-vrais exempts tombent sur de vrais exempts s'adonnant à la regrettable extorsion pour leur compte. La chose était connue et donnait de la vraisemblance à l'extorsion des francs-tireurs, peut-être même leur en avait-elle suggéré l'idée. Ceci se complique encore du fait que les faux abbés tentant d'interpeller de vrais exempts – sans doute pris en faute, mais vrais exempts tout de même, et d'un bureau de police différent, rival même –, des bagarres s'ensuivaient. Le bon côté de l'histoire, c'est que l'église et la police y étant impliquées, elle resterait peut-être secrète. Dans le tiroir.

Jailleau soupire.

Il faut compter une perte de moitié sur les découvertes qu'il fait. Ah! il n'en eût pas été ainsi sous le Grand Roi! Les Poisons! Le Masque de Fer! Il y a pourtant quelque part quelqu'un qui sait le fin mot de tout cela! On ne croirait pas que d'idées libérales, bon buveur et fumeur de pipe, amateur d'estaminets, de cartes, badaud dans l'âme, et regardant du même œil absolument la favorite d'un duc, voire la duchesse, et une fille de la rue du Coq, Jailleau regrette les dernières années du règne de Louis XIV. Et pourtant si! Il regrette l'hypocrisie de Versailles, les grossesses cachées sous les jupes, les jolies tricheries si bien exécutées jusqu'à la table de jeu du Roi, la Maintenon et les apparences. Villarceaux! La chambre jaune! Madame de Maintenon eut-elle un amant, plusieurs peut-être, sous l'égide de Ninon de Lenclos? Voilà encore une chose qu'on ne saura jamais. Mais Villarceaux l'a su. Et peut-être Ninon. Si ceux-là avaient tenu des fiches!

Non que Jailleau aime l'hypocrisie en soi. Il est

lui-même d'une nature cordiale et franche, fine à la façon des paysans, mais sans perversité. C'est uniquement en fonction de la Collection, comme il l'appelle modestement, qu'il a parfois la nostalgie d'un règne de sous-entendus. Il pouvait faire des rapports en gardant le plus précieux, le plus savoureux, pour lui. Le jus du rôt, l'ortolan qui est dans la perdrix qui est dans la bécasse. Le suc, l'essence : le grand mot de Monseigneur le Régent en matière de cuisine. Il fait des sauces à l'essence de champignon, à l'essence de jambon fumé, à l'essence de truffe... Et moi, c'est l'essence de secret que je savoure, que je distille, compile, et dont un jour...

En attendant, des rapports. Des faits, des faits, me dit-on. Mais allez vous y retrouver aujourd'hui ou tout est si mêlé que la fille, par exemple (pour ne parler que des filles, puisqu'il en a la surveillance), qu'on avait la veille, sans presque la payer ou si peu que rien, huit jours après a deux chevaux à son carrosse, fait un séjour à la Bastille à cause de ses excès, mais s'y fait des relations, et en sort comme d'un baptême, sur un pied de grande dame. Je ne parle pas des malheureuses qui ne savent pas s'y prendre, et se font mettre à l'Hôpital Général. Mais j'en ai vu qui me servaient d'observatrices et ne me reconnaissent plus aujourd'hui. Et cela vient de la rue du Pont-aux-choux ! Elles ont traversé la chaussée. Je leur souhaite de rester du bon côté. C'est là où les fiches, de plus en plus intéressantes pour la Collection, le sont de moins en moins pour la police. Car celle, ou celui, qui aurait payé gros hier, ou fait un troc d'informations pour qu'on se tût sur son passé, vous répond aujourd'hui, d'un petit air : « J'ai triché au jeu ? Été fille du monde ? Et après ? », et ne s'en porte pas plus mal.

Tout est mêlé, oui. Et voilà qu'on me dit : « Surveillez les soupers ! » Pourquoi les soupers, d'abord ?

Ne peut-on tricher, voler, conspirer, forniquer à toute heure? Il est beaucoup plus difficile d'introduire des gens à soi dans les soupers où l'assistance est forcément réduite, où souvent chacun se connaît, qu'au bal de l'Opéra par exemple. Sans compter que les laquais qui nous servaient d'observateurs un peu partout sont maintenant hors de prix! Le bal de l'Opéra... Encore une nouveauté! Mais pourquoi veut-on à tout prix des nouveautés? On faisait ce qu'on voulait, sous le vieux Roi! On le faisait avec discrétion et décence, voilà tout. On dit que le Régent a voulu qu'on ouvrît ce bal de l'Opéra pour éviter les scandales des petits bals privés. C'est une réussite! Tout le monde s'y mêle. Des filles publiques qui font leurs affaires, des filles d'Opéra qui font des rencontres, des petites-bourgeoises qui se font passer pour de grandes dames, et des grandes dames qui se font passer pour des filles, un piment qu'elles ont découvert.

Enfin! Cette détestable confusion a cela de bon que l'on peut introduire un peu partout des yeux et des oreilles. Une fille chez le Régent, un garçon chez Monseigneur de Carrèze, un musicien ou un soi-disant versificateur chez le Président de Mesmes, et, à Sceaux, chez la duchesse du Maine, n'importe qui partisan de l'Espagne et ennemi du pouvoir pourvu qu'il ait des manières décentes. Il suffit de crier avec elle et de lui proposer quelque détestable chanson. Pour en fournir un agent zélé mais peu doué pour les lettres, Jailleau a lui-même composé de ces chansons, dont il a pourvu son homme, lui riant sous cape. Encore un bon côté à la confusion; il y en a toujours. Et même dans la nouveauté : le tabac!

Il s'agit maintenant de trouver quelqu'un, ou quelqu'une, qui puisse courir les soupers et le remplacer. Une fille, un petit abbé en mal d'argent, une grande dame qui a la passion du jeu... Cela se trouve, seulement les prix montent. Finalement, les plus coûteux, les moins corruptibles, les plus difficiles à infiltrer, sont probablement les laquais. Les gros bénéfices qu'ils font sur tout le train de vie de « leur » duc ou de « leur » président leur donnent une certaine indépendance, et ils s'identifient avec un insolent orgueil à la noblesse d'épée ou de robe qu'ils servent. Ils sont duc ou président eux-mêmes. Il n'y aurait, que l'on puisse acheter pour le renseignement, que le domestique le plus bas : garçon d'écurie, jardinier, cocher... Y penser. Qui sait s'il ne s'en trouve pas, au Café Mignot? Ces cabarets hors les murs sont mal fréquentés. C'est pourquoi l'homme de police s'y installe régulièrement, observe, écoute, mange. Car on y mange bien, au Café Mignot, malgré la vaisselle grossière. De même il se trouve parfois, parmi les mauvais garçons, un fin joueur d'échecs. Finalement, l'époque a son charme...

Il plut quelques jours, courant juillet. Si cela durait, il se pourrait que le Souper Anatomique n'eût pas lieu, ou qu'il se déroulât moins joyeusement que les participants ne l'espéraient. La vertu protégée par la crainte du catarrhe! Fallait-il le souhaiter? Je terminai la copie des *Larmes*. Michel, l'aide de Monsieur Sanson et le « laquais » de Madame, vint chercher ce qu'il nommait « la caisse ». Le Chevalier, bien sûr, ne s'aperçut de rien. Wilhelm vit partir « la caisse » sans commentaires. Sanson désirait que son achat restât secret. Sanson gémissait parce que sa femme était enceinte, et ne paraissait presque plus. Tant mieux! J'étais maussade, il m'eût agacée. Par trop sensible, ce bourreau! S'il avait pu voir mon maître dans ses bons jours, taillant, coupant, séparant un bras de son torse, prélevant la peau d'une cuisse, en chantonnant : « *Maître du mon-onde... Je veux ma sultane à... mes pieds!* », il en aurait pris de la graine.

Il vint cependant, quelques jours avant la fin du mois. Il faisait gris. Été pourri. Il avait, dès que le temps fraîchissait, une manière de draper son manteau qui cachait l'échelle brodée sur sa manche. Mais quoi? On connaissait sa physionomie. Je ne le fis pas entrer dans le laboratoire, bien qu'il n'y eût personne. Il s'assit lourdement sur le banc du jardin, encore humide, sans s'excuser ni m'en demander la permission. J'en fus surprise à cause des façons civiles qu'il affectait toujours.

– Je suis venu vous remercier pour le buste. Il est vraiment admirable. Dès la fin août vous serez actionnaire de la Compagnie. Mais si vous préfériez de l'or...

– Non. Il me plaît de risquer quelque chose.

– C'est donc entendu. N'ayez pas peur, je vous garderai le secret.

– De quoi voulez-vous que j'aie peur? (J'étais piquée – me sentant tout de même un peu coupable.) C'est mon œuvre, j'en garde le profit. Et moi aussi, je vous garderai le secret.

– Oui, n'est-ce pas? Et vous n'exécuterez pas d'autres copies?

– Je briserai les moules. En voudrez-vous voir les morceaux?

Je restais debout pour lui signifier que la conversation devait être courte. Je n'étais pas dans mon humeur de bienfaisance.

– Oh! j'ai confiance en vous, Catherine! Mais c'est que je tiens tant à ce buste... Déjà, l'idée qu'il y en a deux...

Le propos aurait dû me flatter. Il me fut désagréable. L'un de mes bustes servant de prétexte à une orgie, et l'autre dans les mains du bourreau!

– Alors, vous ne le trouvez plus « impur » ? dis-je avec ironie.

– Je ne sais pas. Vraiment, c'est une question que je pose. Et vous ? Qu'en pensez-vous aujourd'hui ?

Certes, j'avais pensé à l'objection de mon maître, même s'il l'avait déjà lui-même oubliée, qui s'appliquait aussi aux dessins anatomiques de notre époque, qu'ils n'étaient pas purement scientifiques ; que ces décors de rocailles, ces guirlandes, ces allusions à l'antique dont, sous l'influence de Vésale, nos modernes : un Errard, un Huyberts, agrémentaient leurs illustrations, mêlaient deux choses qui n'avaient rien à voir. Ne contestais-je pas cette assertion par la conception des *Larmes* ? Ne m'étais-je pas demandé si vraiment une larme pouvait n'être considérée *que* comme le résultat d'une chimie des humeurs ? N'étais-je pas allée jusqu'à m'interroger, non seulement à propos des *Larmes* – qui n'étaient jamais qu'un sujet –, mais à propos de bien d'autres phénomènes physiques, si l'émotion qui les provoquait pouvait être isolée de certaines prédispositions du corps qui les éprouvait ? Si la proposition pouvait être renversée ? Ou si le tout était absurde ? Mais je me tus. Ouvrir une controverse avec Sanson, en ce moment où j'étais exténuée, où je voulais oublier *Les Larmes* pour ne penser qu'à la réussite de nos travaux (pour bizarres qu'ils fussent), c'était trop.

– Peut-être est-ce le fait même de vivre, qui est impur, disait-il pensivement, nullement rebuté par mon silence. Peut-être cette impureté est-elle nécessaire ? Peut-être...

Il pensait comme on bêche la terre. Lourdement, péniblement, pelletée par pelletée. Qu'il était différent, cet homme de glaise et de marécages, de mon maître, tout feu tout flammes, qui eût dit cent sottises et eût cent idées le temps que Sanson en trouvât une. Certains jours ce douloureux labour me touchait. Pas aujourd'hui.

– On me dit, poursuivait-il, tenace (mais la courtoisie l'obligea tout de même à se relever, me voyant si résolue à ne pas m'asseoir à ses côtés), que vous avez une amie qui travaille au Jardin du Roi ?

– Je vois qu'on bavarde beaucoup faubourg Poissonnière...

– Je ne vous dis pas cela par curiosité, Catherine. Du moins... C'est que quelqu'un m'a dit qu'il s'y remuait beaucoup d'idées nouvelles, de projets de toutes sortes...

– Eh bien ?

– ... et que, récemment, on y aurait évoqué la possibilité, un jour...

J'étais à bout de patience.

– Charles (quelle sottise avais-je faite le jour où je l'avais autorisé à m'appeler par mon nom de baptême !), Charles, parlez net. J'ai beaucoup de travail qui m'attend.

Mais les mots lui venaient avec une peine infinie.

– Qu'on aurait dit, ce n'est peut-être qu'une rumeur, qu'il existerait un projet... déjà esquissé... (et enfin il se libéra et dit d'un trait)... pour abolir la peine de mort ?

– C'est possible, dis-je avec une irritation que je n'arrivais plus à contenir. Mon amie et moi avons parlé de tout autre chose. Pourquoi voulez-vous...

Et je m'arrêtai net. Je venais de penser à l'enfant. L'enfant que Sanson attendait, l'enfant dont Sanson espérait qu'il n'aurait pas à donner la mort. Je me pris à rougir, les larmes me montèrent aux yeux. Je me maudis d'une étourderie aussi cruelle.

– Ne pleurez pas, voyons. Je comprends très bien... dit-il gauchement. Je n'aurais pas dû vous en parler, peut-être...

Il reniflait, il se mouchait, il s'essuyait les yeux, il

s'excusait du mal que je lui avais fait. Et je sentais fortement la bonté qui était en cet homme, une bonté qui, elle aussi, faisait peur, comme son chagrin, son remords, sa force. Tout cela était trop puissant, trop physique. Il vivait tout avec trop de violence et de sérieux. Sa vie était comme un pain qu'il était contraint de manger bouchée par bouchée, en mâchant bien son amertume. Ne parle-t-on pas de « pain d'angoisse » ?

– Je me renseignerai, dis-je très vite. Si j'apprends quelque chose je vous le ferai savoir sans tarder.

– Vous êtes bonne. Du reste je le savais. Vous, qui avez déjà tant souffert...

Ma compassion s'évanouit.

– Pourquoi voulez-vous absolument que j'aie souffert ? Il n'est pas besoin d'avoir souffert pour comprendre... Charles, il faut que je retourne là-bas, mes couleurs sèchent, ma cire durcit, je n'ai pas le temps...

Je mourais de pitié, de dégoût, d'envie d'être ailleurs. Il ne me retint pas. Non, je n'étais pas bonne, du moins pas ce jour-là. Mais pourquoi me voulait-il à tout prix malheureuse ?

Je courus vers le salon de façade où se trouvait à présent notre matériel. Je courus, j'entrai, je fermai la porte derrière moi. Et travailler mes esquisses du système vasculaire me paraissait, à cet instant, l'occupation la plus agréable du monde.

Les invités au Souper Anatomique devaient défiler toute la journée et, dès le point du jour, nous avions transporté tout le matériel nécessaire à l'œuvre singulière qui nous était demandée dans les deux salons qui précédaient le cabinet de curiosités. Nous traiterions nos patients, les dames dans le salon tendu de grège, les hommes dans le salon bleu. Châteauneuf, réquisitionné pour l'occasion, se tiendrait au premier, dans une pièce non aménagée, mais qui servirait, en cas de presse, pour les moins exigeants.

Par une pudeur bien étonnante, mon maître m'avait suggéré de remettre le costume d'apprenti que je portais encore quelques mois auparavant. Mais cela s'avéra impossible. La gorge m'était venue, ma taille s'était faite. Soudain je n'étais plus un petit garçon un peu potelé, mais une fille tout à fait présentable.

– Même la petite Catherine était une femme... soupira mon maître de façon comique.

Et il m'obligea à m'envelopper d'une grande blouse grise qui, pensait-il, devait inspirer le respect, ou, du moins, l'éloignement. A la pointe du jour nous étions prêts. Pinceaux, couleurs (éprouvées sur nous-mêmes pour nous assurer qu'elles ne contenaient nul venin ni élément urticant) et schémas. Il s'agissait de réussir, et que l'exécution fût à la fois exacte, seyante si possible (!) et surtout restât fraîche pendant la plus grande partie du souper, dont nous nous imaginions bien qu'il serait animé. Depuis qu'on en parlait, je me doutais bien qu'il s'agissait d'une débauche. Mais je m'imaginais avec quelque naïveté que ces choses-là ne se passaient qu'entre personnes jeunes et avenantes. Voilà qu'arrive dans un carrosse sans armes, fort discret, et comme huit heures sonnait à Saint-Laurent, un homme petit, presque contrefait, au visage chafouin, non sans finesse d'ailleurs, et vieux! Vieux! Il me parut avoir cent ans, bien qu'au cours de la conversation qui suivit il se vantât beaucoup d'avoir à peine atteint la cinquantaine, et ensuite me demanda s'il les paraissait. Je lui dis que non. Sans mentir! Il arrive donc, entre dans la cour, se dirige vers l'entrée des salons où nous attendions respectueusement. Mon maître se précipite.

– Votre Excellen...

– Non, non! Pas de façons! Tout est à la simplicité, aujourd'hui! Y compris la vêture... (Il avait un rire aigrelet, une petite voix pointue qui faisait rire et qui, pourtant, faisait peur.) Entrons, entrons sans cérémonie.

Mon maître l'introduit dans le salon bleu et va pour le suivre.

– Que faites-vous là? Non, mon cher, nous n'avons pas de ces mœurs!... Les hommes seront peints par cette demoiselle, et les dames par vous Vous n'êtes pas le plus à plaindre! Voyez qui arrive dans la cour, si ce n'est pas Mademoiselle Denisot C'est un friand morceau que vous allez caresser de vos *soies*! Et vous, petite, préparez-vous. Je n'ai pas de temps à perdre. La fête est au souper, mais, d'ici là, j'ai cent affaires à régler. C'est pourquoi je suis venu de si bonne heure. J'espère que vos couleurs sont de bonne qualité car si, ce soir, en ôtant mon habit, je n'ai pas le succès du siècle, je reviens vous rosser demain!

Mais c'est qu'il l'aurait fait! Je n'ai pas l'habitude que l'on me parle ainsi. Même mon maître, encore que brusque, ne m'a jamais menacée. Mais ce vilain petit homme avait tant d'autorité que je le suivis sans rien dire dans le salon bleu, sous le regard désolé de mon maître qui faisait descendre d'un fiacre la Demoiselle Denisot, fort riante.

Il se déshabilla sans ambages, fort vite, et comme un homme qui n'a pas toujours eu de valet de chambre. Nous avions préparé, pour ménager la pudeur de certains (c'était une supposition), plusieurs robes de chambre dont on pouvait partiellement se couvrir. Il les dédaigna, se campa bien au milieu de la pièce, une épaule un peu plus haute que l'autre, maigre à faire peur ou pitié, et, avec cela, une peau triste qui pendait par endroits, et qui n'allait pas rendre le travail facile.

– Allons ! Ne traînons pas.
– Qu'est-ce que je vous fais, Monsieur ! J'ai plusieurs dessins, voulez-vous les voir ?
– Qu'est-ce qu'elle me fait ! Quel amour d'enfant ! Ah, si nous avions seulement une petite heure, je sais bien ce que je vous répondrais, gentil minois ! Mais je ne l'ai pas. Alors peignez-moi ce qui a été convenu, imbécile ! Je vais prendre froid !

Il finissait par me faire peur. Ricanant, complimentant, sautillant là, affreusement nu, menaçant, criant de sa petite voix méchante, il me semblait voir le diable, auquel je n'avais jamais cru.
– Monsieur, c'est que la liste, par discrétion, ne comporte que des initiales, alors...
– Je suis l'appareil digestif, dit-il pompeusement.

Et je préparai mes couleurs. Ce fut un enfer de difficultés à cause, justement, de cette peau distendue sur laquelle les couleurs s'étalaient ou disparaissaient dans des plis. Je réussis un pancréas très joli, mais le duodénum me donna un mal fou. A chaque petit fragment de peinture, il me fallait maintenir la peau tendue entre le pouce et l'index, jusqu'à ce que la couleur séchât. Et lui, pendant ce temps-là, se tortillait, riait, me tirant même les cheveux ou risquant une caresse sur mon cou pendant que je m'escrimais sur son ventre velu et ridé, ou rinçais mes pinceaux. Je n'avais jamais pensé jusqu'à ce jour-là que le travail que nous accomplissions, Martinelli et moi, avait quelque chose de répugnant. Ce jour-là, en peignant les circonvolutions d'un intestin sur la peau qui les contenait, en voyant le souffle soulever cet abdomen, ces poils frémir, ce sexe reposer, en respirant l'odeur vinaigrée et propre de cet homme nu, j'eus peine à retenir un haut-le-cœur. Et j'avais moulé des cadavres pendant trois ans !

Mon patient finit par se déclarer satisfait. Il déambula quelques instants, nu, devant le miroir, contemplant son estomac, son foie, son pancréas nouveaux avec amusement, et se rhabilla aussi vite qu'il s'était mis à nu.

– Si je remporte le prix, je vous enverrai une jolie bourse, ma petite! Entendez-le comme vous le voudrez...

Je le vis repartir, ricanant, menaçant, appelant son laquais, avec un véritable soulagement. La journée fut rude, mais j'eus à faire à des gentilshommes (du moins je le supposai) plus courtois et plus jeunes, à une ou deux dames que mon maître n'eut pas le temps de finir, et, en dehors de quelques fantaisies du dernier moment (la jeune femme qui avait opté pour « l'appareil génital » exigeant tout à coup qu'on y plaçât un fœtus « joli comme les amours »), quelques-uns de ces messieurs me firent même la grâce de paraître embarrassés. Quand j'avais un obèse, ou dans le cas d'une « manifestation naturelle », je les envoyais à Châteauneuf, en haut de l'escalier.

Vers six heures après dîner, nous en avions terminé, harassés. Le rouquin, qui s'était chargé de mon maître, vite rhabillé, prit son salaire, but un coup dans la cuisine et se prépara à partir.

– Je voudrais bien voir ce que ça va donner! dit-il d'un petit air fanfaron.

Puis, pris soudain d'un accès de sincérité, il ajouta :

– N'empêche que je n'ai jamais été aussi dégoûté en travaillant sur des cadavres...

C'était exactement ma pensée.

Je suivis mon maître pendant qu'il se préparait; il ne se gênait pas avec moi.

– Est-ce que vous l'avez aussi ressenti, mon maître?

– Le dégoût? Je crois bien que oui.

– Je me demande pourquoi. Je me suis sentie... toute gauche, et le Châteauneuf aussi, qui n'est pas un modèle de délicatesse...

– C'est peut-être l'idée de la débauche qui va suivre, de cette association bizarre de la vision des viscères – qui ne se soutient que vue scientifiquement – avec l'idée du plaisir qui s'associe à la beauté, à la grâce, aux agréments...

– Parce que le viscère est corruptible? Alors que l'os...

– Oui, dit-il en enfilant sa manche gauche à son bras droit (désordre que je l'aidai aussitôt à réparer). Le squelette est plutôt sympathique, n'est-ce pas? A Venise, j'en avais un que j'appelais Godefroy.

– Mais n'est-ce pas, justement, parce qu'il nous rappelle que nous sommes corruptibles que le viscère peut donner à la débauche une sorte de fureur...

Il venait de mettre sa perruque, bien en place pour une fois. Il était prêt, presque beau, ma foi, dans sa veste couleur hanneton. Il s'assit sur le bord du lit.

– Je suppose que c'est l'idée, dit-il pensivement. L'idée du Souper Anatomique. Quand tous les piments ont perdu leur pouvoir, il n'y a plus que la mort, pour se sentir vivant... Demande à notre ami Charles. Derrière les fenêtres louées pour les exécutions, il y a des amants qui forniquent.

Et qui font des enfants? Peut-être... L'impureté... Je pensais au chagrin du bourreau, au fœtus qu'avait voulu faire peindre sur son ventre plat la belle Florence. Je me sentis seule. Mon maître se leva.

– Catherine, Catherine, ne réfléchis pas trop! Tu commences à avoir des idées et de la gorge, il ne te manque plus que d'être amoureuse pour être une femme tout à fait.

– Heureusement! A mon âge! Est-ce que je ne vous plais pas ainsi?

Il me regarda gentiment. Il paraissait avoir de la peine à partir, à participer à cette orgie qui pouvait lui apporter la fortune et la renommée.

– Je t'aimais mieux avant, dit-il avec un peu de mélancolie.

Il était déjà dans l'escalier, couvert d'une cape claire, quand une curiosité me vint.

– Maître! Maître!

– Ne m'appelle plus comme cela!... Quoi?

– En quoi êtes-vous? Je n'ai même pas vu! Est-ce que le rouquin vous a bien réussi? En quoi êtes-vous?

– En appareil respiratoire, répondit-il avec dignité.

Et je retrouvai momentanément ma bonne humeur.

Selon l'importance de son propriétaire, le petit hôtel où l'on jouit d'une discrétion impossible à trouver chez soi s'appelle petite maison ou folie. Des magistrats, des ambassadeurs, des ministres en possèdent. Y voyant un moyen d'information, de pression peut-être, la police s'efforce d'en établir la liste. Il y a des « folies » qui abritent de sincères amours, d'autres qui sont de pur apparat et ne se cachent que pour être découvertes et admirées. On signale quelques cas de « petites maisons » consacrées à la solitude et au repos, tout en étant à petite distance des « Affaires » ou de la Cour. Mais la plupart des petites maisons ou folies répondent au besoin de séparer, justement, la raison de la folie, les secrets de l'ombre des parades diurnes, et, tout simplement, la chair de l'esprit – en admettant que se cachent, sous ces appellations pompeuses, une Mademoiselle de Lor, fille publique rachetée et installée dans ses meubles par un amateur (côté chair), et la dignité éminente de Maître des Requêtes, pourpre et hermine (côté esprit). Estimable ambition, vite frustrée. Les plaisirs des sens se passent aussi difficilement des vices de l'esprit que les ragoûts d'épices. La faim est apaisée, mais la gourmandise se lasse. La satiété est un état que l'homme redoute. C'est une des clés du Souper Anatomique organisé, dans la petite maison ou folie d'un de ses amis, par l'Amateur.

Une quinzaine de personnes arrivèrent en domino. Introduits dans un petit salon chinois, les invités étaient excités, nerveux, avec le sentiment de participer à un délectable sacrilège. Si d'aucuns le trouvaient mauvais, ils se garderaient bien de le laisser paraître. Au centre du salon, une très grande coupe en cristal servait de rafraîchissoir aux carafes de champagne entourées d'une neige qui fondait déjà. Un grand poêle de Dresde entretenait une chaleur presque excessive car l'air au-dehors était tiède, un peu humide seulement de l'ondée d'été tombée une heure avant. Mais on devinait cette chaleur entretenue à dessein, qui donnerait du naturel à l'abandon des dominos et inciterait à boire.

Il y eut de petits rires de femmes, des plaisanteries un peu embarrassées, et un petit homme mince et vif, au nez pointu, avec de jolis yeux bleus d'enfant, jeta son domino sur une table basse, sous un masque, homme ou dragon, qui riait. Il était bras et jambes couverts du réseau veineux qui, bleuté, était d'un assez heureux effet sur ce corps jeune encore, à la chair ferme et tendue. « Celui-là tiendra jusqu'au matin », pensa Martinelli. C'était l'un de ses soucis. Si la peinture s'écaillait avant le moment où plus personne ne pourrait s'en rendre compte, l'effet serait manqué. Il voulait ne penser qu'à ces détails pratiques. Il voulait oublier Wilhelm, dehors, avec son carrosse sans armoiries, à l'autre bout du jardin, derrière le kiosque persan. Il était singulièrement troublé, et non par la façon dont la belle Florence s'écriait : « Nocé ! je ne vous croyais pas si avantagé ! », non, bien qu'elle rejetât, ce disant, son propre domino et apparût dans toute sa vénusté, sous une sorte de manteau de lit de fine toile de Gaza qui ne cachait qu'à peine les « organes génitaux », elle avait hardiment choisi ce thème. Non, il était troublé tout autrement. Les coupes commençant à circuler, les dominos à choir – les uns découvrant, dénudant les corps partiellement écorchés, les autres recouvrant encore une courte tunique, une chemise sans manche et transparente, qui semblait le symbole de la plus ténue des pudeurs –, il était troublé de voir se dresser autour de lui ces corps qu'il voyait si souvent, sans la moindre inquiétude, pâles, inertes, sous son scalpel, ces corps de chair, d'humeurs et de viscères, promis aux vers et à la décomposition, ces corps soudain ressuscités. Un moment son esprit s'égara vers sa pieuse enfance, vers sa mère lui parlant, avec quelle naïve conviction, des « corps glorieux ». Il l'imagina dans sa tombe, sa pauvre résignée bovine de mère qui l'aimait, et qui n'était plus que cela, moins que cela. Qui n'était plus rien, qu'un magma spongieux dans la terre. Et il recula ; il lui sembla soudain qu'il avait mal agi et que, dans cette soirée, quelque chose lui porterait malheur.

Mais Florence disait :

– Seriez-vous timide, Martinelli ?

Et deux laquais, plus nus de ne porter aucune décoration sur leurs corps élancés, sveltes, blancs, et dont le sexe était gainé de satin noir, ouvrirent les portes du salon chinois sur une autre pièce, plus petite encore, tendue de noir avec des agréments d'or, entourée de divans bas, noirs aussi, qui semblaient se fondre avec la muraille, éclairée de chandeliers dorés et au centre de laquelle, comme un rappel du salon précédent, une fontaine de champagne jaillissait doucement au centre d'un bassin d'argent où le vin retombait en écume pour rejaillir, rafraîchi, par la tige centrale terminée en fleur de lys. Cet appareil ingénieux et neuf n'était à vrai dire qu'un décor, car le vin y perdait très vite son mordant, et les deux laquais faisaient circuler des carafes. Mais on pouvait tenter d'y remplir une coupe. Une jolie brune s'y éclaboussa de la tête aux pieds, se débarrassa d'un léger vêtement qui lui restait, et ce fut le vrai début de la fête. Les laquais ramassaient chemises et tuniques et les portaient dans le salon chinois, qui demeurait ouvert. Les femmes avaient gardé leurs bijoux; certains hommes, par plaisanterie ou par provocation, portaient le cordon des ordres les plus divers. Martinelli en fut soulagé. On ne remarquerait ni la médaille qu'il portait au cou, d'argent terni, porte-chance infaillible, ni la bague de jade vert qui ornait sa main gauche et contenait la poudre somnifère.

Il n'était pas du reste assuré d'avoir à s'en servir. Si l'Amateur avait la bonne grâce de rouler sous la table au moment où il le fallait, c'est-à-dire dans le kiosque où Antoinette avait pour mission de l'entraîner... S'il y était pris d'une de ces crises comme il lui arrivait d'en avoir et où il perdait ses sens pendant quelques minutes ou quelques heures... Il suffirait de quelques minutes, d'ailleurs. Un bon bâillon... Wilhelm avait trois hommes avec lui... Plus simple encore : qu'Antoinette eût un moment de complaisance. Il est facile de saisir un homme au lit qui ne se méfie pas. Oui, c'était simple, et lui épargnerait la peine d'user de cette poudre, difficile à glisser subrepticement dans un verre, compromettante si on la saisissait sans qu'il en eût usé... Mais Antoinette n'était pas simple. Que le caprice de l'Amateur fût allé se fixer sur cette fille dépassait Martinelli. On disait qu'il aimait les femmes minces, la Parabère, la

Sabran. Mais Antoinette! Lui, Martinelli, n'en aurait pas donné trois sous : elle lui faisait froid dans le dos.

Puis, tout à coup, elle fut là, avec deux ou trois convives de la dernière heure, traversa le salon chinois avec aisance. Les autres faisaient quelques façons pour retirer leur domino, riant trop haut, se défiant l'un l'autre. Elle, arrivant dans le salon noir, fit voler ses petits souliers et laissa tomber son domino sur le seuil, comme une reine. Droite, avec ce port raide et gracieux qui venait de sa maigreur sensible sous le maillot étroit, à peine visible. Alors que les autres invités avaient choisi de représenter l'une ou l'autre partie de l'anatomie humaine, elle était de la tête aux pieds couverte du réseau que forment la musculature, les artères et les veines, le rouge et le bleu. Et l'effet en était d'une cage souple épousant ce corps élancé, d'une cage de rubans qui faisaient de chacun de ses mouvements comme les figures d'un ballet, funèbre et gai.

Car elle était gaie, apparemment. Et tout de suite but plusieurs coupes de champagne, dit qu'elle avait faim, plaisanta.

– Toute la journée je n'ai fait que frissonner en pensant à ce que j'avais sous ma robe! chuchotait la jolie brune que l'on appelait étrangement « le Corbeau ».

– Mais pensez à ce que vous portez constamment sous la peau!

– Taisez-vous! L'horreur!

Déjà ils étaient rouges, étendaient une main pour effleurer tel ou tel fragment de peinture, ce rein, cette glande, et retiraient la main en criant comme s'ils s'étaient brûlés, mais à peine, car ils tendaient à nouveau les doigts, les retiraient, riaient, buvaient.

– C'est un travail absolument merveilleux, l'ami! Est-ce que cela tiendra... en toutes circonstances?

– Il faudra l'essayer, Monsieur. Je n'en ai pas fait l'expérience.

– Et allez-vous nous disséquer ensuite?

Un gros homme à l'œil noir, méchant, s'étendait sur l'un des divans noirs.

– Imaginez que je suis mort, comtesse, et essayez de me ranimer... suggéra-t-il.

– Oh, oui! Oh, oui! criait Florence.

Martinelli trouvait que les choses allaient vite. Et l'Amateur n'était pas arrivé!

Mais les laquais s'avançaient à nouveau, comme de grands lévriers blancs, et ouvraient les portes du troisième salon de l'enfilade. On y apercevait, tout au fond (la pièce était plus grande), une table placée en largeur, étincelante d'un service en vermeil (« La seule façon a coûté quarante mille livres... », murmurait Florence, immobile sur le seuil). Des mets variés garnissaient des plats en porcelaine, deux candélabres en cristal, garnis de bougies blanches, paraissaient de neige, de glace et de soleil. Derrière la table, sur la haute cheminée jaspée, trônait le buste d'Antoinette.

L'espace, devant la table, paraissait vide.

Personne n'entra d'emblée. Les deux laquais, d'ailleurs, semblaient attendre un signal.

– On va défiler! On va défiler! disait une jolie blonde potelée qui avait tenu à ce que fussent soulignés ses muscles dorsaux et fessiers, ce qui n'était pas sans attraits. « C'est une réussite! » disait-elle sans excès de modestie, en se tordant le cou pour apercevoir cet heureux résultat.

– Il y aura des prix faramineux!

– Oui, disait le gros homme au cordon avec aigreur, mais Monsieur est du métier, il sera avantagé!

– Vous voulez dire : pour le concours? Je croyais que c'était un concours de beauté!

– Là, évidemment... fit Antoinette, avec son rire léger.

Martinelli la regarda avec inquiétude. « Mon Dieu! pourquoi celle-là? Pourquoi est-il allé choisir cette fille? Elle va tout faire manquer, j'en suis sûr! J'en suis sûr... Et peut-être même par plaisir! »

– Il est vexé, fit la blonde que l'on appelait Ninon, ou Marquise.

Florence expliquait quelque chose :

– Eh bien, Adhémar a tout su ce jour-là, alors il n'a pas...

– Taisez-vous!

Le laquais blanc, au sexe gainé de noir, fit signe que l'on pouvait pénétrer dans le troisième salon. On s'y bouscula aussitôt. Et l'on s'arrêta. Il y eut un silence inattendu. On se retrouvait dans une pièce plus vaste, en largeur, que l'embrasure des portières ne l'avait laissé deviner. Les murs y étaient entièrement recouverts de ces tapisseries que l'on appelle des « verdures », parce qu'il n'y paraît que des feuillages. L'absence de tout meuble – en dehors des jardinières basses qui faisaient le tour de la pièce et formaient comme une lisière à ces verdures, emplies de fleurs et d'herbes odorantes, un arbuste çà et là brillant sombrement dans une poterie – accentuait l'effet d'une forêt de féerie où ces corps nus, peints de bleu, de safran, d'écarlate, transparents de leur propre fragilité, paraissaient soudain réintégrés dans une nature où l'or et le cristal eux-mêmes changeaient de signification, retrouvaient leurs origines minérales, se dépouillaient de leur valeur singulière pour en acquérir une autre, accordée à ce microcosme de nature. La machine humaine participa, un instant, de cette métamorphose. Effarouchés, comme dans un bois, les corps et leurs organes, telles de visibles ramures, semblèrent se perdre dans leur vrai décor, tinrent leur rang de merveille. Et dans ce très bref silence d'enchantement, on entendit cette jeune femme qui « n'avait fait que frissonner » toute la journée, passant sa main veinée de bleu sur les épaules du chirurgien, murmurer :

– Au fond, c'est beau, l'appareil respiratoire...

Sur la cheminée, le profil intact d'Antoinette pleurait.

Un rire aigre et vif brisa tout.

– Le prix ! C'est moi qui mérite le prix ! cria l'alerte petit vieillard, surgissant par le fond de la pièce comme un démon un peu raté.

Et ce fut un délire de rires et de cris.

– On dirait un cep de vigne !

– Il est si tordu qu'il a le pancréas dans le dos !

– Le plus beau grotesque de la Comédie Italienne !

– Un mascaron de fontaine !

Derrière le vieux satyre, l'Amateur était entré, en toge, retenue sur l'épaule par une simple opale, et les laquais s'empressaient de lui apporter un guéridon chargé de réchauds et de casseroles, sur lequel il allait lui-même préparer les sauces.

Antoinette regardait son effigie. « Comme il me ressemble ! » se dit-elle. Mais c'est au profil anatomique qu'elle pensait. Elle rit un peu follement. Les laquais finissaient de tuer l'émotion en entassant un peu partout des carreaux : gros coussins rembourrés qui tiendraient lieu de sièges, et peut-être de couches. L'Amateur tendit les deux mains au modèle de son buste.

– Elle est cent fois plus belle ! Quelle grâce ! Une antilope !

Qui va contredire l'Amateur ? On s'exclame. On applaudit.

– Elle est encore plus belle que l'abbé n'est grotesque, dit généreusement « le petit Corbeau », et ce n'est pas peu dire !

– Qui aura le prix ?

– Lui : c'est Polichinelle écorché !

– Elle! C'est l'Antilope royale!

– Si bien nommée! dit Adhémar en pouffant de rire.

– L'Antilope, dit la belle Florence d'un petit ton pédant, est un animal mythique. Il n'existe pas.

On s'attend à quelque réponse piquante de la favorite d'un soir, mais Antoinette répond avec beaucoup de grâce :

– Comme vous avez raison!

Et, de nouveau, une ombre de mélancolie, le temps d'un battement de paupières, adoucit la bruyante réception.

– Les prix, dit l'Amateur en souriant, seront inattendus. Une variante des loteries de notre bon oncle! Et méfiez-vous, Mesdames! car vous pourriez vous-mêmes constituer une récompense enviée!... Mais ce sera l'après-souper. Je crois que pour débuter, nous serons tous d'accord pour attribuer un prix exceptionnel à notre ami italien. Dubois, passez-moi le plateau. Je crois, Chevalier, que vous avez une jeune collaboratrice, vous aurez plaisir à lui offrir un bijou. Rien ne vous oblige à le lui donner de notre part! Si vous la tenez à l'écart, ce n'est pas sans raison, je suppose...

Tout cela est dit avec une ironie bienveillante, avec dignité, on pourrait presque dire avec noblesse, ce qui est une gageure, pour un homme demi-nu, à peine vêtu d'une toge négligemment drapée qui ne cache qu'à peine une nudité bedonnante et courtaude.

– Prenez pour vous cette coupe, en mémoire d'un travail éphémère, mais qui sera suivi d'autres réalisations plus durables.

L'ombre d'un regret passe dans la pensée de Martinelli, qui prend la coupe en vermeil, remercie. Le second laquais s'avance portant un plateau sur lequel brillent des pendants d'oreilles, des bagues, de fins bracelets. Comme on l'y invite du geste, le Chevalier choisit une bague ornée d'un saphir petit, assez clair, mais sans défauts. Aura-t-il l'occasion de l'offrir à Catherine?

– Et vous, ma chère Antoinette? Chacune de ces dames aura son bijou... bien qu'elles aient pris la précaution d'en porter – par pudeur, sans doute! Et chacun aura son prix, car la beauté est protéiforme! Mais qu'on me permette de dire que, pour moi, aujourd'hui, elle vous a choisie et s'est posée sur votre visage...

– Celui-ci, ou celui-là? demande Antoinette de sa voix un peu rauque, sa voix de cygne.

Et tous les regards se tournent vers le buste, et le Chevalier oublie ses doutes pour se dire avec colère : « Ça y est! Je l'aurais parié! Elle va tout faire manquer! », avant qu'Antoinette n'éclate de rire, de ce rire un peu fou qu'on attribue aussitôt à une ivresse naissante, ce qui est du meilleur effet.

– Choisissez, choisissez... insiste l'Amateur. L'améthyste irait à merveille à vos yeux, d'un gris violet... Mais un prix de beauté est toujours un diamant. Alors, prenez ce bracelet où les deux pierres alternent... Éclat et mélancolie. Vous pourriez en faire une devise...

– On ne l'a jamais vu si galant, chuchote Ninon à Florence. D'ordinaire, on s'exécute avant le souper, ou après?

– Oh! il attendra. Par bonté, dit Adhémar qui veut toujours avoir l'air de savoir. Il paraît que c'est une veuve.

Mais déjà Antoinette répond.

– Je ne porte jamais d'autre bijou que celui-ci.

Elle étend sa main un peu grande, mais fine.

– C'est un rubis de peu de valeur, mais qui me vient de ma mère. On dirait une goutte de sang, n'est-ce pas, Monsieur? J'ai trouvé qu'il était de circonstance...

L'Amateur regarde la jeune femme comme s'il lisait sur ce visage autre chose que la beauté. Il la fait asseoir sur un carreau. Il va préparer une sauce. En attendant, on se servira des tranches du jambon de La Mecque et d'un pâté de truite saumonée, qu'on vient d'apporter pour faire prendre patience aux plus gros appétits.

– On ne risque pas, du moins, de tacher son habit! dit Nanteuil.

Le Chevalier boit dans la coupe de vermeil qu'il vient de recevoir, et passe à son petit doigt la bague qu'il a choisie pour Catherine. Est-ce le champagne? Il est rêveur, et conçoit pour la première fois, à travers les yeux de l'Amateur, qu'on puisse attacher du prix aux faveurs d'Antoinette.

– Ce sont des truffes dans une sauce légèrement aphrodisiaque, mais à peine! J'ai pensé que, pour un souper, en somme scientifique, nous pouvions en faire l'essai.

– Pourquoi pas? dit le petit vieux, sans vergogne. Que ceux qui en ont besoin nous l'avouent! Pour moi, je ne l'ai jamais senti jusqu'ici...

Et il se rengorge bouffonnement, se dandinant et faisant valoir ses avantages. Ayant déniché quelque part une grosse loupe, l'un des soupeurs prétend identifier le fœtus « beau comme les amours » que Florence porte peint sur son ventre plat. « Il est de Dubois! » crie-t-il, et l'on rit à pleine gorge, sans finesse mais avec un plaisir bonhomme à n'en pas avoir.

– Vous dédaignez mes truffes, Chevalier?

– Il se réserve pour sa mignonne, dit l'abbé en jouissant de l'embarras qu'il cause. Je l'ai vue, elle m'a même caressé... Oh! de ses pinceaux! Mais je ne lui aurais pas dit non, si j'en avais eu le loisir! Le nez un peu camus, mais des yeux!

– Ah oui? dit l'Amateur, intéressé.

– Des bleuets! Vous avez vu, du reste, la bague qu'il a choisie, si bien assortie. C'est d'un amoureux, cela!

L'Amateur prit dans la sienne, petite et grasse, la grande main osseuse, honnête du Chevalier.

– Ah! si ses yeux ont cette couleur-là... Mais vous portez une autre bague! Y a-t-il une autre dame aux yeux verts? Il se trouble! Lui donnez-vous aussi des leçons d'anatomie?

– C'est une bague à poison, dit l'abbé avec un petit rire indéchiffrable. On n'est jamais si nu qu'on le dit! Faites voir.

Et il lui retira la bague du doigt, avec prestesse. L'Amateur la saisit au passage.

– Bague à poison... et bien garnie! Craignez-vous quelqu'un dans l'assemblée?

– C'est moi-même, ou plutôt la nature, dont j'ai craint, en si bonne compagnie, les défaillances; l'émotion, la timidité, le respect, le vin peut-être... Je me suis muni de ce secours, que l'on m'a dit efficace, et qui devrait me permettre de faire bonne figure toute la nuit.

– Il est charmant! Ces savants ont le don de l'euphémisme... Bonne figure est tout à fait galant! Je veux essayer de votre secours, mon cher. Vous en serez réduit à vos propres moyens. Je suis sûr d'ailleurs que ces dames seront charitables. Du vin!

– Est-il bien prudent... commença l'abbé.

– Suis-je né pour la prudence, avorton? fit l'autre avec une autorité singulière. J'espère, mon cher Martinelli, que vous n'êtes pas fâché avec votre apothicaire! A votre talent! A la beauté qui vous a servi de modèle! Aux yeux bleus qui vous ont inspiré! Aux *Larmes*!

Il avait versé la poudre safran dans son verre et buvait coup sur coup, rougissant un peu plus chaque fois; Martinelli, très pâle, fixait ce visage souriant et cramoisi. Antoinette, les yeux dans le vide, avec un sourire d'absence, buvait, elle aussi, à longs traits. Martinelli eut le temps de se dire, oiseusement, que le maillot ne tiendrait pas : la gaze lâchait déjà sous les bras. L'abbé, rassuré, attaquait le pâté et, d'un bout à l'autre de la table improvisée, servie dans le plus grand désordre, on parlait aphrodisiaques et sciences, truffes et cornes de rhinocéros, tout en se passant les tubercules odorants. Craignez-vous les truffes? Oui? Non?

L'Amateur eut une sorte de hoquet, rota et laissa tomber sa tête dans son assiette.

– Monseigneur! Monseigneur! cria l'un des laquais, affolé.

Wilhelm arriva au milieu de la nuit.

– Il est rentré?

– Mais non, dit la petite Catherine. J'attendais...

– Tout a raté!

Il raconta.

– Mais, en somme, tout le monde a vu notre travail, la vertu d'Antoinette est sauve... Est-ce que l'Amateur a été bien malade?

– Je ne serais pas là! Au bout de dix minutes il ronflait comme un sonneur, et tout le monde en a conclu qu'on avait joué au Chevalier un mauvais tour, par jalousie. Il est parti sous les huées...

– Mais comment savez-vous tout ça? Vous étiez invité? Vous guettiez? Pourquoi ne l'avez-vous pas ramené?

– J'ai ramené Antoinette, c'est déjà bien beau! Je n'allais pas tout compromettre...

Le Chevalier arriva tout à coup, comme un fantôme. Il était revenu sans voiture, à cheval, et tout éclaboussé.

– Retournez-y! dit-il avec fureur. Restez chez Antoinette! Il ne manquerait plus que d'être découverts ensemble!

– Il est revenu à lui?

– A peu près. Le médecin a déclaré qu'il se portait comme le Pont-Neuf, et que ce petit somme ne pouvait que lui avoir fait du bien. S'il y avait eu le moindre doute, on m'aurait retenu. On n'a fait qu'en rire, quand on a vu le danger passé. D'ailleurs, on n'a pas même été sûr que l'effet venait de la poudre...

– Encore une occasion perdue, dit l'Allemand.

Et il s'en alla faisant grand bruit de ses bottes neuves.

– Êtes-vous furieux du ridicule que vous vous êtes donné? demanda la petite Catherine. Ou pour tout autre chose que vous ne voulez pas me dire? Vous êtes vraiment une sorte de Don Quichotte. Vous exposer à passer pour impuissant, ou pour empoisonneur, pour sauver la vertu d'Antoinette! Quel roman!

Elle se moquait un peu de lui, le croyant hors de danger, et voulant, par vengeance taquine, le forcer à mentir encore. Mais il ne dit plus rien, et alla se coucher.

Le lendemain matin, ils apprirent par Jeannette, qui le tenait du maréchal-ferrant, qu'Antoinette venait d'être arrêtée.

CHAPITRE V

Où Charles Sanson découvre l'amour, ou ce que l'on a coutume de nommer ainsi. Où Catherine dit un chapelet, quelle qu'en soit la raison. Où un homme de police et une entremetteuse s'interrogent. Où le Grand Être est mis sur la sellette. Et où est évoqué, dans des circonstances ambiguës, le pari de Pascal.

Dès qu'il en eut pris possession, il plaça le buste sur la cheminée de son cabinet, parce que c'est là, entre deux candélabres, que l'on place en général un buste ou une pendule. Mais, vus de face, d'emblée, ces deux longs yeux dont l'un versait une larme et l'autre semblait résigné, prisonnier dans la cage rouge et bleu des vaisseaux et des muscles, cette double présence de la beauté et de sa corruption future (c'était ce que signifiait le buste, à ce moment-là) était trop dure à supporter pour lui.

Il essaya d'une petite table, mais craignit qu'on ne la renversât, peut-être à dessein. Ni sa femme, ni son père et sa belle-mère qui leur faisaient de fréquentes visites, ne le comprendraient. Il le dissimula alors dans une petite armoire murale destinée à serrer de l'or ou des bijoux. Ce finit par être sa place. Il éprouva un grand soulagement, et une vague satisfaction de culpabilité, à posséder ce secret, inconnu de tous. Il porta la clé de la petite armoire sur lui, il déplaça un beau fauteuil garni d'un lutrin où il avait l'habitude de s'asseoir pour lire des ouvrages de médecine ou d'histoire, et le mit en face de la niche fermée. Ainsi pouvait-il s'isoler avec le visage de cire, et, si dérangé, un livre ouvert sur le lutrin, paraître se livrer à l'étude, et n'avoir mis le verrou que par maniaquerie, ou même par distraction.

Il avait bien pensé à suspendre devant la niche un rideau. Il lui eût été plus facile de le voir ou de le voiler. Mais Marthe avait beau n'être ni curieuse ni tracassière – c'était le bon côté de son indifférence –, un rideau l'eût sans doute intriguée. Et lui, l'idée qu'un autre regard pût se poser sur le buste lui était insupportable. Le tour de clé qu'il donnait à la niche, qui était comme la niche d'une sainte dans une église, comme l'anfractuosité d'une grotte qui cache un oiseau, confirmait sa prise de possession du visage, de la tristesse, de l'effroi. Il les possédait comme l'on possède un oiseau qui peut s'envoler, comme l'on prie une sainte énigmatique, une vierge noire, sans être sûr d'être exaucé. L'idée qu'un autre (l'Amateur) possédait lui aussi ce visage, l'exhibait peut-être, lui était doublement douloureuse; parce qu'on lui prenait ce qui, pensait-il, lui appartenait de droit (ah! ce droit sur la souffrance! Cela donne à penser. Ce droit de havage sur la souffrance! Partout où il y a douleur, j'en puis prélever ma part : privilège du bourreau), et parce qu'on risquait de lui prendre ce qu'il n'avait pas encore déchiffré, ce que le visage taisait encore, qui lui serait révélé un jour. Une certaine fierté triste lui venait cependant, car il n'ignorait pas qui était l'Amateur. L'analogie entre cette haute puissance à laquelle tout était accordé, sauf la simple confiance, la parole anodine, l'échange avec les autres hommes, et sa propre situation, ne lui échappait pas. L'Amateur avait, lui aussi, sa malédiction.

Ayant largement payé les services de la petite

Catherine, il avait insisté plusieurs fois pour qu'elle lui promît de ne plus jamais reproduire ce modèle. Elle disait oui, puis non.

– Mais je voulais en exécuter un pour moi seule... C'est ma première pièce importante, et si un jour nous ouvrons un petit musée...

– Vous voyez les choses du bon côté...

– Et pourquoi non ?

Parce qu'il y a des choses qu'on ne peut pas voir du bon côté, voilà. Il l'avait trouvée gentille, cette petite Catherine ; il l'avait plainte. Depuis quelque temps, il l'aimait moins, trop femme, trop gaie. Même son généreux intérêt pour cette fille Sicard était matériel, pratique : comment cette Antoinette était devenue prostituée, d'où venait son malheur, et même, à supposer qu'on pût la faire élargir, ce qu'elle deviendrait ensuite, ne l'intéressait pas. Elle voyait une injustice, elle voulait y remédier ; c'était bien, très bien. C'était peu pour qui était l'auteur des *Larmes*. Il y a des choses qui n'ont pas de bon côté, voilà.

Un jour il avait osé poser la question à son père, au responsable : y avait-il moyen de fuir, d'échapper à la malédiction ? Le Père avait répondu que non, cité des cas de bourreaux reconnus au moment où ils avaient changé de ville, tenté d'ouvrir un petit commerce ; de fils de bourreaux chassés ignominieusement d'une école, d'un séminaire, où ils s'étaient pendant quelques mois introduits ; de filles, de sœurs de bourreaux, rejetées même par des paysannes, même par des prostituées, marquées qu'elles étaient, invisiblement, par l'infamie, comme le sont sur l'épaule les voleuses, d'une fleur de lys. Dieu même, Dieu le Père, veut que le bourreau reste à sa place, comme l'effigie du Roi régnant sur les pièces de monnaie. S'il avait un fils, son fils lui poserait-il un jour la même question ? Lui ferait-il le même reproche? Marthe s'épanouissait. Les semaines passaient, inexorablement. C'était une période difficile pour Charles Sanson. Il ne pouvait se réfugier derrière son éternel « Ce n'est pas moi qui juge ». Cet enfant allait naître, ce n'était ni les magistrats, ni les exempts, ni les recors qui seraient responsables de son malheur.

Il se donnait la consolation de s'isoler, sans explications, d'ouvrir la petite porte dans le mur, de s'asseoir, de prendre son temps. Tournant le visage de cire tantôt d'un côté, celui de la beauté, tantôt de l'autre, celui de la future corruption. Les deux profils étaient tristes. Mais, parfois, il lui semblait que le profil de la beauté était plus triste que l'autre : une promesse non tenue. Il détaillait alors le profil anatomique, admirait la finesse, le rendu des ligaments suspenseurs du cristallin, la glande lacrymale qui ne fait pas que verser des larmes, mais nettoie la cornée et lui conserve sa transparence, les muscles qui relient le cristallin à la bordure extérieure de l'iris qui s'élargit quand ces muscles se contractent, et fait naître alors un regard différent. Un regard!

Le regard le plus touchant s'éteint. Certaines peuplades primitives, lui a-t-on dit, croient chaque soir voir disparaître à jamais le soleil et se lamentent à grands cris, sans que le lendemain sa renaissance les dissuade de reprendre leur deuil dès la tombée du jour. Sans doute le regard poursuit-il en nous sa course; une toute petite planète de douceur, de reproche, qui a ses levants, ses couchants, son éternité. Le regard de Marguerite, fille du bourreau de Dieppe, première femme du premier Sanson, avait-il été de ceux qui demeurent, qui gravitent, qui justifient? Fille, femme, mère (si peu, si vite morte, si vite évadée), Marguerite a-t-elle laissé derrière elle un sillage de regards, une voie lactée de sombre lumière qui chuchote sans fin : un tel amour... un tel amour....? Et celui d'Angélique, condamnée pour s'être repentie et non pour avoir péché, rayonne-t-elle à travers les mondes, sauvée, rédimée? Et murmure-t-elle en langage d'ange que cela valait la peine, qu'elle n'a pour ainsi dire pas senti l'épée, qu'elle est absoute enfin non seulement de son criminel projet, mais du seul péché d'être? Ou le regard ne renaît-il pas, et les sauvages ont-ils raison de pleurer car c'est, chaque jour, un nouveau soleil qui se lève et qui va mourir, qui va être mis à mort?

Va-et-vient de la pensée, et de quel côté est la consolation? Du côté de la beauté qui promet de durer toujours? Du côté du profil anatomique qui dit qu'avec l'altération, la corruption de la glande lacrymale, de la merveilleuse cage du réseau nerveux, la douleur s'éteindra en même temps que la beauté, et que c'est cela l'espoir, que c'est cela la consolation du bourreau? Que tout, absolument tout, meure en même temps, que tout meure absolument? Et la mère qui met un fils au monde pour le voir s'avilir et mourir peut-être, mourir sûrement, entouré comme un pharaon de toutes ces petites tendresses inutiles, enfouies sous le sable? Est-ce leur consolation que de penser – à la mère, à n'importe quelle mère, au bourreau, à n'importe quel bourreau, à n'importe quel homme – que c'est une seule et même chose, un seul et même visage qui va totalement mourir? Est-ce même une consolation? Ou, la petite porte secrète ouverte dans notre solitude, sommes-nous condamnés à regarder toujours, sur ces deux profils et en nous, couler les larmes sans les comprendre?

Vers dix heures du matin, nous étions fixés sur le sort d'Antoinette. Son arrestation ne semblait avoir aucun rapport direct avec les événements de la veille. Le guet était venu la saisir tard dans la nuit, sur plainte de ses voisins, pour « scandale et prostitution ». D'autres plaintes auraient déjà été déposées depuis quelques mois. L'appartement où logeait Antoinette n'étant – au dire de ses voisins les plus proches : le porteur d'eau, le commissionnaire, deux maraîchers, le cordonnier et l'apprenti du cordonnier, bref, toute la rue d'Enfer, boulangère comprise, était prête à en jurer – « qu'un défilé continuel d'hommes de toutes conditions ! ».

– Mais c'est faux ! Je suis sûr que c'est faux ! Et ça ne vous fait ni chaud ni froid ? dis-je à Martinelli.

– Mais non... Seulement je pense qu'Antoinette n'aura pas de peine à se disculper et, comme il ne s'agit pas de la soirée d'hier, que je ne suis pas impliqué...

– Je ne vous croyais pas si égoïste ! Moi qui souhaitais tant le succès de la soirée, pour en avoir ma petite part, et cesser enfin de vivre cloîtrée...

– Cloîtrée ! Tu exagères. Tu crois que je ne le sais pas, quand tu sors attifée Dieu sait comme, pour aller voir les marionnettes ?

– Il s'agit bien de marionnettes ! Je préférerais de beaucoup qu'Antoinette soit libre et que la soirée ait été ratée...

– Elle l'a été, ne t'inquiète pas, dit-il avec amertume.

Mais Wilhelm reparut ce soir-là, en cavalier, avec même un col de dentelle qui paraissait sous son manteau ouvert ; ils s'enfermèrent sans plus feindre d'être maître et domestique, et le Chevalier, sortant de cette mystérieuse entrevue, me parut rasséréné.

Ils étaient retranchés dans le cabinet de curiosités, quand Jeannette, avec sa fillette sur le dos, me rapporta de nouveaux détails. En rentrant (après le Souper Anatomique si malencontreusement écourté), Antoinette était montée chez elle, bientôt rejointe par un « homme habillé en cocher ». A peine fut-il dans l'appartement qu'on entendait des cris, des coups, des bris de mobilier, et, comme le vacarme persistait, les voisins, ayant semble-t-il appelé les exempts, pénétraient par la force dans l'appartement et y trouvaient Antoinette hors d'elle, demi-nue, les cheveux défaits et, disait-on, un poignard à la main. Déjà prévenus contre elle par des plaintes antérieures (qui, donc, existaient réellement), les exempts l'avaient emmenée telle qu'elle était. Une femme plus compatissante que les autres lui avait fait à la hâte un baluchon de quelques vêtements, et l'avait couverte du châle rouge sombre qu'elle portait souvent.

– Qui menaçait-elle de ce poignard?

– Le cocher, je suppose. Mais, profitant de la bousculade, il a disparu et on ne l'a pas poursuivi. Comme on la tient pour fille publique, on s'est dit qu'il s'agissait d'un client, et voilà! dit Jeannette avec une pointe de satisfaction.

Pour ma part, je n'avais aucun doute sur l'identité de ce « cocher ». Mais pour Jeannette tous les cochers se ressemblaient, comme pour moi tous les marmots. Je voulus, comme elle était accourue m'informer, lui dire un mot aimable.

– Elle change... elle embellit beaucoup... dis-je en désignant le bébé qu'elle avait fait glisser de son dos sur sa hanche.

En fait, cette petite figure ronde, ces yeux noirs un peu enfoncés dans la tête, ces cheveux déjà drus et raides, me paraissaient, comme une image, toujours semblables.

– Elle s'appelle Bénédicte, me dit Jeannette avec une soudaine douceur.

– Un beau nom.

– Oui. Les garçons, c'est Luc et Lucien.

– Je sais.

– Les garçons, ça se débrouille ! dit-elle, soudain déridée, presque volubile. Ça n'a pas besoin d'un beau nom. Mais elle...

Je me dis qu'on aurait bien dû, aussi, penser à me donner un nom qui portât bonheur – et à Antoinette.

Elle m'en aurait dit davantage, mais Martinelli et Wilhelm revenaient par la cour, quasiment bras dessus, bras dessous, et elle se sauva. Étrange chose que la maternité ! Il est vrai qu'il meurt tant de femmes en couches, qu'on n'a guère l'occasion d'en juger.

Ce bras dessus, bras dessous, ce col de dentelle de l'Allemand qui s'en allait, tout à coup, m'illuminèrent.

– Mon maître ! Monsieur !... Chevalier !

Je le poursuivis dans l'escalier comme il montait vers sa chambre.

– Quoi encore ? Veux-tu te casser le cou ?

– J'ai une idée. Je crois que...

– Une idée ! Belle merveille !

Il entra dans sa chambre, mais n'en claqua pas la porte, ce qui représentait en somme une sorte d'encouragement.

– Je ne veux pas m'immiscer dans vos secrets, mais il me semble qu'aujourd'hui Wilhelm était bien élégamment vêtu !

– S'il plaît à Wilhelm de changer d'apparence, et même d'état, c'est pour des raisons que tu n'as pas...

– ... à connaître. Soit ! Ce que je veux dire, c'est qu'à le voir tantôt cocher, tantôt gentilhomme, et abbé encore, que sais-je, et allant assez souvent rue d'Enfer, n'est-il pas possible qu'on l'ait pris pour plusieurs hommes, pour quantité d'hommes, et que de là viennent les méchants bruits répandus sur Antoinette ?

– C'est possible, dit-il froidement.

Il faisait mine de ranger des papiers sur l'énorme tréteau qui lui servait de bureau, d'établi, supportant aussi bien un alambic qu'une terrine, quand la fantaisie le prenait de manger seul.

– Eh bien... mais vous ne voyez donc pas?

– Que si Wilhelm allait raconter qu'il lui plaît de changer d'habit, on lui demanderait pourquoi?

Je réfléchis un moment, mon bel élan coupé. Wilhelm était peut-être un proscrit, recherché pour des raisons honorables. Mais je n'en étais pas moins persuadée que ces changements à vue étaient à l'origine des rumeurs de la rue d'Enfer.

– Mais ne pourrait-il prétendre qu'il s'agit d'une fantaisie amoureuse? Érotique? Et qu'il est son seul amant, ce qui la libérerait d'une accusation...

Il se mit à rire, mais je le devinai fâché. Et peut-être même inquiet, à travers ses éclats de rire.

– L'homme qui ne peut atteindre le plaisir que déguisé en cocher! Ce serait nouveau! Écoute, je l'ai échappé belle avec cette farce de la poudre somnifère que l'Amateur a bien voulu croire dirigée contre moi... et d'ailleurs son médecin n'est pas sûr que la crise ait été déterminée par cela...

– Donc, le reste importe peu, n'est-ce pas? Vous vous en êtes sorti, bravo! Vous trouverez une autre occasion, et peut-être une autre fille. Mais elle? Qu'est-ce qu'elle va devenir? Si elle ne compte pas sur vous pour se justifier...

– Et pourquoi compterait-elle sur moi? dit-il, exaspéré. Que sais-tu de ce qui s'est passé? Pourquoi t'en mêler? Tu aimes donc tant Antoinette?

Non, je ne l'aimais pas « tant ». Je ne l'aimais même pas du tout. Mais j'avais la conviction ancrée en moi que, s'il y avait quelque chose qu'Antoinette Sicard n'était pas, c'était bien une débauchée ou une fille publique. Elle faisait partie, comme moi, de cette masse de filles d'honorables ou de moins honorables maisons dont on ne sait que faire, que l'on veut écarter d'une succession, ou auxquelles on refuse une dot, un état convenable, pour avantager les aînés, le fils, ou les préférés de la famille. Alors on cherche comment se débarrasser de ce déchet : couvent, mariage rebutant, déshonorant même, pourvu qu'il n'en coûte rien, apprentissage dans les plus modestes familles (mon cas était exceptionnel, quoique sans gloire), vente pure et simple à quelque entremetteuse. Qu'Antoinette fût de petite condition, vraie ou fausse brodeuse, mêlée ou non à une intrigue douteuse, bâtarde, abandonnée, folle ou le feignant, était possible. Libertine, débauchée, vénale, jamais. Et victime de ces deux inconscients, ou d'autres, très probablement. Et par sa faute, très vraisemblablement. Elle avait le caractère mal fait. De la hauteur quand il eût fallu de la prudence, de l'humilité quand il eût fallu du maintien. N'empêche que j'avais décidé de l'aider, et que je l'aiderais.

Tout de suite j'avais pensé au seul homme qui, dans une telle circonstance, pouvait me renseigner. C'était Sanson.

Je pris ma mante neuve, ma coiffe neuve, mon châle neuf par-dessus tout cela (je m'étais rhabillée grâce à mes petits profits, certains occultes, dont je ne parlais pas au Chevalier, qui ne remarquait rien) et m'en allai chez Monsieur Sanson. Je m'étais bandé bien ostensiblement le poignet (je commençais à sentir, à travers les réticences et les rumeurs du quartier, que certaines précautions étaient bonnes à prendre). J'allais consulter. Consulter le bourreau, quand on a sous la main un chirurgien émérite ? Excellent raisonnement, qui n'empêche pas le commun de croire que le bourreau vaut tous les chirurgiens du monde. Pourquoi ? On le croit, et c'est tout ! Article de foi.

J'arrive donc avec mon bandage. Je tombe sur Madame, vêtue à la perfection et cachant sous une perse délicieuse et un tablier de dentelle un petit ventre de trois mois.

– Mon Dieu non ! Il n'est pas là. Ils sont tous en ville ! C'est pourquoi je vous ouvre moi-même. Souffrez-vous beaucoup ? Voulez-vous qu'il passe chez vous, ce soir ? Il aura, qui sait, peut-être quelque chose à vous porter.

On eût dit qu'elle offrait des bonbons. Si on l'entendait bien, cependant, « être en ville », pour Sanson et tous ses aides, signifiait une exécution. « Avoir quelque chose pour vous » se traduisait par l'espoir d'un corps disponible. Madame Marthe disait cela de son air avenant. Elle était en cheveux sous une mantille, le visage un peu mat mais d'un gracieux ovale, les yeux étirés vers les tempes, moitié chatte, moitié serpent.

– Je voulais lui parler, aussi, hasardai-je, d'une amie qui est malade...

– La connaît-il ? interrogea-t-elle obligeamment.

Elle ne demandait qu'à bavarder, mais j'étais devenue prudente tout d'un coup. Comme j'étais devenue femme.

– Il a vu des dessins que j'ai fait d'elle... un buste... Elle se nomme Sicard, Antoinette Sicard.

Elle se désintéressa.

– Oui, peut-être... Il est assez amateur. Sicard, vous dites ? Je lui en parlerai.

Je repartis bredouille. Je reviendrais. J'avais toujours appris une chose : c'est que Madame Marthe et, vraisemblablement, le reste de la maison ignoraient totalement l'achat que Sanson avait fait des *Larmes*. Seul, à l'Hôtel des Arcoules, Wilhelm avait vu partir « la caisse », et j'étais persuadée qu'il ne dirait rien.

Sanson ne vint pas le soir même, mais le lendemain. Le temps de prendre des renseignements, dit-il, sur cette Demoiselle Sicard à laquelle nous nous intéressions. Il ne fit aucune allusion au buste.

Madame Marthe ne semblait pas l'avoir mentionné, ce qui me confirma dans mon sentiment qu'elle ignorait tout. Apparemment Sanson ne faisait aucun rapprochement entre les deux choses. Je le laissai, pour l'instant, dans cette ignorance. Il était calme, gourmé et maladroit, comme d'ordinaire. Avec sur le visage cette bonté un peu effrayante qui m'attirait et me rebutait à la fois (à côté de lui, et malgré sa supériorité de lecture, de science, malgré ses voyages et sa fameuse traduction du Tasse, mon maître me paraissait un enfant). Cette bonté c'était celle du médecin, ou celle de l'arracheur de dents, qui vous préviennent : « Je vais vous faire un peu mal », et, de fait, les nouvelles n'étaient pas bonnes. Antoinette avait été présentée le matin même au lieutenant de police, et jugée sur des témoignages nombreux pour prostitution, scandale et impiété. Condamnée sur-le-champ à trente coups de fouet, au pilori, au Commun de la Salpêtrière pour un temps illimité.

– Ce n'est pas possible!

– Malheureusement...

– Mais ce n'est pas vrai, Charles. Je vous assure qu'Antoinette n'a absolument rien d'une fille publique!

– Il y avait plusieurs témoins. Ils n'avaient aucun intérêt à l'accabler. Depuis des mois, toutes sortes d'hommes montaient chez elle, et à toute heure... Elle n'a pas nié.

– Elle n'a pas nié? Et cette impiété? Qu'est-ce que cela signifie?

– C'est ce qui a aggravé son cas. Et c'est un peu pour cela que je suis venu aussi vite. Il paraît que depuis quelques jours, au Café Féret, chez la veuve Laurent, enfin dans les endroits où vont les nouvellistes, on débite une histoire de souper, où des invités de la plus haute noblesse auraient invoqué le diable, travestis, ou plutôt le corps peint en squelette. Souper auquel des « filles » auraient participé. Or, votre amie était à ce souper, semble-t-il, et quand elle a été arrêtée, elle n'était vêtue, sous un déshabillé enfilé à la hâte, que d'un maillot portant une impression d'ossements ou d'organes, je ne sais. On a supposé soit qu'elle venait ainsi de ce souper, soit qu'elle se plaisait à une incompréhensible et blasphématoire fantaisie d'un amant de passage. L'homme a fui. Mais je me demande si de dangereux rapprochements ne pourraient pas être faits, qui vous commandent la plus grande discrétion.

– Elle n'a pas donné d'explication ? demanda mon maître, les yeux baissés, qui se rongeait les ongles.

– A ce qu'on m'a dit, aucune.

Il y eut un silence. Jeannette se servait d'une nouveauté que l'on venait de nous offrir : une chocolatière, pour préparer un breuvage foncé que l'on disait tonique et fortifiant. J'en bus alors pour la première fois et, aujourd'hui qu'il est devenu un luxe presque obligatoire, ce parfum exotiquc, légèrement vanillé, reste lié pour moi aux malheurs d'Antoinette. Nous bûmes. Sanson montrait la gêne naturelle aux porteurs de mauvaises nouvelles, rien de plus. Mon maître semblait plongé dans des réflexions plus embarrassées que compatissantes. Pour moi, la stupeur que me causait le silence d'Antoinette (« Elle n'a pas nié ») n'avait d'égale que mon horreur devant sa condamnation, si rapide, si brutale.

Ne venait qu'après une inquiétude bien naturelle. Je commençais à me demander si ce fameux souper, qui devait nous apporter la fortune et la gloire, n'allait pas nous entraîner, nous aussi, dans quelque cellule de l'Hôpital Général. Je ne trouvais donc rien à dire, ce qui ne m'est pas habituel, et je restais là, comme hébétée, regardant Jeannette qui versait les quelques cuillerées restantes du chocolat dans une petite bouteille, pour ses enfants.

Sanson reprit enfin la parole, à sa façon calme et lourde, et cependant pénétrante.

– Il ne faudrait pas, dit-il, que l'histoire du souper fût exploitée contre l'un ou l'autre anatomiste. Vous n'êtes pas tant! Et cela risque de devenir d'autant plus sérieux que l'on nomme, parmi les participants à cette orgie, et jusque dans les gazettes à la main, de très grands noms tels que...

– Orgie peut-être, mais sans impiété aucune! dit précipitamment Martinelli.

– Je vois que vous en étiez... Vous êtes mon ami, je ne vous aurais pas posé la question. Mais vous n'ignorez pas combien, aujourd'hui, les idées nouvelles, les sciences même, prennent tout de suite un sens politique. L'impiété est un prétexte auquel peu de gens croient...

– ... mais dont beaucoup se servent?

– Exactement. Il ne s'agirait pas que l'on vous mêlât à quelque conspiration sous ce prétexte-là. J'ai bien quelques amis autour du lieutenant de police, mais tout change tellement vite... On dit qu'il va devenir ministre, et qui le remplacera? Et qui formera l'entourage?

– La polysynodie bat de l'aile... A mon sens, ce n'était qu'un leurre... Le gouvernement de plusieurs, chimère. Non?

– Je suis employé par l'État... murmura Sanson avec réserve et importance.

Ils étaient là, calés sur leur banc. Sanson prisant son tabac, mon maître se versant du vin blanc, réglant tous les deux les affaires de l'État, pronostiquant, supputant, et Antoinette croupissait dans quelque cachot! J'étais soulevée d'indignation.

– Mais enfin!... dites-moi ce que vous comptez faire pour cette malheureuse!

L'indifférence de Wilhelm ne m'avait pas surprise. Mais celle de Sanson me révolta. C'était bien la peine de faire un tel étalage de sensibilité!

Ils se regardèrent.

– Intervenir serait se compromettre inutilement, dit le bourreau avec sa douceur triste. Il vaut mieux qu'on n'établisse aucun lien entre elle et vous. Au bout de quelques mois, l'affaire sera oubliée, on obtiendra aisément des adoucissements, ou même une libération...

– Quelques mois! Et elle sera fustigée, exposée, emprisonnée avec des voleuses et des filles sans que vous fassiez rien?

– Je ne puis rien faire. Elle est jugée. Ce n'est pas moi qui juge.

Il restait calme, mais son front se couvrit de sueur. Combien de fois avait-il, à celui qui le priait, répondu cette phrase? Il ajouta, rassurant:

– Si l'affaire n'avait pas été considérée comme tout à fait banale, le jugement aurait traîné. C'est plutôt un bon signe.

– Gardez vos consolations pour vous, Charles Sanson! Vous ne jugez pas, mais vous exécutez. Eh bien, pour moi, sachez-le, c'est une seule et même chose!

Je les laissai dans la cuisine, devant leur vin, leur tabac, leur chocolat, ces deux grands lâches! L'exécuteur ne valait pas mieux que ces prétendus cochers et ces chevaliers de fortune. Ma colère s'augmentait de mon impuissance. J'en pleurais, j'en trépignais à en casser le pauvre mobilier de ma chambre. Je ne pouvais me résoudre à me coucher tranquillement, comme eux buvaient, parlaient et, pourquoi pas, feraient une partie d'échecs. Ma curiosité devant les fragments de cette histoire, que je n'arrivais pas à rassembler, s'aiguisait du sentiment qu'une femme, que je n'aimais pas peut-être, mais dont la situation aurait pu être la mienne, en était victime. J'enrageais comme jamais avant. Je me faisais des serments, j'échafaudais des projets. Ma rancune contre le Chevalier renaissait plus amère et plus désolée, mais surtout j'étais en fureur.

J'eusse été bien surprise, quelques semaines plus tôt, si quelqu'un m'avait dit que j'enragerais à ce point à cause d'Antoinette Sicard!

***

Je m'apercevais tout soudain que nous avions eu, le Chevalier et moi, pendant plus de deux ans, une bonne petite vie. On mangeait pauvrement, souvent, mais on mangeait. On disséquait, ce qui peut paraître peu ragoûtant, mais aussi on moulait, on peignait, on lisait, on dessinait. On découvrait sans cesse, et c'était plein d'intérêt. On disposait d'un jardin, si même mal entretenu, mais plaisant dans la belle saison quand nous éprouvions le besoin de sortir un peu de nos écuries-laboratoires. Je m'amusais d'être habillée tantôt en fille, tantôt dans ce costume hybride d'apprenti qui me donnait des airs de jardinier ou de ramoneur.

J'allais ainsi, un mouchoir sur la tête, à la foire Saint-Laurent voir des bêtes sauvages qu'on y montrait, et de ces divertissements comiques où se mêlaient récits emphatiques, sauts et cabrioles, danses grotesques et, parfois même, machines merveilleuses imitant des chars qui s'envolaient dans une assomption de marionnettes.

J'allais à la foire aux Fromages pour la joie de la bousculade. Et même, par deux fois, j'allai jusqu'au Pont-Neuf voir les bateleurs. Mon maître s'y opposait en principe, surtout au début de mon « apprentissage », à cause du danger que je courais d'être arrêté sur ordre de mon père. Mais le temps passant sans qu'il entreprît aucune démarche de ce genre, nous nous rassurâmes, et je sortis par le portail et non plus par le jardin. Ces sorties faisaient ma joie. Ma vie à l'Hôtel des Arcoules me semblait un peu austère, et ce n'était pas les soirées où, pris brusquement d'un besoin d'admiration, mon maître m'entraînait dans sa chambre pour me lire des extraits de sa traduction du Tasse, dont il tirait beaucoup d'orgueil, qui me divertissaient. A vrai dire, je préférais dix dissections à dix pages de ce vénérable poème. Je n'ai jamais pu me faire à la poésie, depuis ce temps. Passons...

Une semaine ou deux avant l'arrestation d'Antoinette, le bruit avait couru qu'ayant à nouveau l'autorisation de se produire, les Comédiens Italiens se transporteraient à la foire. C'était alors le grand événement. Tout cela s'effaça pour moi en une nuit, après le désastre du souper. C'est alors que j'eus ce sentiment qu'une ère de simple bonheur s'achevait, remplacée par un malaise qui persistait quoi que nous fassions. On riait, avant; on ne riait plus. Je ne cessai, pendant toute cette semaine, de me demander si la sentence rendue contre Antoinette était exécutoire, et si Madame Marthe allait me dire un matin « ils sont en ville », ce qui signifierait que le supplice de la malheureuse avait eu lieu. Comme je ne pouvais rien, comme ni Martinelli, ni Wilhelm, ni, apparemment, Sanson, ne voulaient rien faire, je décidai d'aller tout de même jeter un coup d'œil à cette Comédie Italienne. Cela me distrairait peut-être. Je ne ferais en cela qu'imiter le Chevalier qui, contrairement à ses habitudes, s'en allait jouer au pharaon, à l'hombre ou au lansquenet, que sais-je, chez quelques relations huppées qu'il s'était faites. La foule me rassura. J'y avais plus de chances de passer inaperçue. J'oubliai même un moment mes soucis devant le peu de cherté des étoffes qu'on vendait là. Et de rêver un moment d'une toilette toute simple, mais seyante, que je pourrais couper dans certaine étoffe bise chinée de bleu, quand une voix résonna à mes oreilles :

– Aimeriez-vous que je vous offre un coupon, Mademoiselle ?

Suffoquée, je me retourne pour toiser l'insolent, et qui vois-je ? Le mari de Jeannette ! Le mari de Jeannette qui veut m'offrir des étoffes, on aura vraiment tout vu !

– Et à quel titre, Jean-Marie ?

C'est un beau grand blond aux yeux bleus, au menton rond. Son sourire n'est pas déplaisant, il a de fort belles dents ; une note de forfanterie ne lui messied pas.

– Oh ! tout simplement, Mademoiselle, parce qu'en tant que porte-balles j'ai une ristourne sur bien des choses.

– Vous feriez mieux d'en faire profiter votre femme et vos enfants.

– Mais elle ne veut pas, Mademoiselle ! Elle refuse tout ce qui vient de moi ! C'est pour cela, Mademoiselle, que je voudrais... (et malgré ses airs farauds, il parut un instant gêné car ce qu'il voulait, en somme, c'était m'acheter)... que je voudrais que vous lui parliez pour moi. Elle se sauve dès qu'elle me voit. Elle me fermait la porte d'une belle chambre que j'avais louée aux Porcherons, et maintenant elle se loge avec les petits tantôt dans votre chauffoir, tantôt dans la chapelle des Dames-Noires, la petite, celle qui est condamnée, et elle s'y barricade.

– Évidemment...

– N'est-ce pas ? Qu'est-ce que je lui ai fait ? Rien ! Nos deux premiers enfants sont morts, c'est vrai, mais moi je n'y étais pour rien ! Je n'étais même pas là ! Un porte-balles, vous savez, ça circule, ça voyage, et on hésite parfois à confier son argent à un camarade qui risque de le boire en route... Alors elle s'est trouvée un peu démunie, mais, à mon avis, si elle avait eu les mains pleines d'or et le médecin du Roi lui-même auprès d'elle, les petits seraient morts quand même. Ça meurt, les enfants, c'est comme ça... N'est-ce pas, Mademoiselle?

Je ne pouvais pas tout à fait lui donner tort, car on m'avait toujours dit, et je l'avais entendu de la bouche même de mon père, mauvais homme mais bon médecin, qu'avant l'âge de quatre ans, on ne pouvait jamais être sûr qu'un enfant survécût. Il dut croire que je l'approuvais plus ou moins car il me fit à nouveau son beau sourire de vaurien.

– Vous lui direz, Mademoiselle? Luc a six ans depuis peu, et Lucien près de cinq. Ils sont solides. Quant à la petite, mon Dieu, c'est une fille... Pardon! Mais je puis les nourrir, maintenant, et d'autres s'il en vient. La sage-femme des Porcherons lui a fait peur, qui lui a dit qu'elle y resterait si elle en avait d'autres. Mais votre Monsieur le chirurgien pourrait la rassurer. Qu'est-ce que trois enfants vivants pour une femme? Rien! Et à force de chercher consolation ailleurs, je pourrais tomber sur une femme malade... Qu'elle voie où elle me pousse! Moi, je l'aime.

Aussi curieux que cela paraisse, cette déclaration me sembla sincère.

– J'essaierai de lui parler, dis-je mollement (car cette complication supplémentaire s'ajoutait à mes soucis). Mais je ne puis vous promettre...

– Merci, Mademoiselle Catherine! Elle vous aime bien, elle vous écoutera. Vous ne voulez vraiment pas... (geste vers l'étoffe). Non? Cela ne fait rien. Un service en vaut un autre. Si, un jour, je puis quelque chose pour vous, vous me demanderez au Café Mignot, qui est près de chez vous. Vous demanderez Jean-le-Bon-Enfant, et on me fera la commission.

– C'est entendu, c'est entendu, dis-je pour me libérer de lui et m'éloigner. Bien que je ne voie pas en quoi...

– Je sais qu'on distribue ceci, dit-il en me glissant un feuillet plié dans la main. Cela peut vous faire du tort. Il en court d'autres. Renseignez-vous.

Et il disparut dans la foule avec une prestesse étonnante. Je restai là, stupide, n'ayant plus nulle envie ni de rêver sur des étals, ni de voir les Italiens. A pas lents je m'en retournai vers la maison. Je n'osais déchiffrer le papier dans la rue. Si c'était quelque pamphlet interdit? Si on m'arrêtait cette feuille en main et traînant les rues habillée comme une servante? C'est pour le coup que mon père aurait beau jeu de m'accuser de libertinage! A peine rentrée, je dépliai le feuillet, je le lus. C'était une sorte de mandement, mais avec des détails dans le texte et dans l'impression, qui me firent douter de son authenticité.

« ... *Vous observerez, mes frères, qu'il y a eu non seulement impiété et blasphème dans l'infâme débauche dont on parle tant, mais double impiété et blasphème double, en ce que l'œuvre de Dieu est d'abord utilisée à des fins de stupre et de fornication, et secondement que le sens qu'il y faudrait voir, de notre future corruption, et qui devrait nous amener à repentance, nous faire connaître de quelle boue nous sommes faits et sainement nous humilier devant Lui, ce sens est altéré en ce que les libertins dont il est question ont joui du spectacle de cette abomination et de cette boue peinte et étalée pour s'inciter à jouir davantage, à user sans attendre des jours si brefs que Dieu nous donne pour racheter le péché originel, niant la récompense céleste qui nous attend au-delà de ceux-ci, si nous savons bien entendre le sens de ces connaissances dites sciences naturelles, dont on se sert à l'inverse pour pervertir...* »

Il y en avait encore toute une tirade. Mais je m'arrêtai à ces mots, qui pouvaient fort bien nous viser. Et le Chevalier s'était trouvé à ce souper, auteur avoué de toute la bacchanale! Et j'avais, de ma propre main, décoré le nombril de Mademoiselle Florence et le torse maigrelet de Monsieur l'abbé D. (initiale qui n'était plus mystérieuse pour personne!). Et ce n'était pas le seul pamphlet qui circulât. Imprimés ou feuilles à la main, longs et courts, savants ou vulgaires, dans la semaine Châteauneuf m'en apporta de toutes sortes. Il n'était pas sans craindre pour lui-même, ayant participé à « l'œuvre impie », et, de plus, étant assuré que si Desnoues apprenait qu'il travaillait pour nous, il serait renvoyé. Nous lisions ensemble :

« *On sait à quoi lui a servi la science dévoyée de son ancien compagnon Homberg, mort il y a deux ans. On sait ses démarches suspectes aux carrières de Vanves et de Vaugirard, pour invoquer un démon qu'il portait pourtant en lui. On sait ses accointances avec d'anciens complices de la Voisin, devenus les siens. Et ses liaisons criminelles avec la duchesse de B*** qui l'ont fait surnommer un nouvel Œdipe, sans l'ignorance de celui-ci. Aujourd'hui, sous couleur de nouveautés, les connaissances les plus nobles sont par lui utilisées à nuire. La chimie devient poison et l'anatomie, blasphème. Peut-on douter qu'un tel homme, maître incontrôlé d'un enfant débile, ne lui insuffle ses vices, s'il ne met un terme à sa fragile existence? Heureusement un prince du sang de France, encore que sur le trône d'Espagne pour l'heure, incline à sauver la nation où il a vu le jour...* »

Je regardai Châteauneuf et il me regarda. Je ne l'aimais guère, et il ne me prêtait pas, d'ordinaire, la moindre attention. Mais il avait dix-neuf ans, et moi seize à peine. Nous nous sentions, au milieu de ces intrigues qui se resserraient, bien seuls, bien ignorants, et, peut-être, destinés à être sacrifiés, enfants que nous étions.

– Et celle-là? Tu l'as lue?
C'était une chanson sur une feuille à la main.

> *« Prince qui ne met pas de bornes*
> *A tes passions*
> *Berry Florence ou d'Argenton*
> *B... les sans vergogne*
> *Mais n'en fais pas la dissection*
> *Car tu pourrais par distraction*
> *Crever, mais oui*
> *Crever, mais non,*
> *Crever de tes propres poisons... »*

Il y en avait ainsi plusieurs couplets.
– Cela se vend deux sous et se chante sur l'air de Babet la Bouquetière, me chuchota Châteauneuf, comme s'il s'agissait de la plus horrible nouvelle. Nous devions être à peindre, ainsi terrorisés.

Ces jours-là on parla beaucoup du Souper Anatomique. On en riait, on s'en scandalisait, on voulait l'imiter. Les uns voulaient supprimer l'anatomie, la chimie et jusqu'à la botanique à cause des « abus »; les autres y voyaient au contraire des intentions cachées, et peindre une herbacée ou disséquer un foie était manifester contre la tyrannie. Laquelle? C'était s'élever contre les vieux usages, ouvrir la voie. A quoi? Au milieu des libelles de toutes sortes et de toutes origines, notre affaire tenait sa place. Je ne suis pas craintive, mais par moments, voyant se rapprocher de nous les suppositions et les allusions, j'étais à moitié morte de peur. Il me semblait bien que dans l'ensemble, pamphlets, libelles et chansons étaient plutôt dirigés contre l'Amateur que contre nous. J'en espérais qu'il nous protégerait si l'affaire tournait au vinaigre. Je ne me voyais pas du tout, pour avoir peint l'estomac d'un abbé ou d'une comédienne, accusée de conspiration et, qui sait même, de sorcellerie ! Mais j'ai fréquemment entendu dire par mon père, fort ami de Monsieur Fagon, médecin du Roi, que les grands ont coutume, pour se divertir, de vous attirer dans de tels guêpiers, dont ils se sortent sans dommage mais où ils vous oublient de tout leur cœur. Et il se peut qu'en cette occasion mon père et Monsieur Fagon eussent raison.

On amena la prisonnière à Sanson, et dans l'instant, il la reconnut. Il n'y avait pas d'autres condamnées ce jour-là, mais entre mille il l'aurait reconnue. Elle était la beauté, la douleur : le silence, *Les Larmes*. Il lui fit délier les bras qu'on lui avait serrés dans le dos. Elle resta immobile. Eut-elle un bref sourire ? Un regard de défi ? Il n'aurait pu le dire. Il la reconnaissait. Elle ne ressemblait pas le moins du monde à Angélique, qui était blonde, fière, mais d'une autre fierté qui tenait du courage et de la volonté. Antoinette était d'une fierté morne et aisée, impitoyable. Elle ne ressemblait pas à Angélique, mais elle ressemblait à une image que Charles portait en lui depuis toujours, et à laquelle Angélique s'était un moment superposée.

Par sa beauté austère, inexpressive, elle refusait le statut de victime. Elle regarda Sanson droit dans les yeux. L'eût-on menacée de lui ôter la vie, il semble qu'elle aurait répondu comme ce petit garçon au front buté qu'il avait été (quand on lui offrait, pour le narguer, un jouet qu'on lui retirait aussitôt) : « Je n'y tenais pas ! » Il la regarda, il se reconnut.

Elle était là, devant la maison du Pilori, immobile. Ses membres longs et gracieux tremblaient légèrement de contenir le mouvement, comme tremble le cheval bridé qui contient le galop. Les aides la maintenaient avec brutalité, parce qu'elle était grande, qu'ils craignaient qu'elle ne tentât de fuir, et aussi parce qu'ils se sentaient insultés par son silence. Charles sentait ses jambes à lui trembler aussi. Il ne se résolvait pas à donner le signal de l'exécution.

Cela arrive quelquefois quand se déroule une exécution, il y a un moment de silence dont les badauds (ils ne sont pas foule encore, mais leur nombre grandit. On sent qu'il va se passer quelque chose) ont conscience. La condamnée porte une jupe et un châle rouge sombre, comme si déjà elle s'enveloppait dans son propre sang. C'est finalement elle qui rompt le silence. « Lâchez-moi », dit-elle aux aides, d'une voix sans timbre. Ils la lâchent. Elle se détourne pudiquement de la foule qui s'est massée à gauche de la maison du Pilori, et noue le châle sur ses seins avec un nœud derrière la nuque et autour de la taille, de manière à n'offrir au regard que son dos seul. Personne ne proteste. Quelqu'un dit : « Pauvre femme ! » La foule est ainsi ; elle a ses favoris, au supplice comme au spectacle. Les aides n'aiment pas cela parce que alors c'est eux qui se font huer. Michel, le premier aide, veut arracher la jupe sombre. La foule dit non. Il frappe alors le premier coup avec colère. Le sang coule tout de suite. La foule gronde. Sanson ne peut agir : il est le bourreau, il ne peut que tuer. Ces petits supplices insignifiants sont indignes de lui. Michel frappe. Sanson fait signe à Antoine, l'aide en second, de le remplacer. Michel refuse. Il y a là une petite altercation que la foule suit, dans laquelle elle prend parti. Un murmure dont l'intensité augmente : « Sanson ! Sanson ! » approuve son intervention. Antoine frappe à son tour, avec plus de modération. Le corps à demi nu se cabre ; un gémissement rauque, très égal, un bruit de tambour voilé, de colombe, sort de la gorge gonflée qu'on ne voit pas. Puis soudain, aigu comme celui de l'hirondelle, un cri, un affaissement, c'est fini. Antoine ramasse le corps à demi pâmé, sans le dévoiler. Michel veut encore intervenir. Sanson l'écarte d'un geste sévère. Il est pénétré de cette vérité : il ne faut pas qu'un bourreau soit méchant. Cela discrédite la profession. Dieu merci, Antoinette n'a pas imploré, pas demandé grâce, comme tant d'autres. Pas même regardé celui qui la frappait pour lui inspirer pitié ou remords. Elle n'a pas été possédée par son bourreau, sa souffrance n'a appartenu qu'à elle. « Je ferai muter Michel en province, je ne veux plus l'avoir sous les yeux. Dieu soit loué, il n'a pas réussi, malgré sa perversité, à nouer ce lien terrible qui nous unit à nos victimes. De cela au moins elle est intacte; je suis sûr qu'elle n'a même pas vu son visage. Dieu soit loué... Dieu soit loué... » Ce n'est pas la première fois qu'il en appelle à Dieu, le remercie, l'interroge. Qui d'autre, ces jours-ci, en appelle à Dieu, sinon le bourreau et le Roi ? Même si le Roi n'est qu'un Régent, et même si ce Régent ne croit pas en Dieu? On peut parler à Dieu sans y croire. Il arrive même que Dieu réponde, et que l'on n'y croie toujours pas.

Michel enlève le corps douloureux, le corps glorieux, aux bras d'Antoine et le hisse, par l'échelle, dans la cage du pilori qui est à la hauteur du premier étage de la petite maison octogonale. La foule est devenue considérable, car il devient de plus en plus rare que l'on use du pilori. Il y a eu, tout dernièrement, quelques traitants, des prévaricateurs. Mais une femme, c'est plus triste, c'est plus beau. Antoinette est à demi évanouie, sa tête inanimée déverse ses cheveux comme une urne déverse une eau noire. De ses cheveux s'échappe une bague qu'elle a dû y cacher, et qui roule au pied de l'échelle. Michel la ramasse et la met dans sa poche. Antoinette est dans cette cage, exhibée, la tête maintenue par le rude appareil de bois et de fer. Elle a repris ses sens. Elle ne ferme pas les yeux. Son regard se promène un instant sur la foule silencieuse, et rencontre celui de Charles Sanson. « Elle me reconnaît », se dit-il, et il ne se dit pas cela en pensant qu'elle reconnaît en lui le bourreau. Elle noue le lien ; elle se laisse, par lui, volontairement regarder. Et son regard s'approfondit, devient plus douloureux encore, son visage semble fait de cire, semble celui de cette Madone que les Espagnols appellent Vierge des Sept Douleurs. Et un miracle se produit : sur la joue creuse coule une larme, cependant que la bouche sourit. Et comme le vent passe à travers les feuilles et fait un bruit de prière, une rumeur douce monte de la place où des femmes s'agenouillent, où des hommes mettent la main sur leurs yeux et pourtant, suprême hommage, ne partent pas.

Voilà ce qui s'est passé. Le reste... Ils n'ont pas échangé une parole. Il l'a ramenée à la Salpêtrière. On lui a donné la vêture des prisonnières du Commun : la robe de tiquetaine, si rude, le petit châle. Il a dit à Sœur Rosalie qui se trouvait là : « Donnez-lui des bas de laine pour mettre dans ses sabots, elle a les pieds si délicats... » (il avait remarqué cela). La Sœur Rosalie (c'est celle que l'on surnomme La Belle Abbesse) a un geste vers son adjointe. Sanson verse son obole. Il connaît les adjointes, vous pensez ! Et il sait qu'elles prennent soin des prisonnières auxquelles quelqu'un s'intéresse. Il dit qu'il reviendra lui parler quand on l'aura pansée. Il dit cela parce qu'à ce moment-là, il n'ose pas lui parler. Elle a les yeux ouverts ; elle semble avoir toute sa connaissance malgré la douleur qui fait frissonner son corps. On l'allonge sur une couche assez propre. Il paie encore pour une couverture. Il s'en va.

En rentrant il voit Michel qui officie dans son rôle de valet de Madame. Il lui dit :

– Rends ce que tu as pris !

– Michel répond :

– Elle l'avait dans les cheveux !

Ils parlent de la bague d'Antoinette, et Michel veut dire qu'ils y ont droit car au-dessus de la ceinture tout appartient au bourreau. Mais c'est une règle qui ne s'applique qu'aux condamnés à mort. Et, d'ailleurs, l'ayant-droit c'est Sanson, et ce n'est pas Michel. Il a tendu la main, Michel lui a rendu la bague. Il a dit à Michel de sortir de chez lui. Il lui trouvera un autre poste mais il ne veut plus le voir. Pour le remplacer il prendra Guillaume, le frère d'Antoine, qui est un honnête garçon, et sans cruauté. Michel va faire son baluchon en ricanant. Madame Marthe approuve : Michel se croit au-dessus de sa condition, c'est un fainéant prétentieux. Guillaume, qui la sert quelquefois, sera trop heureux d'être élevé à la dignité d'aide en second. Antoine monte d'un cran, devient premier aide, et les deux frères s'entendent à merveille : ils lui feront le jardin !

Sanson passe à son petit doigt, en attendant de la lui rendre, la bague d'Antoinette. Celle dont elle a dit au Souper Anatomique qu'elle faisait penser à une goutte de sang.

Quelques semaines après l'enfermement d'Antoinette (le temps était devenu si chaud brusquement que les tonneaux de la cave d'un marchand de vin de la Nouvelle France explosèrent et qu'il faillit mourir dans sa cave des émanations de sa marchandise, alors que la rue tout entière était dans l'ébriété sans avoir bu. Mon maître sauva l'homme en courant le saigner), Jeannette vint me trouver, toute pâle, dans l'écurie où je peignais des artérioles. Le Chevalier était sorti écouter Dionis, chirurgien-juré, qui parlait (à la Faculté) sur la mort subite et la catalepsie.

Georget chargeait les cageots d'un maraîcher qui l'avait retenu pour l'après-midi. Nous étions seules.

– Mademoiselle, il y a un homme qui guette devant le portail. Il a tenté de regarder par la fenêtre du salon. Il passe, il repasse... Je me demande s'il n'est pas de la police...

Nous nous regardâmes avec inquiétude. J'aurais pu sans doute m'étonner de ce qu'elle, qui n'était pour rien dans nos ennuis, partageât mes angoisses aussi visiblement. Mais il s'agissait bien de réfléchir! Et puis une servante est si vite impliquée! Nous nous glissâmes toutes les deux, sans faire aucun bruit, à travers la cour; nous ouvrîmes la porte du bâtiment de façade avec d'infinies précautions : la porte grinçait quelquefois. Elle ne grinça pas. Par l'interstice des volets mi-clos, nous vîmes en effet un homme à l'encolure épaisse, la perruque d'un blond roux importante et mal mise, qui allait et venait, avec des regards dans notre direction, marchant d'un pas lourd et rustique, et consultant souvent une montre qu'il portait en sautoir. Il était vêtu avec une prétention négligente, les basques flottantes. Il s'essuyait le front, par moments.

– Il ne se cache pas, chuchota Jeannette.

– A-t-il frappé?

– Je n'ai pas entendu. S'il frappait, faudrait-il ouvrir?

– Je ne sais pas, avouai-je. (Ce fut à ce moment que je me fis cette réflexion, qu'elle semblait avoir aussi peur que moi.)

– S'il attend, dit-elle toujours très bas, c'est que d'autres vont venir.

– Mais pourquoi?

– En cas qu'on leur résiste...

– Tu crois qu'ils vont fouiller la maison? (Je la tutoyais, pour la première fois et sans y prendre garde.)

Elle devint plus pâle encore et répondit à ma question par une autre question.

– Vous qui étiez aux écuries, avez-vous vu du monde après le jardin ? Dans les champs ? Près de la chapelle ?

Tout ceci chuchoté, rapide.

– Non. Mais je suis peu sortie. Les enfants sont dans la chapelle ?

L'idée m'était venue qu'elle craignait que son mari n'eût fait appel à la justice pour récupérer sa famille, et, à ma grande honte, cette idée-là me réconforta.

– Non, c'est lui.

– Ton mari ? Il se cache ?

Puis il m'apparut que ce n'était pas le moment des confidences. Il fallait savoir, au demeurant, si nous n'étions pas cernées, et par qui.

– Va voir, lui dis-je. Ne fais aucun bruit dans la cour. Passe par la cuisine, prends ton panier, comme si tu ramassais des herbes, et reviens me dire si tu vois quelqu'un.

Je demeure dans le cabinet de curiosités, regardant toujours, et voilà l'homme à encolure épaisse rejoint par un autre, plus mince, qui semble lui être subordonné et fait de grands gestes d'excuse. Il a été retardé, n'a pas trouvé de fiacre (comme il désigne la voiture de louage qui l'attend à quelques pas, je le comprends sans l'entendre). Ils discutent encore, et le plus petit trace du bout de son pied mal chaussé, dans la poussière, une sorte de plan de la maison. Si c'étaient des voleurs, ils ne se tiendraient pas là, en plein jour, à la vue de tous. D'ailleurs, pour ce qu'il y a à voler, ici ! Ce sont donc des exempts, des inspecteurs, que sais-je, et qui projettent apparemment une perquisition. Que faire ? Et je suis seule... Je songe à l'athanor qui se trouve dans le troisième laboratoire, aux bocaux contenant du nitre, de l'antimoine, du soufre, un sel fixe. La police a cela en commun avec le petit peuple qu'elle n'est friande ni de sciences, ni d'idées nouvelles, et donne aux plus simples recherches les interprétations les plus fabuleuses. Nous avions encore dans le laboratoire (ou écurie) numéro 2 un pied goutteux, dépourvu de sa chair, et curieusement tordu. La source de nos approvisionnements n'était pas toujours officielle : était-ce cela que ces hommes entendaient vérifier? Le délit n'est pas pendable, mais cependant...

Je retire mes chaussures, je traverse la cour en toute hâte. Tout est désert. Même Jeannette semble avoir disparu. Je parcours les écuries. Le pied goutteux est toujours sur son socle. Je m'en empare et, le couvrant d'un linge, je cours le cacher dans la cabane du jardinier qui a l'avantage de n'être pas dans notre jardin, mais sur un bout de terrain qui appartient aux Dames Noires. Si on l'y retrouve, elles pourront toujours dire que c'est une relique. Puis, toujours courant, empoussiérant ma jupe, déchirant la doublure de mon corsage aux ronciers, je reviens vers le portail où, maintenant, l'on frappe. Quelque chose dans le salon bleu, dans le salon grège, peut-il nous compromettre? Que je me maudis de n'avoir pas eu un peu plus d'ordre! Il y a là encore quantité de pots de peinture, de seaux, d'éponges, d'étoffes à essuyer les pinceaux... Mais, en somme, nous pouvons peindre sans que le sujet de nos travaux soit subversif!

On frappe. Monter à l'étage? J'hésite. Ni Jeannette ni moi n'y avons jamais été autorisées. J'entends une voix derrière les volets : « Si on faisait le tour? » Tant pis, je grimpe! Me voilà au premier : une enfilade de trois pièces dont la dernière, fermée à clé. Que de poussière dans les deux autres, de belles proportions mais presque entièrement démeublées. Deux tapisseries roulées par terre, une petite table à dessus de noyer, fendue, avec une chaise de la même famille, un lutrin, des ballots de papier à demi éventrés, des malles vides, et même un vieux chapeau. Rien de bien compromettant, il me semble. Au fond, ce que le Chevalier cache là-dedans, c'est peut-être, tout simplement, sa pauvreté. Ce qu'il appelle (je le lui ai moi-même entendu dire) « mes appartements privés » a à peu près la même allure que Georget quand il fait le petit laquais avec sa livrée d'occasion qui poche de partout.

On a cessé de frapper. Par le volet entrebâillé, je puis apercevoir, plantés là comme deux nigauds, incertains, bousculés par les maraîchers qui reviennent, mes deux « inspecteurs » qui me paraissent beaucoup moins impressionnants. Ils haussent les épaules, se concertent, renoncent, et s'en vont par la Nouvelle France. Je respire. Et machinalement, en redescendant les premières marches de l'escalier, je tire, d'un geste enfantin, l'une des feuilles qui s'échappent en désordre des ballots abandonnés. Un regard : « *double impiété ou blasphème double, en ce que l'œuvre de Dieu, mes frères...* » Quoi ! Et sur une autre feuille, dont je crois reconnaître l'écriture, je lis : « *Berry, Florence ou d'Argenton, Baise-les sans vergogne, Mais n'en fais pas la dissection...* » Mes jambes tremblent. Je m'assieds dans la poussière, sur la première marche. Je me souviens de ces ballots. Antoinette, plusieurs fois, à la nuit tombée, est venue en chercher ici. Avec Wilhelm. Soudain tout s'éclaire. Je me souviens : « Elle n'a pas nié. » Sans doute préférait-elle encore être accusée de débauche que de... trahison ? Mais si le Chevalier est l'auteur de ces libelles, pourquoi se dénoncer ? Répandre des pamphlets où l'on se calomnie soi-même ? Ceci demeure obscur. Mais ce que je sais, c'est que je suis l'élève du Chevalier, que j'ai participé aux préparatifs du Souper, que j'ai eu Antoinette Sicard pour modèle, et que si la police soupçonne quelque chose et se décide à une arrestation, on ne fera pas le détail...

Déjà je nous vois à la chaîne, le Chevalier, moi-même, Wilhelm, Châteauneuf peut-être, Jeannette, Georget, et même les malheureux enfants Vigneron nous suivant lamentablement. Tous aux galères, au cachot, si pas à la question. J'eus tellement peur, ce jour-là, qu'abandonnant mon travail, mon désordre, laissant toutes portes ouvertes, je courus m'enfermer dans mon grenier, tirant malgré la chaleur un drap froissé sur ma tête. Et que, là, comme le petit enfant abandonné de tous que je me sentais redevenir, je me mis avec fièvre à réciter un chapelet.

Le petit salon de la Fillon, entremetteuse de haut vol, vient d'être refait. Le blanc et l'or s'y marient. La causeuse, les guéridons, les étagères, tout y est gracieux et fragile. Des pastels, encadrés en médaillons, vont par quatre et représentent les Saisons et les Fils d'Éole.

Mais François-Marie Jailleau se laisse tomber lourdement sur un petit fauteuil en citronnier qui gémit, et manifeste, avec un sans-façon qu'il prend pour du naturel, sa mauvaise humeur.

– Qui donc vous a incitée à débiter votre hôtel en cabinets, en retraits et en débarras, ma bonne amie? Ne voulez-vous recevoir que des gnomes? Ces causeuses pour elfes, ces tabourets pour nains... Je m'y sens démesuré.

– Vous l'êtes par votre talent, lui répond la Fillon, avec une ironie gentille.

Sans en avoir l'air, elle lui rappelle ce qu'il est pour elle : la vivante chronique d'un monde qu'ils connaissent bien, de la cave au grenier, un délassement raffiné, un témoignage de son ascension – comme la duchesse du Maine, elle a son poète.

Mais le « poète » enrage, aujourd'hui.

– Les soupers! Les soupers! Je vous l'avais bien dit quand on m'en a confié la surveillance, que les soupers me porteraient malheur! Une fille qui a plu à Monseigneur, et n'est connue de personne : c'était l'occasion rêvée.

– Il s'agit bien du souper des squelettes?

– Parfaitement. Si j'y avais été en personne... mais on ne peut être partout. J'avais envoyé Jasmin, un agent tout à fait passable. Il se renseigne auprès des laquais, il sait le petit accident de Monseigneur, prévoit qu'il faudra terminer le roman, suit la fille, et arrive rue d'Enfer pour la voir arrêter!

– Une fille qui a plu à Monseigneur, arrêtée?

– Pas au sortir de table, tout de même. Le temps pour Jasmin d'arriver, les embarras de la rue, le souci de n'être pas vu, la belle avait déjà un nouveau chaland...

– Pas de temps perdu! dit la Fillon en riant.

– ... avec lequel elle se prend d'une querelle bruyante, les voisins s'étant déjà plaint plusieurs fois de son inconduite, le guet arrive et l'emmène à demi nue.

– Et votre Jasmin assiste à cela bouche bée? Ne pouvait-il leur glisser un mot, leur offrir quelque argent?

– Il était seul, dit Jailleau assez piteusement. Quand il a voulu intervenir, on l'a pris pour un ami de la fille, coups de poing, coups de pied, veste déchirée, chapeau enfoncé. Il est revenu me raconter cela. J'ai failli le battre moi-même.

Jailleau l'attend depuis un bon moment, sa chance. L'occasion qui le mènera à un petit scandale exploitable, à une spéculation réussie, qui mettra sur son chemin un secret, un complot, que sais-je, n'importe quoi qui lui procurerait une petite rente, une petite maison, un jardin, une bonne bibliothèque où il élaborerait à loisir ses Historiettes, avec toutes les fiches de la Collection étalées, revanche sans fiel sur la vie, plaisirs de modeste suffisance, labeur cent fois laissé et repris de voluptueux imaginatif.

La Fillon sait, et il sait lui-même, qu'il aurait dû se trouver rue de Charonne, qu'il aurait dû se trouver rue d'Enfer, et qu'on n'est jamais bien zélé (Jasmin) quand on n'y a pas d'intérêt personnel. Mais ils ne le diront pas. L'amitié ne résiste pas à certaines paroles dites ou entendues, et ils sont amis, à leur façon, unis par la conscience de naviguer à travers les couches de la société, d'en connaître les secrets, d'y puiser un sentiment de revanche, de supériorité et d'indulgence. Initiés.

– Huit jours après, huit jours trop tard, dit Jailleau, répondant à ce que la Fillon n'a pas dit, je cours à la Salpêtrière...

La Fillon réprime un sourire au mot « courir », mais ne dit rien.

– ... où je tombe sur Sœur Rosalie. Vous savez qu'elle me hait. Si! si! depuis la chanson que j'ai faite sur son battoir...

– Elle était drôle.

– Pour les autres. On l'a beaucoup chantée. Bref, elle me rit au nez quand je demande la Sicard, c'est le nom de la fille. « Je ne saurais dire... On est venu pour elle... J'étais absente... Je n'ai pas vu l'ordre... » On cherche la Sœur Guillaumin qui a signé la sortie. Elle est malade, elle visite un parent, on ne sait où. Je me battrais. Je suis une bête, je suis un sot, et pis encore, car si Rosalie a été dupée, elle ne l'est plus. Je me suis compromis pour rien, elle a fort bien vu l'importance que j'attachais à ce renseignement. Elle s'en est donnée à cœur joie : « Une fille. Une simple fille publique, arrêtée pour un peu de tapage, *et vous vous dérangez en personne! Est-ce donc pour votre agrément? Elle doit être bien charmante!* » Elle se moquait sans vergogne. Elle se prend pour une grande dame parce qu'elle fréquente cette Bénédictine de Picpus, la maîtresse de d'Argenson!

– On ne peut pas lui faire confiance, dit la Fillon, pensive. Elle n'aime pas l'argent.

Cependant Jailleau passait mentalement en revue celles qui le renseignaient d'habitude : la Sœur Marcel, la Sœur Marie-Claude (titres des surveillantes parfaitement laïques de l'Hôpital Général), la Colon, intendante, la Dufresne, dans le personnel des prisons; les proxénètes : la Martin (retirée, fortune faite), la Brincourt (vient de mourir), la Duval dite Avale-Tout, la petite Aurore, et l'autre qu'on appelait par plaisanterie l'Aurore Boréale. Laquelle, fille du monde, raccrocheuse, appareilleuse, pourvoyeuse, courtière, marcheuse, complaisante, pouvait-elle le renseigner?

De son côté, la Fillon, compatissante, cherchait parmi celles qui usaient d'une couverture honnête : marchande à la toilette, corsetière, revendeuse, voire (mais nous montons d'un cran) maîtresse de musique ou de maintien; plus haut encore, comédienne, fille d'Opéra, fille entretenue par un homme de robe ou de Cour et qu'il serait bien malséant de traiter d'un vilain nom parce qu'elles font partager leur bonne fortune à des amies triées sur le volet, qui rencontrent quelques amis dans d'aimables soupers et y font les conditions qui leur agréent. Un cadeau à l'amie, et voilà un début bien engagé.

– Du café? demande la Fillon pendant qu'ils réfléchissent, agitant des noms comme l'on bat les cartes.

Jailleau n'ose pas dire qu'il préférerait un alcool. Il sait que la Fillon, sortie du train des affaires, désire qu'on ait, chez elle, de la tenue.

– Du café, dit-il avec résignation.

La Fillon prépare le café. Elle aime le luxe, elle connaît, après des années difficiles, un mauvais mariage, un commerce long à mettre sur un pied de dignité inégalée, elle connaît le vrai luxe qui est celui de prendre son temps. Et si Jailleau, malgré son encolure rustique et des façons qui sentent toujours un peu le terroir, est lui aussi son ami, c'est qu'outre du café, des dragées, des épices, une saisie, il lui apporte autre chose dont elle est friande : la considération.

Riche, connue du meilleur monde à présent, la Fillon a beaucoup d'esprit, beaucoup d'argent, peu de beauté, et ce superflu dont elle-même parfois s'étonne : du cœur. Peut-être, du reste, cette disposition bienveillante (pourvu, tout de même, qu'elle n'en soit pas, dans ses intérêts, lésée), est-elle plus imaginative encore que sensible. Mais finalement non : elle est sensible, et par là en avance sur son temps. Aussi le cache-t-elle. Plus ses « pratiques » sont relevées, plus son langage devient grossier. Elle est infiniment reconnaissante à qui n'en est pas dupe, et particulièrement au « Bon Ami » avec lequel elle entretient les meilleurs rapports, et qui la surnomme (les surnoms sont à la mode) : « La Présidente ». Ceci vient d'un malentendu qui dura : un sieur Fillon, président de l'élection d'Alençon, vint s'installer à Paris, avec sa femme, pour des raisons d'affaires. Cette présidente bien réelle voit arriver, à peine installée, jeunes et vieux galants qui, se trompant d'adresse, se permettent, dès l'entrée, envers elle et ses filles, telles privautés qu'elle croit d'abord d'usage à Paris, puis, ne pouvant plus s'y méprendre, contre lesquelles elle proteste à grands cris. Dans le même temps, notre Fillon reçoit avec même surprise des hommes graves, qu'elle croit d'abord timides, n'osant exprimer leurs désirs, et auxquels elle suggère obligeamment quelques spécialités de son catalogue, pour les voir battre en retraite, indignés ou confus. Elle s'étonne, s'informe, et le malentendu s'éclaircit. Mais il dura si longtemps, entretenu par des esprits malicieux au détriment des naïfs ou des provinciaux, que Monsieur le Président Fillon s'estima contraint de changer de nom, et de prendre celui d'un petit bien qu'il avait, cependant que le Régent et ses roués donnaient tous de la « Présidente » à la Fillon, qui portait le surnom comme une robe à queue.

Jailleau ne manque pas à la tradition en la remerciant : « C'est le meilleur café de Paris, Présidente », bien qu'il déplore qu'une anecdote aussi savoureuse soit également répandue, et ne puisse figurer dans la Collection où il ne veut que des raretés. Mais peut-être dans quelques années l'aura-t-on oubliée? Il l'a rédigée et mise dans le tiroir *en attente*. On ne sait jamais. Et par association d'idées – le Palais-Royal avait tant ri de lui que le Président Fillon, lequel n'avait pas eu l'esprit de se joindre aux rieurs, en devint l'ennemi juré de la Régence, un familier assidu de Sceaux et un partisan acharné du droit de succession au trône des princes légitimés : petites causes, grands effets (si l'acquisition d'un Président Fillon peut passer pour un effet!) –, et par association d'idées, donc, Jailleau suggère :

– Un malveillant peut l'avoir détournée, pour contrarier le prince?

– Ce serait bien mal connaître notre grand homme. Lui a-t-on jamais vu un regret qui durât plus de huit jours?

– Il a regretté la Séry, dit Jailleau avec une pointe de sentiment.

– Il y a beau temps.

– Qui l'a fait sortir, alors? Un roué? (Encore un surnom, donné aux compagnons d'orgie de Monseigneur.)

– Trop paresseux. Croyez-vous qu'ils se dérangeraient pour faire libérer une fille, acheter l'un ou l'autre, alors qu'ils n'ont qu'à tendre la main?

– Un provincial ?
– Il n'aurait pas ses entrées à la Salpêtrière.
– Un proxénète de fraîche date ?
– Je le saurais. Ce doit être une fille qui travaille seule. Sans quoi on me l'aurait signalée, dit la Fillon avec hauteur.

Jailleau sourit en son for intérieur, parce que pour la Fillon, *travailler* a un sens et n'en a qu'un. Mais il se garde de laisser paraître ce sourire.

– Antoinette Sicard... rêve la Fillon. Je vais m'informer, demander... Cela ne me dit rien, ce nom-là. Probablement un nom de guerre.

La guerre, elles connaissaient, toutes ces femmes que Jailleau avait sur son carnet. Et bien d'autres aussi. La Dufresne qui régnait sur Sainte-Pélagie, annexe de la Salpêtrière, s'était battue contre la misère ; et Sœur Rosalie, Supérieure de la Salpêtrière, contre le mépris : elle était fille naturelle d'un hobereau limousin et d'une blanchisseuse. La Brincourt, qui venait de mourir, une maquerelle de bas étage, était fille d'un officier de police dégradé pour proxénétisme ; elle n'avait eu d'autre issue que de reprendre le flambeau. Les deux Aurore se battaient contre les proxénètes. Et la Fillon elle-même, contre le dégoût. Toutes contre les maladies, les hommes, l'ordre social, la justice et l'injustice, la noyade qui menaçaient parmi leur sexe toutes celles qui étaient dépourvues de protections, de beauté ou d'argent. On disparaissait, tout simplement. Selon le rang de la famille : mal mariée, mal accouchée, servante, putain ou couventine, tôt vieille, tôt laide, tôt morte et tant mieux.

« Les hommes, tout de même, s'en sortent mieux. » Mais en regardant les piètres efforts d'élégance de Jailleau, le col de drap râpé, le galon dédoré, la dentelle qui s'arrête sitôt commencée la manche (quand il bouge on s'en aperçoit), la Fillon est saisie d'une amicale compassion et dit gentiment :

– Cherchez bien, je chercherai de mon côté. Si vous n'avez pas la fille, vous aurez au moins l'histoire...

Jailleau s'éclaire.

Je récitais un chapelet, ce soir-là, disais-je. Oui, oui, le chapelet, riez. Dieu, ces années-là, n'était guère à la mode, peut-être moins encore qu'aujourd'hui. Un amalgame s'était fait dans les esprits, durant une morose fin de règne, entre cette vieille perruque de Roi, cette vieille Maintenon qui avait tant peur des courants d'air, ces défaites militaires qui coûtaient si cher et dont on récompensait les vaincus, la rigide étiquette par laquelle on s'imaginait masquer cette décadence. Tout cela craquait comme un corset. Mais, comme le petit peuple qui continuait à en appeler à saint Expédit qui hâte la conclusion des affaires traînantes, à saint Fabien qui guérit des morsures de serpents et à saint Goupil qui n'est pas encore saint mais ne saurait tarder à le devenir ayant été mangé par les Iroquois, j'en appelais au ciel pour qu'il me tirât de ma peine, m'éclairât et me secourût, car j'avais le sentiment d'être, moi aussi, environnée d'Iroquois, incompréhensibles et sans pitié.

J'entendis – toujours ces jours-là où j'étais sensible à tout, comme, le soir, ou dans la pénombre d'une maladie, on craint le moindre reflet, le moindre bruit – une dame, dans un salon où nous allâmes (moi portant les matériaux de la démonstration) faire un cours de chimie, une dame d'un fort bon air discuter le fameux sujet du Grand Être, en évoquant (ce que mon maître m'expliqua plus tard) le « pari » d'un certain Pascal.

– Mais si c'est un pari où l'on ne peut pas perdre, s'écriait-elle avec enjouement, c'est du dernier commun !

– Il y avait là beaucoup d'affectation, me dit mon maître quand nous revînmes. D'autant que cette joueuse qui contrefaisait les grandes dames n'était que la fille d'un armateur de Saint-Malo qui, lui, jouait sur les navires. Mais jouer à coup sûr, en effet, ce n'est pas jouer.

Je trouvai la force de lui dire :

– Et jouer un jeu où l'on ne peut pas gagner, mon maître, pensez-vous que ce soit plus relevé ?

Il me regarda.

– Mon maître, mon cher ami, lui dis-je avec un grand effort d'abandon, ne pouvons-nous entièrement nous consacrer à notre art, aux sciences dont la vogue augmente chaque jour ? Nous arriverons à force de travail et de bonnes relations à nous faire connaître, et, peut-être, à faire fortune sans risques et sans offusquer personne, sans jouer nos libertés et nos vies, sans...

– Jouer sans pouvoir perdre, je vois que vous êtes du côté de Pascal dont vous ne savez rien, dit-il en se tenant les côtes.

Puis, revenant à plus de sérieux, si l'on peut appeler cela du sérieux :

– ... Voyons, Catherine, tu ne voudrais pas que je me retire, les cartes en main ? Tu ne voudrais pas que l'on dise que je fais pharaon. (Et, voyant mes yeux ronds :) C'est une expression dont on use pour dire que l'on s'en va avec ses gains avant la fin de la partie. Et c'est « du dernier commun », comme disait la précieuse poissonnière...

Je ne répondis rien. Je vis bien que je ne le convaincrais pas et que, quelle que fût la partie, il faudrait le laisser aller au bout.

CHAPITRE VI

Où diverses questions sont posées : si la superstition est un palliatif à l'ennui, si un bon livre chasse l'autre, et si Antoinette Sicard est négociable. De bons esprits concluent que non.

Cette histoire n'est pas celle d'Antoinette. Ni celle de Sanson, le bourreau, qui l'aima sous les deux espèces : chair et cire, visage et image. Ni celle de François-Marie Jailleau qui voulut se faire une petite rente pour passer de l'état décrié de policier à celui, à peine plus relevé, de mémorialiste. Ni celle de la Fillon, bien sûr : elle n'a pas d'histoire, elle en écoute comme Jailleau en raconte. Ni celle d'un Chevalier qui se précipite, en ces mois d'hiver 1717-1718, comme un torrent charriant autant de bon bois que de feuilles pourries. Encore moins celle de Jeannette qui, derrière son visage rude, tremble pour ses enfants, pour son Jean-Marie : oui, elle sait bien ce que veut dire « porte-balles », et que ce n'est pas en colportant qu'on gagne de quoi payer les pendants d'oreilles qu'il a voulu lui faire accepter et qu'elle a refusés avec horreur – et qu'elle tremble aussi de désir, Jeannette, pour son beau vigoureux voyou de mari, et qu'elle évoque la sage-femme des Porcherons qui lui a dit : « Un enfant de plus et vous y restez », et qu'elle morde son fichu et s'enfonce les ongles dans les mains, et dise : « Non, Jean-Marie, c'est non, ça ne me dit plus rien, j'ai des douleurs », et qu'il lui réponde en montrant ses belles dents, ses dents ! « Je t'en prie !... » mais elle ne l'embrasse même pas, elle irait au bout, déjà elle frissonne quand il répond : « Je vais te les faire passer, tes douleurs, tout doucement », tout cela n'est pas notre histoire.

Non, ce n'est pas cette histoire qui se déroule, ni même celle de la petite Catherine qui devient une femme, une vraie femme, qui n'ose pas regarder dans son cœur, mais donnerait peut-être bien sa vie s'il le fallait.

Non, cette histoire est celle de John Law, né à Édimbourg en 1671, cinquième enfant d'un orfèvre. Un moment bourgeois de La Haye après avoir quitté l'Écosse pour une histoire de duel, venu plusieurs fois séjourner en France, rédigeant plusieurs fois des écrits sur la monnaie, rejetés par l'un et par l'autre, mais non sans susciter l'intérêt et, en novembre 1713, de retour à Paris, installé place Louis-le-Grand, et décidé à s'y fixer. Et la suite.

Cette histoire est celle de John Law, dont il ne sera plus jamais question. Car la petite Catherine, Martinelli, Jailleau, Jeannette, et d'autres dont il sera bientôt question, ont en main des fragments de cette histoire, qui sont exactement l'équivalent du papier-monnaie ou des actions du système de l'Écossais. S'ils savent en user, les acheter, échanger, revendre, elles valent de l'or ; elles prennent toutes les formes : rentes, changement de condition, amour heureux, aventure. Mais aussi ruine, honte, prison et mort subite. Toujours le jeu, la métamorphose. On dit qu'un peu après cet hiver 1717-1718, une dame de bonne bourgeoisie se trouvant dans une loge à l'Opéra (on la nommait, je crois, Madame Bégon) vit dans une loge identique, en face d'elle, une forte et laide femme, toute couverte de diamants. Elle dit à sa fille qui l'accompagnait : « Mais, n'est-ce pas?... » « Si, Maman ! » C'était leur cuisinière, enrichie par la spéculation, et qui avait donné congé le matin même. On dit encore qu'un cuisinier de Monsieur Law, ayant lui aussi fait fortune, voulut le quitter. L'Écossais s'exclama :

– Mais que vais-je faire sans cuisinier?

L'homme lui répondit obligeamment :

– J'en ai retenu deux à mon usage. Vous choisirez, et je prendrai l'autre.

On n'en déduira pas que les cuisiniers seuls faisaient fortune. Ni que Madame Bégon (si c'est bien son nom), obéissant à une nécessité symétrique, devint cuisinière Mais seulement que ces métamorphoses, qui durèrent deux ou trois ans, mirent au plus haut, telle une grande roue foraine, ceux qui l'instant d'avant étaient au sol – pour les y rejeter parfois, d'ailleurs, avec rudesse ; que ce changement de perspective où celui qui ne voyait pas plus loin que le marchand d'oublies jetait un coup d'œil sur la France entière et peut-être plus loin (encore fallait-il avoir des yeux et du raisonnement) pour retomber, instruit, au niveau des taupinières ; que ces métamorphoses, en langage scientifique ou forain, considérant une roue qui tourne lentement (ainsi en est-il dans certaines loteries), sont fort justement appelées des *révolutions*.

Mais quand seront rassemblées les fiches de la Collection de Jailleau, peut-être s'apercevra-t-on que cette révolution de la roue passe par une multitude de points toujours les mêmes, ce qui fait qu'en baissant les paupières quelques secondes on pourrait croire que l'on ne bouge pas. Il se peut que la Collection tout entière ne soit que l'histoire de ce battement de paupières : Or? Papier? Mouvement? Station?

De même on pourrait dire que c'est l'histoire, avec toutes ces maîtresses, ces alliances, ces travaux, ces intérêts pour les arts et les sciences, cette nostalgie de la guerre, cet amour de la paix, que c'est l'histoire des impatiences du Régent : bridé dans sa fougue guerrière (plus de commandement après Lérida) ; bridé dans ses amours, contraint qu'il fut de renvoyer la Séry, faite comtesse d'Argenton, et la seule à ce qu'il semble à laquelle il ait été un peu sérieusement attaché ; bridé dans ses ambitions espagnoles et françaises, trompé par le testament du vieux Roi. Oui, la vitesse des années qui passent est bien celle d'un cheval auquel on rend soudain la bride et qui, grisé de liberté, file en droite ligne sans savoir où il va. C'est bien l'histoire de l'impatience du Régent. Mais la rapidité même d'une révolution ne la ramène que plus vite à son point de départ : et cela c'est l'histoire de l'indifférence du Régent. Et ce choix, peut-être impossible, entre deux visions d'un être ou d'une époque, le mouvement – qu'un jour on appellera progrès – et l'immuabilité – qu'un jour on appellera nature –, s'il s'est jamais posé, c'est bien à ce moment-là de l'histoire ; c'est bien à ce moment-là de la Collection de Jailleau, divertissement aimable, entraînement qui peut devenir passion, glissement insensible d'un homme sur la pente d'une fable qu'il croyait seulement raconter.

Il reçoit des rapports, des lettres, des factures, et fait à son tour un rapport qui sera transmis, interprété, commenté par un autre qui s'en attribuera le mérite. Parfois : « Votre opinion, Jailleau? », la voix brève, signifiant qu'il ferait mieux de n'en avoir pas de trop tranchée. Et lui : « Votre opinion, Jasmin? » à ce pauvre ahuri consciencieux qui lui apporte le fruit de ses recherches. Mais Jasmin, mieux avisé que son supérieur, se réfugie dans les « il n'est pas prouvé... il semble, à première vue... », jusqu'à ce qu'on l'interrompe avec impatience. Tandis que Jailleau, parfois, se laissait aller à des développements, fait état d'intuitions qui suscitent l'ironie : « Vous vous intéressez à cette affaire, Jailleau ? » Et il a beau s'en mordre les doigts, savoir par expérience que c'est la dernière des choses à faire que de montrer de l'intérêt pour un homme ou une affaire (on lui demande des renseignements, et « votre opinion ? », c'est le résumé des renseignements reçus, parce que l'autre a trop à faire, n'est-ce pas, pour les lire), il a gardé l'illusion, qui le prend comme une griserie, qu'un jour il va tomber des lèvres augustes une appréciation « Pas si bête, Jailleau ! » qui le mènera vers le modeste succès qu'il ambitionne. Une fois, en effet (il s'agissait d'une affaire de faux-sauniers, ces hardis contrebandiers du sel que, d'une certaine façon, il admire, et dont il avait disculpé le soi-disant chef, un gentilhomme breton aux opinions subversives), on lui a dit « Pas si bête, Jailleau ! » et il a failli être rétrogradé. La Fillon est intervenue officieusement, et on ne lui a plus parlé de rien. Mais adieu promotion et petite rente.

Au moins, cette fois, il ne risque rien en s'intéressant à Mademoiselle Antoinette, dite Sicard, réputée fille d'un Sieur Malouin, élève de multiples couvents, dont, en dernier, celui des Dames-Noires, et que l'on retrouve dans la maison d'une maquerelle. Quel trajet, Mademoiselle Malouin-Sicard ! Et qui n'est pas achevé, si vous avez laissé un souvenir dans l'esprit d'un certain Amateur d'anatomie...

« C'est en 1661 que Dame Jeanne de Vélizany épousa Monsieur Malouin, Président des Requêtes du Parlement de Paris. La paix régna dans ce ménage pendant près de dix ans. Le seul chagrin des époux,

ou du moins de l'épouse, était de ne pas avoir d'enfant. Monsieur Malouin qui, du chef de sa femme, avait hérité de la terre des Essarts, près de Noyon – et se fit dès lors appeler Malouin des Essarts –, n'en fit pas grief à Madame. Outre une belle somme d'argent, elle lui procurait des avantages par son père fort influent dans le ministère. Il advint qu'un changement dans les affaires donna une atteinte mortelle à la fortune du Sieur Vélizany, que la disgrâce l'accompagna, que Monsieur Malouin des Essarts craignit par-dessus tout d'y être enveloppé, et que ses rapports avec Madame Malouin s'altérèrent au point qu'ils prirent chacun un appartement séparé. Le malheur de Madame Malouin était grand. Il le fut plus encore quand, au bout de quelques semaines, elle s'aperçut que ce bienfait qu'elle avait imploré du ciel, à savoir la conception d'un enfant, lui advenait enfin au moment le plus malencontreux pour elle.

« Elle n'en fit pas moins aviser Monsieur des Essarts, lequel protesta aussitôt qu'il n'en voulait, ni n'en pouvait, rien savoir. Qu'il était de fait, avant même de changer d'habitation, séparé d'avec son épouse, et ne pouvait être le père de cet enfant malvenu. Ainsi, avant même sa naissance, la malheureuse Antoinette, Jeanne, Angèle fut-elle l'objet de contestations, de querelles et de calomnies, qui allaient bientôt se transformer en procès.

« En vain Madame Malouin des Essarts protesta-t-elle qu'elle ne recevait aucun homme en particulier, n'en voyant que dans les réceptions publiques qu'exigeaient les fonctions de son époux. En vain fit-elle observer la coïncidence étonnante entre la discorde soudaine entre elle et son époux – qui n'était nullement de son chef – avec la disgrâce de son père, avec sa ruine, et la disparition des revenus qui avaient permis au Président des Requêtes de tenir hautement son rang. Ce dernier argument ne pouvait émouvoir une

Cour pour laquelle la disgrâce était un crime qui englobait toute une famille, et la ruine un ridicule pire encore. Car la faveur pouvait se rétablir mais la ruine empêchait que l'on attendît cet heureux changement. On comprenait donc fort bien que Malouin des Essarts plongeât, nageât, et s'éloignât au plus vite du navire en détresse des Vélizany. Quant à la vertu de Madame Malouin, qui s'en souciait? La pauvre femme avait beau se débattre et produire des témoins (il fut des amis assez courageux pour la soutenir en cette occurrence), on ne faisait qu'en rire. Des Essarts le tout premier, qui lui faisait une réputation de libertine, et quant aux hommes qu'elle prétendait ne pas recevoir en particulier, goguenardait sur son compte en soutenant que, peu difficile, elle se contentait modestement du maître d'hôtel et du jardinier, ne leur demandant que ces brefs services pour lesquels il n'est pas besoin de lettres de noblesse.

« Madame Malouin se décida, réduite à l'indigence, son mari lui refusant tout secours, et devant tant de noirceur qui la déshonorait en même temps qu'on la dépouillait (car il subsistait bien quelques restes du bien des Vélizany, mais pour les retrouver, c'était le pot-au-noir), à intenter un procès, qu'elle s'apprêtait à soutenir plus pour son enfant que pour elle-même. Sa santé s'était déjà fort altérée et, dans de telles circonstances, on attendait un accouchement difficile. Cependant elle mit au monde une fort belle enfant, qu'elle souhaita nommer Antoinette, comme sa propre mère, et Jeanne, Angèle pour les autres prénoms qui étaient ceux de Jean-Ange Malouin, son époux pour lequel elle semblait conserver quelque tendresse. A moins qu'elle n'entendît affirmer de cette façon une parenté pour elle indubitable. On dit que la ressemblance encore entre l'enfant et Monsieur Malouin des Essarts, bel homme, fort grand, bien fait, mais fort noir de poil et de peau, était indiscutable.

Les ressemblances sont toujours indiscutables quand on présume honnêtement du père. Mais dans ce cas...

« Bien que le procès fût déjà engagé, Madame Malouin, alitée, épuisée, fit supplier son mari de venir, ne fût-ce qu'un moment, jeter un regard sur le nourrisson. Sans doute espérait-elle que l'ingrat serait attendri par cette ressemblance qui lui semblait frappante, ou encore que l'état de misère où elle se trouvait l'amènerait à un retour sur lui? Il ne vint pas. Il fallait pourtant baptiser la petite. N'étant pas en état de se lever, Madame Malouin envoya son unique servante, Mathilde, accompagnée de deux voisins qui devaient servir de parrain et de marraine, au curé de Saint-Sulpice afin qu'il baptisât l'enfant et l'inscrivît sur les registres.

« Mais que devint la malheureuse mère en apprenant qu'après avoir fait des difficultés peu motivées (le voisin étant regrattier, la voisine fripière, et il estimait ce parrainage peu convenable) le curé révéla enfin que, deux jours auparavant, il avait reçu la visite de Malouin des Essarts en personne, accompagné de deux notaires, qui lui avait exposé dans un procès-verbal en bonne forme qu'il avait appris (sans doute par les sommations de Madame Malouin) qu'on voulait lui supposer un enfant qu'il ne reconnaissait pas pour sien, et qu'il priait de n'en baptiser aucun sous son nom sans l'en avertir? Le pauvre curé, hésitant à déplaire à cet homme plein de superbe, le verbe haut, et soutenu par ses notaires, averti qu'il y avait pour le moins conflit puisqu'il y avait procès, mais craignant que l'enfant qui lui avait été amené ne pérît sans baptême, le lui administra et l'inscrivit sous ses seuls prénoms, sans mention de père ni de mère. Ainsi Antoinette, Jeanne, Angèle fut-elle ramenée chez elle plus dépourvue encore qu'elle n'en était sortie, sauf quant au salut que son baptême, même anonyme, lui garantissait en cas de décès. Madame

Malouin n'était-elle pas assez pieuse ? Désespéra-t-elle en entendant ces fâcheuses nouvelles d'être justifiée ici-bas ? Elle eut, en entendant le récit coloré de la servante, un choc qui se traduisit par un transport au cerveau, ce qui amena quelques saignées, lesquelles, venant après un accouchement qui l'avait fort affaiblie, l'achevèrent et mirent un terme au procès qui promettait beaucoup.

« En effet, est-ce remords, est-ce scrupule d'attaquer en justice un enfant à la mamelle, est-ce tout bonnement crainte des débours – ce que nous sommes portés à croire –, Monsieur Malouin des Essarts mit un terme à la procédure, fit prendre l'enfant par une nourrice de campagne, puis (à ce qu'il nous est parvenu, qui peut être faux) l'aurait fait mettre dans un couvent, éprouvant à la voir une répulsion dont nous n'avons pas à analyser la ou les causes. Il semble que plusieurs années après, devenue jeune fille, elle ait pris la fuite, ce que l'on ne s'explique pas, dérobant le vestiaire d'une servante : la fille Sicard, dont elle aurait pris le nom, ce qui nous a permis de la retrouver. »

De la retrouver ! Imbécile ! Si seulement il l'avait retrouvée ! Au lieu de cela, il se fait battre et revient demander le prix de son chapeau ! Ce Jasmin ! Est-ce que Jailleau demande, lui, qu'on lui rembourse les verres qu'il est contraint d'offrir, et de boire, pour obtenir ses renseignements ? Elle doit être belle, cette fille, pour que le Prince... Une fille noble, ou presque. Il l'imagine.

Une fille humiliée dès son plus jeune âge. Une fille qui sait que, dès qu'elle a le dos tourné, on rit, ou qu'on chuchote, ou qu'on soupire. Qu'on fait des suppositions infamantes. Sa mère l'a eue avec un jardinier... Elle est la fille d'une Présidente à mortier et d'un porteur de chaise. Ou c'est le contraire : d'une marchande de mode et d'un... On la flatte aussi ; c'est le pire. « Mes parents ne me laisseront jamais quitter le couvent, tu crois que tu pourras m'avoir une abbaye, un jour ? Si tu étais appelée à la Cour, est-ce que tu pourrais parler de moi pour... » Toutes jeunes que soient ses compagnes, elles savent déjà les emplois, les charges, les honneurs, les prébendes, et pourquoi ne pas tenter la chance ? Mais il vient toujours un moment où la Supérieure se lasse : « Il devient impossible de vous garder à Sainte-Odile. Je me suis arrangée pour qu'on vous accepte, provisoirement, à Melun... »

C'est toujours provisoirement. Et les sourires, comme les froncements de sourcils, sont, eux aussi, « provisoires ». Puisqu'on ne sait pas. Puisqu'une bonne fée peut, un jour, toucher le front d'Antoinette et lui donner des pouvoirs, ou un mauvais sort la transformer en crapaud ou en laveuse de vaisselle. Quelles que soient sa sagesse, son application, le jugement reste suspendu. Elle doit avoir été laide jusqu'à douze ans : « un petit corbeau », cause d'indulgence, et, tout à coup, à quatorze ans, la voilà grande et belle. Cela est intolérable, cela ne peut plus durer. Une grande, belle fille, musicienne, dansant à ravir, lisant beaucoup, se permettant d'avoir des idées, et des idées exaltées soupçonne-t-on, doit être riche et noble, sinon pas d'excuse. On l'a éduquée pour cela, à tout hasard. Et voilà enfin l'acte, la reconnaissance. « Vous vous appellerez dorénavant Mademoiselle Malouin des Essarts. Vous commencerez ici votre noviciat en septembre. Je vous félicite. – Mais n'ai-je pas le choix ? Ne puis-je pas réfléchir quelques jours ? – Réfléchir ! Quand votre père a la bonté de vous donner son nom ! Une dot ! Réfléchir ! – Mais enfin, il me semble que si j'ai un père, une famille... »

En quelques mots la Supérieure, outrée, résume la

situation. Et pour achever l'opération (un choc est à l'origine de bien des vocations : Rancé) lui tend un mot bref et cruel de son père. Il paiera la dot, lui laissera ce nom qu'elle ne mérite pas, à condition... « Vous voyez que l'on vous fait encore un sort enviable. Une fille adultérine... » « Qui le prouve ? » a dû crier Antoinette. La Supérieure a un petit rire : « N'argumentez pas. Voici l'acte authentique de reconnaissance. Contentez-vous de cela. » Une tourmente de fureur secoue Antoinette. Elle humiliée, sa mère, au-delà du tombeau, humiliée, sans pouvoir se défendre, ce nom, jeté comme une aumône, ce nom « qu'elle ne mérite pas »... « Oh ! mon père, que tu sois mon père ou non, tu vas le regretter, de m'avoir jeté ce nom à la figure ! » Peut-être, à ce moment-là, rêve-t-elle de vengeance éclatante, d'argent facile, de pouvoir ? De reparaître devant lui, triomphante ?

Pendant qu'on chante l'office du soir, elle s'échappe par le jardin. La Supérieure la croit occupée à cuver ses révélations, ne la fait pas chercher : qu'elle pleure, l'orgueil lui sortira du corps ! Mais Antoinette est déjà dehors, vêtue d'une jupe et d'une capote de laine dérobée à l'office. Dans sa poche, quelques sous, et son seul bien, l'acte qui la reconnaît. Elle passe l'octroi. Elle est dans Paris, porte Saint-Jacques. Elle rôde dans les rues froides, boueuses, n'ose pas entrer dans un cabaret. Elle marche. Elle est grande, ses yeux gris sont noirs de colère. Elle est décidée au pire, mais ne sait pas comment s'y prendre, quand une femme l'aborde : une appareilleuse, elle saura le mot plus tard, et lui propose de la suivre. Elle connaît une maison très bien tenue, du vin, de belles robes, on voit qu'elle vient de province, quel âge a-t-elle ? Antoinette dit seize ans. Elle les paraît. L'appareilleuse la mène chez une maquerelle qui la reçoit onctueusement. C'est une belle fille, maintenant, qu'Antoinette ! Elle a du feu dans le regard, les joues rougies par la fièvre, un peu maigre peut-être... mais on te remplumera, ma mignonne. Voyons, a-t-elle été en maison déjà? Non. Sait-elle s'y prendre? Pas trop, dit Antoinette prudemment. Mais qu'elle ne rougisse pas! On apprend toujours assez vite... et bien des hommes préfèrent un reste d'innocence. A-t-elle des agréments? Elle danse? Elle chante? A merveille! On pourrait la garder pour des parties? Elle mérite mieux que le tout-venant. « Oh! je prendrai le tout-venant, si vous voulez. » Bonne fille... Excellentes dispositions. Et bien élevée. Elle plaira. L'appareilleuse reçoit son dû. « Tu as une chambre, déjà? Non? Peu importe, nous te gardons. Logée, nourrie, et nous avons du linge fin, des parfums, des savons... Tu ne seras pas à plaindre. Comment t'appelles-tu? »

D'une voix claire, elle a répondu : « Antoinette. Antoinette Sicard. » Un nom de servante. Bientôt un nom de fille publique. N'est-ce pas ce que vous avez voulu, mon père?

La maquerelle s'appelait la Brincourt. Morte depuis peu, dit le rapport, mais cela, Jailleau le sait. Assassinée par des faux-sauniers, justement, qu'elle logeait dans son grenier. Il y a là une histoire obscure, que nul n'a le souci d'éclaircir. La Brincourt a-t-elle dénoncé ces hommes, qui ont pu néanmoins s'échapper, et sont revenus par vengeance? Cléo, une des pensionnaires, et un peu plus, de la Brincourt, a-t-elle dénoncé les contrebandiers à la police et la Brincourt aux contrebandiers? Peut-être le saura-t-il, en prime? Mais la Brincourt et Cléo sont des figures comme il en côtoie tous les jours. Sans imprévu, sans style. Même un crime, chez ces femmes-là, devient banal, comme un accident, une vérole, une arrestation arbitraire. Une note en bas de page, c'est tout ce que ça vaut. Bien sûr, si Cléo paraissait nourrir pour la Brincourt une tendresse bien injustifiée – mais ne faut-il pas qu'on s'attache ? –, si Cléo a prévenu la police et prévu l'inévitable suite, par jalousie, par vengeance, ou pour toute autre raison d'amour, c'est un peu plus intéressant. Un peu seulement. Cléo est ce que l'on appelle une bonne fille. Rien de commun avec l'enfant fière et folle qui, dans les rues d'un Paris inconnu, a suivi l'appareilleuse chez la Brincourt.

Jailleau aussi, jeune garçon, est arrivé de sa campagne résolu à tout plutôt que de passer sa vie à ramasser des betteraves. S'il l'avait rencontrée... « Mais non, j'étais trop rustre, trop laid... » Il n'est pas dit, dans le rapport, qu'elle est belle. Mais enfin elle doit l'être. Et quelle démarche, cette fuite, ce consentement au pire... Une fille de quatorze ans ! Perverse ? Ignorante ? Affolée ? Il rêve qu'il la rencontre au coin d'une rue, devant un pont. « Tu es seule ? Viens. » Il l'emmène dans sa chambre : « J'ai des livres. Tu vois je ne suis pas qu'un rustaud mal dégrossi. » Il lui raconte une histoire comme il en racontait aux gentilles petites sottes de son pays, près du lavoir. Ou, peut-être, traversent-ils une place, sous le ciel noir. Regardent-ils ensemble le fleuve... Voilà l'appareilleuse qui s'approche. On ne peut pas bondir au secours d'une femme dans le passé, n'est-ce pas ?

Jasmin est toujours un peu vague quant à la chronologie, mais cette Antoinette doit avoir aujourd'hui entre vingt-cinq et trente ans. Il y a des femmes qui sont encore très belles, à trente ans...

Sanson vint quelquefois, cet hiver-là qui fut long et finit brusquement, à l'Hôtel des Arcoules.

S'il avait cessé d'y aller, il eût éveillé des soupçons. Il était jovial, il racontait des anecdotes. Il était si différent de lui-même que le Chevalier même, tout distrait et préoccupé qu'il fût, le remarqua. « Qu'est-ce qu'il a ? » demandait-il à la petite Catherine. Elle s'était posé la question. Elle pensa : « Il aime Antoinette. » Il était impossible qu'il ne l'eût pas, le jour même de son supplice, reconnue. Or il n'en parlait pas. Une question eût été naturelle. Une information : « Elle n'a pas trop souffert », « Elle sortira bientôt », une remarque à Catherine seule : « Elle est plus belle, moins belle, que le buste. » Il ne disait rien.

Wilhelm, qui savait la vente du buste, et n'avait jamais rien dit, observait lui aussi Sanson. Espérait-il encore retrouver Antoinette, s'en servir ? Il s'enfermait avec le Chevalier dans le salon grège ; ils cherchaient d'autres subterfuges. Le chauffoir servait à Catherine d'oreille de Denys. Elle avait remarqué qu'en montant sur un tabouret, le conduit qui permettait à la chaleur de se répandre un peu dans cette partie du bâtiment répercutait assez clairement la conversation. Elle sut ainsi la disparition d'Antoinette, qui la réconforta. L'Amateur n'était pas réputé pour sa constance. Le temps que la jeune femme reparût, il l'aurait oubliée, et Wilhelm et Martinelli seraient peut-être devancés dans leur projet.

La malice lui revenait avec la curiosité. Était-ce Sanson qui avait fait libérer Antoinette ? Savait-il où elle était cachée ?

– Aimez-vous toujours mon buste ? lui demanda-t-elle hardiment, un jour où ils se trouvaient seuls.

– Toujours. C'est un travail magnifique. Avez-vous commencé autre chose ?

– Je travaille sur le cerveau. Mais il y faut encore de l'étude. Et il y a les commandes, les soucis. N'avez-vous jamais eu de nouvelles de mon amie, celle de la rue d'Enfer ?

– Je la crois sortie depuis beau temps. Elle doit se faire oublier en province.

Elle vit qu'il se défiait d'elle. Pourquoi, puisqu'il ne savait rien du complot? A moins qu'Antoinette n'eût parlé. Et si elle l'avait fait, n'était-ce pas qu'elle avait pour lui au moins de l'amitié? « Ce serait trop beau », pensait-elle. Et même l'Allemand n'y pourrait rien. Elle chantonnait en dessinant les circonvolutions du cervelet. Elle n'avait plus froid.

Sanson, ayant fait transférer Antoinette à Sainte-Pélagie, ayant payé ce qu'il fallait, promis ce qu'il fallait, effaçait toutes traces autour d'elle, comme on efface l'empreinte des pas dans le sable.

Il venait la voir, se tenant à une extrémité de la chambre, lui parlant d'une voix égale, comme à un animal qu'on veut apprivoiser. Il avait obtenu tout de suite qu'on lui rendît ses vêtements, et c'était vêtue de cette jupe sombre, de ce corsage noir qui découvrait la naissance du cou, et de ce châle dont elle s'était, d'un geste pour lui inoubliable, protégée, qu'elle entrait et s'asseyait près de la porte par laquelle elle était entrée.

Il lui avait dit déjà qu'à ce geste, si instinctivement chaste, il avait compris sans doute possible qu'elle n'était pas ce que l'on disait; ni débauchée ni libertine. Qu'il ne lui demandait pas de confidences, seulement le droit de la voir, d'adoucir un peu son sort, de l'aider. Et il voyait à travers ce beau visage frappé de stupeur se dessiner les veines, les artères, frémir une vie secrète, infiniment sensible, douloureuse, inéluctable.

Elle lui avait répondu qu'on ne pouvait pas l'aider, d'une voix basse mais sans colère. C'était beaucoup déjà qu'elle lui eût répondu. Au bout d'un instant, elle avait même levé vers lui son beau regard un peu louche (et quand elle levait ainsi les paupières, avec une sorte de lenteur majestueuse, il pensait, continua de penser, à un bel oiseau sombre au moment où il déploie, avec un bruit de soie, toute l'envergure de ses ailes), et elle le remercia. Elle le remerciait! Il se serait mis à genoux! Cela, c'était lors de leur première rencontre.

A la Salpêtrière, la première fois, il lui avait promis (ce qui fut fait peu après) de la faire transférer à Sainte-Pélagie, où elle serait mieux et, surtout, dans une compagnie moins mêlée.

– Non, non! Je suis bien ici... j'y suis bien à ma place. J'aurai ma récompense un jour, vous verrez.

Il pensa qu'elle parlait du Ciel.

– A Sainte-Pélagie vous ne serez pas sur un lit de roses, vous savez. Mais, au moins, vous aurez un peu de solitude, de propreté...

– La solitude, oui...

– ... et en payant pension...

Elle avait eu un mouvement brusque, comme si elle protégeait son visage, comme si on allait la frapper.

– Non, non! C'est impossible! Je ne veux rien leur demander!... Je ne peux pas, pas pour le moment, cela gâcherait tout. Je me rachète, vous comprenez? Je rachète tout, mais sous condition. Il faut attendre. Vous comprenez, n'est-ce pas?

Il ne comprenait rien, sinon qu'elle avait de la parenté ou des amis – un amant, peut-être? Non, non – auxquels elle aurait pu faire appel, mais qu'elle ne le voulait pas. Et qu'elle le lui disait, à lui, d'un air de confiance bouleversant.

– Mais je pourrais payer, moi, cette pension! J'ai de l'argent! Vous ne voulez pas? Oh! je sais... l'argent du bourreau.

Elle s'était levée d'un bond, avec cette grâce de

chevreuil qu'elle avait, sauvage et un peu folle, et soudain elle avait ri, en lui tendant les mains.

– Mais si! Mais si! Je l'accepte, l'argent du bourreau. Je le demande! Mon ami, je suis innocente, vous savez, mais il faut tout de même que j'expie... J'ai regretté qu'on ne m'ait pas marquée, mais il faut voler pour cela, n'est-ce pas? Oh, les cicatrices me resteront, du moins! Je leur montrerai. J'ai eu bien mal, cet homme était méchant, il frappait de toutes ses forces, il me haïssait, vous avez vu? J'aurais tant voulu qu'ils soient là! Si j'avais été condamnée à mort... Il y a souvent une assistance brillante, n'est-ce pas, dans ces cas-là? Je vous aurais remercié, embrassé, peut-être. On fait ce qu'on veut dans ces moments-là.

Il en avait la tête qui lui tournait : « mon ami »! et de l'imaginer à ses côtés sur l'échafaud, comme Angélique.

– Oui, vous me donnerez votre argent, n'est-ce pas? L'argent du bourreau! Si on savait!

Et elle lui touchait timidement le bras, presque câline. Elle le touchait! Elle fouillait dans ses poches comme une enfant, lui prenait sa bourse avec un rire, la lui remettait dans la poche. Il n'osait pas bouger.

– Je donnerai l'argent qu'il faudra, murmura-t-il. Vous serez transférée. Vous aurez votre chambre, on vous soignera...

– Je ne suis pas malade, voyons! le raisonnait-elle. Charles, c'est bien Charles qu'on vous nomme? Je ne suis pas malade. Je ne suis pas coupable. C'est l'autre, c'est ma mère... (Un moment elle s'assombrit et son regard se cacha sous ses longues paupières. Puis elle revint comme d'un bref évanouissement, et se remit à rire.) Mais tout se paie, n'est-ce pas? La dette se transmet, le mal... Vous savez, comme, dans certains ouvrages – je suis adroite de mes mains –, il arrive de lâcher une maille et elle file, elle file, on ne peut plus la rattraper, il faudrait tout recommencer ou alors couper le fil, couper le cou au fil...

Il s'aperçut qu'elle était épuisée. Elle avait subi un tel choc, il n'y avait rien d'étonnant à ce qu'elle parût un peu égarée. D'autres auraient pu la croire folle, mais lui comprenait. Une joie immense l'envahissait, une joie nouvelle, légère (sans rien à voir avec les lourdes nourritures qu'on lui avait données pour telles), impalpable comme un nuage, à l'idée que lui seul la comprenait.

Elle avait paru perdre conscience de sa présence, elle était retournée sans hâte de l'autre côté de la pièce où elle s'était rassise sur son tabouret de manière assez désinvolte, fredonnant quelque chose de triste et de vif, le visage aveugle à nouveau.

Deux jours après il obtint son transfert à Sainte-Pélagie. Elle y serait sous la garde de la Dufresne (et la Dufresne, il le savait, se tairait, permettrait tout pour de l'argent). Il ne songeait pas un instant au moyen de la faire libérer.

Il n'y avait plus guère à Sainte-Pélagie en 1717 que des jeunes filles de bonne maison dont on essayait de réprimer ou de dissimuler l'inconduite (parfois aussi le fruit de cette inconduite), et des femmes, jeunes ou vieilles, renfermées là par la volonté d'un mari ou d'un père, pour de bonnes ou de mauvaises raisons. Elles protestaient régulièrement contre leur incarcération sous le même toit que des « filles du monde », et payaient pension. Elles disaient qu'on ne s'y retrouvait plus et la Dufresne, intendante, qui avait pris depuis peu le gouvernement de la maison, leur répliquait qu'elles n'avaient qu'à s'en féliciter. Car, deux décennies plus tôt, Sainte-Pélagie avait été à la fois maison de force et communauté de « repenties », et la vie y était austère et dure. Ce n'est pas alors qu'une soi-disant comtesse de Hornes (qui l'était peut-être, allez savoir! La Dufresne n'y tenait pas) aurait pu se faire coiffer, chausser, corseter par Manon, Renée ou Nicole, des filles incarcérées on ne savait plus depuis quand ni pourquoi, et qui servaient, de leur propre chef, de femmes de chambre aux pensionnaires, s'étant créé ainsi une existence sortable, avec de petits bénéfices. La Dufresne aurait bien voulu en dire autant, dans un autre ordre d'importance. Elle régentait ce petit monde depuis peu, et entendait bien, en une bonne dizaine d'années, en tirer de quoi mener une vie agréable. A peine arrivée, elle avait inauguré son système : elle touchait sur l'ouvroir, touchait sur les visites (interdites, mais c'était sous le règne précédent, n'est-ce pas...), prélevait au passage une dîme sur les colis, aliments, vêtements, allait jusqu'à procurer à ses ouailles préférées cartes, romans et instruments de musique. On était bien loin de la fondation où la vie était de silence, de travail, d'obéissance et de prière, avec le lever à cinq heures, les exercices de piété incessants, le travail obligatoire, la table spartiate.

Tout cela avait changé, et qui allait s'en plaindre? Ni les quelques filles publiques qui demeuraient et se disaient fort calomniées, ni la clientèle élégante que la Dufresne traitait selon ses mérites (la pension). Madame de Hornes, qui paie en comtesse, est traitée en comtesse.

Mademoiselle Meignelet reçoit son « homme d'affaires » et de loi aussi souvent qu'il lui plaît; elle gagne tant d'argent qu'elle pourrait acheter la maison, mais elle est dans une situation délicate car, si son mari consent à ce qu'elle reçoive le robin, c'est (comme elle refuse de partager avec lui ses profits) qu'il l'a accusée de forniquer avec ce petit homme fort laid. Chaque fois qu'il vient la voir, il la fait plus riche, et plus coupable en apparence. Aussi a-t-il toutes les permissions de visite qu'il veut. Mademoiselle Meignelet sera forcée de transiger pour sortir. La Dufresne touche sur le mari, touche sur l'épouse spéculatrice, touche sur le robin – amant ou pas –, et n'est pas mécontente.

Elle s'efforce de désennuyer Mademoiselle Dufort, qui est grosse. On s'attend à ce que sa mère – qui a la faiblesse d'être très attachée à toute sa descendance – la fasse sortir dès la naissance. Pourquoi alors l'enfermer? Pour se donner les gants de l'indignation vertueuse. Puis le mérite d'un généreux pardon.

On ne s'y retrouve plus, c'est vrai, pense la Dufresne, mais s'en réjouit, car, la règle relâchée, on fait plus de profits et l'on s'amuse davantage. Cette considération n'est pas sans prix pour la Dufresne. C'est une grosse femme fraîche, d'extraction assez basse, pas méchante, gourmande de toutes les façons, y compris d'argent, mais pas uniquement. Plus d'un exempt en a su quelque chose. Elle est sotte avec du bon sens. Elle connaît ses limites, elle en est fière. Ainsi est-elle parvenue à son poste, et sait-elle qu'elle ne pourra monter plus haut, et qu'il s'agit d'en exprimer le suc. Vite. Vite à cause des temps qui courent. Vite aussi parce qu'il faut bien dire qu'à Sainte-Pélagie elle s'ennuie à périr, à étouffer, à crever. Et l'on compatit plus volontiers aux maux dont on souffre soi-même : une fois nommée elle autorisa, sous condition d'y participer, de petits repas fins, des parties de cartes, des conversations, des lectures, et jusqu'à de petits concerts de deux ou trois exécutantes qui se donnaient dans le réfectoire. « Que je regrette d'avoir si mal profité de mes leçons de musique! » soupirait cette fille de tripier, et même la comtesse d'approuver. « J'aime à faire plaisir », disait-elle encore, d'un air de bienfaitrice. Et on n'en riait pas car deux ou trois filles qui avaient connu le Refuge (section des repenties) et la maison de force avant la Dufresne en faisaient un tableau effrayant, et nourrissaient une sincère reconnaissance envers la bonne ogresse.

Las! les meilleurs cœurs rencontrent un jour l'ingratitude, et, ce jour, la Dufresne avait rencontré Antoinette.

Le froid fut vif encore, cet hiver 1717-1718. Moins toutefois que ce fameux hiver de 1709, resté légendaire parce que le vin y gela sur la table du Roi-Soleil, lui-même en bonne voie de geler sur place, dans sa gloire figée, dans sa morose obstination à nier le temps, qu'il eût bien voulu pétrifier d'un regard.

Ces regards-là n'étaient plus en vogue : on regardait vers l'avenir, vers le dégel, vers le printemps. Une petite brise d'espoir agitait les plus déshérités, comme si le mouvement général des idées, des fortunes, des institutions devait croître toujours, et la plus longue lame de cette marée finir par les atteindre. Même les galets changeraient de place.

Le temps passait plus vite encore pour ceux qui s'intéressaient aux affaires publiques : Philippe V, roi d'Espagne, malade, guérit – ou on le crut, ou on le dit. D'Argenson, de lieutenant de police devint Garde des Sceaux tout soudain (pour ceux qui n'étaient pas dans le secret), en place de Daguesseau, exilé. Le temps volait pour les amis nombreux et variés des indignés de Sceaux qui ourdissaient, complotaient, faisaient appel contre l'arrêt de juillet qui avait exclu les bâtards légitimés de la succession au trône. Et tous ceux-là, de surcroît, pour plaire à la duchesse du Maine infatigable, pour s'abriter d'un paravent (et par plaisir aussi, n'oublions pas), conspirant de jour et la nuit dansant, récitant des vers composés à la hâte, répétant des ballets joués le lendemain, et tirant des feux d'artifice, ne dormaient pour ainsi dire plus, et ignoraient le jour de la semaine et la semaine du mois.

Le temps passait vite à l'Hôtel des Arcoules où Jeannette frémissait de l'absence ou de la présence de son mari, et où Catherine, épiant, attendant l'instant d'agir, le redoutant, rougissait d'être, en somme, dans les mêmes sentiments que sa servante. Les ballots entraient et sortaient, c'était Wilhelm et non plus Antoinette qui venait à la nuit. Le Chevalier lui dit, ces jours-là, dans une discussion qu'entendit Catherine : « Pour aller vite, il ne faut pas paraître pressé. » Fort bien. Mais aller où?

Le temps, le temps s'accélérait. Février, bientôt mars, le temps passait trop vite à l'Ambassade d'Espagne où l'ambassadeur, le Prince de Cellamare, était talonné par le Premier ministre espagnol Alberoni qui, lui aussi, jouait ses atouts, craignait de perdre la faveur du Roi, savait que c'était quitte ou double, se souvenait de l'expulsion de la Princesse des Ursins, conseillère toute-puissante brusquement tombée en disgrâce, brusquement jetée dans un carrosse, demi-nue, en robe de cour, sans une mante. Il craignait un retour du même genre. Ce Cellamare était d'un mou! De fait, il se plaisait à Paris et y jouissait de la vie au lieu de secouer les mécontents qui étaient en nombre : les Bretons, les faux-sauniers, les parlementaires, la vieille Cour, enfin tous les conspirateurs possibles, et – conseillait Alberoni – tous à la fois. Il eût engagé Cartouche, s'il avait su que Cartouche existât.

Cartouche commençait d'exister pour Paris, orga-

nisait sa bande et sa légende, ce qui tracassait bea
coup la police, et François-Marie Jailleau que l
nouveaux favoris du nouveau lieutenant de police tarabustaient pour qu'il s'en occupât, procurât des renseignements, arrêtât, pour le moins, quelques complices. En bref, se remuât, ce qui le contrariait fort. Il haïssait Cartouche pour ce forfait de le déranger dans ses habitudes, et ne voyait qu'un être pire que ce petit bandit d'un mètre cinquante-cinq, qui plaisait tant aux dames : Alexandre de Rogissart qui lui avait coupé l'herbe sous le pied, croyait-il, avec ses *Historiettes galantes* qui venaient de paraître. La Fillon lui disait que non, et que toute l'originalité de la Collection venait de ce qu'il y faisait parler aussi le petit peuple, que Rogissart négligeait superbement.

– Mais serai-je lu à la Cour? demandait François-Marie Jailleau.

Le temps ne passait pas à Sainte-Pélagie, il dormait debout, comme un cheval fourbu, avec un air de ne jamais pouvoir repartir.

Ils sont assis l'un en face de l'autre. Il lui demande si elle sait exécuter le point dont sont ornés les rideaux. Elle dit que non, qu'elle a appris la broderie au couvent, mais cela c'est du filet. Il ne lui demande pas quel couvent. Elle ne lui demande pas ce qu'il a fait dans la journée. Voyez-vous qu'il aille lui répondre : « Deux ou trois pendaisons, c'est tout » ? Elle sait ce qu'il est. Il sait, ou ne sait pas, ou se doute, qu'elle est moins simple, moins calme qu'elle ne le paraît, assise les mains sur les genoux. Mais dans cet espace si strictement délimité, ce plancher ciré, ces deux ou trois éléments de décor invariables : un dur fauteuil de cuir crevassé aux clous de cuivre, une chaise de bois à dossier, quatre murs blancs, un crucifix, la fenêtre, le rideau, la plante sur la cheminée sans feu et, entre eux deux, une carpette grise, grossière, de ce tissu dit « tapis à emballer » et qui sert ici un peu à tout – à faire des couvertures, des dessus-de-table, des « galettes » très dures qu'on pose sur les chaises des autorités –, dans cet espace ils sont libérés de leur fardeau. Il semble qu'ils l'aient laissé à l'extérieur. Les mots mêmes redeviennent innocents, les phrases sans arrière-plan, toutes plates : un horizon de plaine sans relief, sans heurt. Elle dit qu'on l'a mise à part des autres pensionnaires (elle ne dit pas « prisonnières ». Ils ne disent jamais le mot prison) parce qu'elle brode mieux, et son travail rapporte davantage à la maison que celui des autres. Ainsi bénéficie-t-elle de quelques petits avantages. La Dufresne lui a même proposé du vin au souper. Elle a refusé car elle ne boit pas, ou peu, mais, pour se faire pardonner, elle lui a brodé des cols et cela a tout arrangé. Avec une liberté étonnante elle rit, elle dit que la Dufresne a peine à accepter qu'on ne partage pas ses appétits : elle y voit une critique. Ainsi a-t-elle peine à comprendre leur refus de son galetas. Elle voudrait qu'ils fissent l'amour pour justifier le goût qu'elle en a.

La voix même d'Antoinette a changé. Elle est moins grave, moins rauque. Elle est légère, aérienne, parfois enjouée, parfois tendre. Son visage s'est comme épuré. Il pourrait le constater s'il ouvrait encore la porte de la petite armoire – la grotte de la sainte, la niche de l'oiseau. Mais la petite porte dans le mur reste fermée à clé – où dort le secret.

– N'avez-vous pas froid? On chauffe peu, ici. J'ai envoyé du bois, pourtant.

– Non. Cela va depuis que l'on m'a rendu mon châle. Il est de laine.

C'est ce châle d'un rouge fané dont elle s'enveloppait le jour de l'exécution, et qui est pour lui comme le voile de sainte Véronique.

– Vous a-t-on fait passer cette pommade de Reigen que je vous avais fait déposer? Elle efface les cicatrices, mais il faut en mettre tous les jours.

– Je n'y manque pas. Non à cause de ces cicatrices, mais de ce témoignage de bonté.

Qu'importent d'ailleurs quelques cicatrices? Elle en a bien d'autres en elle. Elles apparaissent (et alors, égarée, elle est comme un oiseau perdu qui se cogne aux murailles, se plaint, s'étonne et cherche une issue) et disparaissent (elle est alors comme ces saintes dont les chairs torturées se reconstituent, dont le sang vermeil donne naissance aux fleurs, dont les stigmates sont les lettres d'un mot très beau, que nul n'a déchiffré encore).

– Est-elle bonne avec vous? (La Dufresne.)

– Je ne sais pas. Je crois que oui.

– Combien de chemises avez-vous brodées cette semaine?

– On ne m'a pas donné de chemises à faire, mais deux manteaux de lit. J'ai commencé un surplis.

– Vous ne le croiriez pas, quand j'étais enfant, je brochais, je cousais à merveille. De même j'étais très fort à la toupie, aux grâces. J'étais très adroit de mes mains.

Il baisse les yeux sur ses mains, une ombre passe. Mais Antoinette est bien au-delà des ombres. Elle rit doucement.

– Vous auriez dû apprendre la broderie. Nous aurions ouvert un commerce...

Les larmes ne cessent pas de couler. Les glandes lacrymales en produisent une de temps à autre pour humecter la cornée, pour éviter l'irritation de la conjonctive. Le battement de paupières étale cette larme sur le globe oculaire. Une larme est pure : de l'eau, du sel. Une larme est simple : amenée par une irritation extérieure – poussière, lumière trop vive (ici déjà, attention; cette trop vive lumière peut être autre que le soleil). La cuisinière pleure en épluchant l'oignon, l'échalote; l'artisan, en posant certains vernis. Cela est fort indifférent. Le deuil fait pleurer comme un doigt pris dans une porte. Il y a des formules pour l'un, des pommades pour l'autre. On admet alors les larmes.

Mais imaginez une larme qui soit pure douleur, ni deuil, ni doigt, et, par conséquence, sans solution. Eau, sel, douleur. Une larme. Pouvez-vous l'accepter? Cette larme-là ne coule pas, n'est pas aussitôt absorbée par un linge, par une consolation. Elle est là : une goutte de vernis sur la cire d'un visage. Elle n'a aucune raison d'être. Elle exaspère. Elle est indestructible. On se détourne.

Ou alors on la regarde. On la regarde jusqu'au vertige, on ne voit plus que ça.

– Tu ne vas pas passer ta vie dans un chauffoir? Ou sous un escalier? Catherine! sors de là! Maintenant que tu as des économies et que tu es actionnaire de Monsieur Law, je suppose que tu pourras te trouver une robe décente pour m'accompagner ce soir.

– Chez la d'Urfé?

– Chez la duchesse d'Urfé... Chez Madame la duchesse d'Urfé. Elle n'a peut-être que quinze ans, et mariée d'avant-hier, mais c'est Madame la duchesse comme tu es la petite Catherine, ad aeternum. Ne t'ai-je pas appris à respecter la société?

Je sortis du pigeonnier-chauffoir, je refermai la porte.

– Tu y caches un trésor?

Un vagissement répondit pour moi.

– Oh! encore ce bébé!

– J'ai promis à Jeannette de la veiller quelques instants.

– Et depuis quand t'intéresses-tu à Jeannette?

« Depuis, pensai-je, que j'ai senti qu'elle craignait pour un homme, un fou, un écervelé, comme je crains moi-même, et pour lui, et pour moi. » Mais je dis seulement :

– Pourquoi irais-je?

– C'est une surprise.

– Et qu'y fera-t-on?

– Ce qu'on fait aujourd'hui en société : tout et rien. On parlera des lois, on fera peut-être une expérience de chimie, et de là on contestera l'existence de la pierre philosophale, sujet toujours nouveau. Peut-être nous lira-t-on une tragédie ou un mémoire. Madame en tient pour les Modernes à ce qu'on dit. Il y aura peut-être Monsieur Dionis, que j'estime fort, et un voyant, charlatan ridicule. Tout cela se rencontre aujourd'hui comme poudres dans un mortier, et on ne sait ce qui en sortira : baume ou poison. C'est ce qui rend la société actuelle si amusante.

Il n'avait pas tant l'air de s'amuser. Je le sentais préoccupé. Nourrissait-il un projet nouveau?

– Je n'irai pas.

– Et pourquoi?

– J'ai peur.

– De quoi, enfant?

– De tout.

– Que peut-il t'arriver?

– Qu'est-il advenu d'Antoinette?

Il ne répondit pas et tourna les talons. Mais m'envoya dire par Jeannette de lui donner ma robe la meilleure à repasser. Et j'allais protester quand, par l'intermédiaire de Georget qui faisait dorénavant le commissionnaire pour quantité d'inconnus, je reçus un billet de ma bonne, de ma fidèle Basseporte, qui m'informait que mon père serait présent chez les d'Urfé, que c'était l'occasion ou jamais de me « réconcilier » avec lui, et qu'il fallait que j'obtienne à tout prix d'y accompagner le Chevalier. Le mot me fit rire... il fallait bien cela ! Je fus touchée aussi de ce souci de me protéger qui me venait de ces deux parts. Car je ne doutais pas que le Chevalier, qui se tenait informé de tout, ne sût que mon père devait être présent, et ne voulût nous réunir pour régler une bonne fois une situation restée ambiguë.

Mais la surprise, ce fut lui qui l'eut – enfin, nous l'eûmes –, quand, en fin d'après-midi – il faisait bien froid déjà, on atteignait novembre –, nous attendions le carrosse de louage que mon maître avait ordonné : voilà le portail qui s'ouvre, des sonnailles qui retentissent, et, toujours mal à propos, dans son carrosse séculaire, déplaisant entre les déplaisants, malvenu entre les malvenus, mon père ! Cela faisait trois ans, si l'on en excepte la brève entrevue de la rue des Bons-Enfants, que je ne l'avais vu. Il ne s'en livra pas moins à des démonstrations de tendresse paternelle que je trouvai parfaitement déplacées. Apprenant que nous allions, nous aussi, chez les d'Urfé, il avait fait, pour nous proposer son carrosse, un petit détour. Petit détour !... Vient-on hors les murs sans dessein ? Et les siens ne pouvaient être que mauvais. Il n'en avait point d'autres.

Voyant qu'il entendait s'expliquer avec mon maître, je m'absentai quelques minutes sous le prétexte confus d'aller clore une porte ou fixer quelques volets, sur un bruit de voleurs qui m'était parvenu (on eût pu nous dérober le jambon, en effet, ou notre glorieuse chocolatière, ou encore le pied goutteux qui avait retrouvé sa place!), mais quand je revins sans m'être hâtée, les deux hommes discutaient toujours, non sans âpreté.

– ... mais il y a trois ans que vous l'avez, et je ne vous ai pas demandé un sou! criait mon père de son fausset désagréable.

Je compris qu'il s'agissait de moi, et d'un petit chantage tout simple, tout familial.

– Demandé! hurlait mon maître en agitant ses grands bras. Mais vous auriez payé pour qu'on vous en débarrassât!

– J'ai demandé qu'on l'enseignât, repartait mon père redressant sa petite taille avec un effort de dignité. Vous avez rempli l'office d'un précepteur, voilà tout!

– Les précepteurs, on a coutume de les payer.

– Mais vous vous êtes servi d'elle! Ce buste dont tout le monde parle...

– N'ergotons pas! Catherine! Tu es prête? Bien. La voici. Souhaitez-vous la reprendre?

– C'est-à-dire que...

– Reprenez-la. Je ne suis pas en peine d'apprenti. Sous peu, avec la vogue, j'en aurai dix, et de noblesse! Et qui paieront pour apprendre!

– Mais tenez compte de ce qu'elle a vécu avec vous! Sous votre toit! Sans chaperon! Vous m'aviez fait croire à une intendante, mais j'apprends qu'elle est logée ailleurs! Vous savez que la séduction d'une fille mineure, cela peut aller jusqu'à la peine de mort?

Il y eut un silence. J'étais là, figée d'effroi, et à la limite du rire devant l'excès de mes malheurs. Espionne, sorcière, débauchée... Et quoi encore?

– Faites-la visiter, dit mon maître froidement.

– Comment?

– Faites-la visiter par les matrones. Elle est vierge. Du moins je le crois... Catherine?

Je fis la révérence. Vous n'auriez pas pu me tirer un mot. Tant de méchante cupidité d'un côté, tant de froideur de l'autre!

– Évidemment, dit mon père, déçu.

Le Chevalier prit un air conciliant.

– Allons chez les d'Urfé. Vous verrez la petite devenue un objet de curiosité, d'intérêt, une nouveauté. On me l'a demandée... on nous loue, vous et moi, dans les cercles éclairés, d'avoir favorisé son goût passionné pour les sciences. Je ne serais pas étonné qu'un mariage ou un établissement convenable ne se présentât un jour ou l'autre pour elle. Et elle ne sera pas ingrate.

Je fis rarement effort plus grand et plus louable que de répondre « Assurément », en faisant à mon père le plus charmant sourire.

A me perdre il gagnait si peu que rien, et la fermeté du Chevalier lui faisait croire à son indifférence. Il se résigna. Sait-on jamais?

– Monte, me dit-il en me désignant la vieille chose malodorante qu'il appelait son carrosse.

Et, un peu amer tout de même de son échec momentané :

– Il paraît qu'aujourd'hui les femmes savantes sont à la mode?

– Nous n'en sommes plus à Molière, répondis-je avec quelque suffisance, espérant par une controverse animer un peu le trajet.

Mais il ne savait rien de Molière, sinon qu'il n'aimait pas les médecins, aussi m'approuva-t-il d'un geste et nous nous tûmes, jusqu'au moment où nous arrivâmes à l'Hôtel d'Urfé.

L'Amateur attend son chocolat.

Dubois est malade, Nocé est malade. Canillac est

allé recueillir un héritage. Florence me trompe d'une manière un peu évidente; la petite Duplessis me fatigue, et l'autre, qui veut avoir part aux affaires... Heureusement qu'on a des soucis, sans quoi ce serait de l'ennui tout pur. Ce chocolat va encore m'arriver froid. J'aurais dû le préparer moi-même. Ce qui nous tue, dans la vie, ce sont les intervalles, les entractes. Quelques instants d'attente, et c'est le gouffre. Quand on s'est fait une règle de ne pas s'enivrer avant le soir... Enfin, ce soir, on nous promet un voyant. Du temps de mon bon oncle, on eût crié à la sorcellerie, à l'hérésie. On se fût réuni dans une cave et non dans un salon. On aurait cru faire œuvre diabolique (cette pauvre Montespan croyait au diable, ce qui ne lui a pas porté bonheur), c'était sans doute plus piquant. J'y croyais moi-même quelque peu. Disons que j'essayais. Quand je jouais les vieilles femmes et les polichinelles pour amuser la vieille Cour, il y avait là un goût un peu âpre d'abaissement qui venait peut-être de lui? Mais je me flatte. C'est qu'il serait bon de croire que cette lâcheté parfois, ces désirs malpropres et mous, ces éclairs de cruauté auxquels on se force, ces mouvements de bonté auxquels on se laisse aller (sortis tout droit des ballets-féeries), où l'on fait grâce, où l'on fait présent, ces moments où l'on ressent l'écœurement de la joie même qu'on suscite, le ressentiment aigre de celui qui ne désire plus pour celui qui désire encore, il serait bon de penser qu'ils constituent une tentation, un péché, qu'ils nous sont soufflés à l'oreille par un autre qui, tout diable qu'il soit, nous tiendrait compagnie, nous porterait la contradiction. Qu'il y aurait là quelque chose à perdre ou à gagner, une sorte de reversi céleste ou infernal.

Il serait bon de croire que ce ne sont pas, ces moments, les lamentables convulsions de l'indifférence, du moi qui se délite avant même la mort, et qui tente à tout prix de rassembler ses fragments et de leur redonner une forme, fût-elle comique ou effroyable, comme celles, si variées, des animaux.

Quand on perd le désir comme on perd l'appétit, plutôt que de se dire qu'on meurt tout vivant, tout cru, n'est-il pas préférable d'invoquer ces esprits dont on dit – parce qu'ils sont mauvais, justement – qu'ils répondent? On ne se réunit ni dans un salon ni dans une cave (ou une carrière, celle de Vanves, de Vaugirard, où j'allais autrefois avec ce pauvre Nocé qui faillit en mourir de peur) pour invoquer les anges. Ils ne viendraient pas. Personne n'a jamais cru qu'ils viendraient. Quelque ermite, quelque nonne égarée ont pu prétendre... Mais l'ange, alors, vient à l'improviste, a des exigences folles, et est, en somme, plutôt dérangeant. Bientôt l'Inquisition s'en mêle, et il apparaît que l'ange n'était qu'un démon travesti.

En somme on ne peut se fier qu'à eux!

La plupart des désirs des hommes sont mauvais ou vulgaires : argent, pouvoir, passions charnelles. Et pourtant ce sont eux, ces désirs agités, tumultueux, qui font qu'on se sent vivre, qu'on échappe à l'ennui. Faut-il en conclure que vivre est mauvais? Et que si l'on veut vivre coûte que coûte (et on le veut! On le veut!), il ne reste qu'à invoquer le diable? Un tout petit désir, s'il vous plaît! Une toute petite faim! Et le démon charitable suscite ce rien qui réveille les sens : ces nouveautés que sont le café ou le chocolat, qui échauffent, ces stimulants que sont une petite comédienne qui poursuit à la ville son rôle d'ingénue et se fait violer de bon cœur, ou un beau corps un peu dissimulé dans un maillot anatomique, un garçon qui a l'air d'une fille, une fille qui a l'air d'un joli garçon... Il suffit de si peu! Et la satisfaction du désir retrouvé, de l'appétit fouetté par une épice, un subterfuge, expulsera cette pensée triste, solitaire, peut-être profonde, qui passe parfois au fond de la conscience comme une femme qu'on voit de loin, se promenant, la tête détournée, dans un paysage de brumes.

On ne l'a jamais abordée. Il y a là une frontière. Tout au plus, quand le brouillard se dissipe (il suffit de s'arrêter, de faire une pause. Il suffit du temps d'un battement de cils. Mais, Dieu merci, il y a les cordons de sonnette, les besoins soudains d'aller à la chaise percée, et les affaires de l'État qui ne souffrent pas une seconde de retard), tout au plus pourrait-on apercevoir – oserait-on le dire ? – un coin de ciel. On ne le dira pas. Ici, les cieux sont au plafond, encadrés d'or, peuplés d'angelots de Van Loo.

Ce sont ces angelots, peut-être, potelés, malicieux, proches de Cupidon (ou de l'image qu'on s'en fait), qu'il faudrait invoquer, plutôt que des anges ou des démons, pour retrouver l'innocence heureuse de la chair... Si c'était possible !

L'Amateur se demande si les femmes n'auraient pas pour cela un don particulier. La Dauphine, peu avant sa mort, avait failli crever déjà d'un ragoût à l'italienne dont elle avait mangé jusqu'à l'étouffement. Pendant ce temps qu'elle mangeait, en quoi différait-elle de Follette, la petite chienne aux longues soies, si propre et si belle – si royale, pourrait-on dire – et qui mangeait si goulûment, avec un plaisir de malpropreté qui la faisait ressembler à un porc ? Et leurs pensées, en quoi différaient-elles ? Leur volupté ? Leur oubli de toute chose hormis le plaisir bestial et naïf du ragoût, différent seulement de goût (ou peut-être même pas, Follette finissant souvent les assiettes de Madame la Dauphine) ?

Et la Grande Mademoiselle, pendant le temps qu'elle fut si folle de Lauzun ? Et la pauvre Berry, avec son Rions qu'elle veut épouser? N'est-ce pas, plus encore que le désir qu'elles ont pu avoir de leurs personnes, l'ombre que leur passion interposait entre elles et ce bourdonnement de mouche, agaçant, incessant (que croire? que faire? que vivre?), qu'elles cherchaient? On a beaucoup dit qu'autant Rions que Lauzun (d'ailleurs son parent) savaient s'y prendre avec les princesses. Rions est avec ma pauvre petite Berry comme un sauvage. Il l'a réduite à un tel esclavage qu'elle envoie lui demander si elle doit s'habiller en perse ou en damas, et quand elle est toute prête, il la fait changer de la tête aux pieds. On a beau dire : cela occupe! Et quand il se fait annoncer, réclamant tel vin, tel ragoût, et ne vient pas, la déception, la douleur viennent, elles! Ma duchesse pleure, elle crie, elle casse un vase chinois. Elle ne s'ennuie pas, ne pense ni à la mort, ni à son salut, ni à l'éventualité qu'il n'y ait ni damnation ni salut : elle pense à Rions, elle pense à son amour pour Rions. Elle est *occupée.* Il y a des façons plus agréables de l'être, sans doute, mais elle n'a trouvé que celle-là. Vais-je l'en priver, pauvre petite? Il n'y a plus d'intervalles, dans sa vie, par où la mélancolie se glisse, comme il y en a forcément si l'on n'y prend garde entre les affaires et le plaisir, entre les courriers, les Conseils, la chasse, la musique. Comme il y en a en ce moment qui m'amènent à des réflexions biscornues. On est toujours en retard pour mon chocolat...

Chez les d'Urfé on disait que ce jeune Voltaire était à la Bastille. Que c'était dommage... Que c'était bien fait. Que les voyants étaient tous des charlatans. Que celui-ci était bon gentilhomme. Que cela ne prouvait rien. Que cela prouvait son désintéressement. Que la voyance était démontrée scientifiquement, qu'elle avait quelque chose à voir avec les fluides électriques. Et avait-on lu Newton. Non. J'en ai honte. Je viens de commencer les *Historiettes galantes* d'Alexandre de Rogissart, c'est nouveau, c'est exquis, et, du reste, j'aime mieux me divertir que...

Chez les d'Urfé on disait qu'il faisait de plus en plus froid, l'hiver serait comme celui de 1709 où dans le meilleur monde on s'offrait des falourdes de bois comme on s'offre des dragées. Que les espions étaient partout, dans les salons, les rues, les cafés, et que chez Poincelet à Paris rive gauche, des hommes avaient été arrêtés pour avoir discuté haut des affaires publiques. Chez les d'Urfé on n'avait pas pris ouvertement parti, tout duc qu'on était, et duchesse – si jeune ! –, on attendait. On disait que d'Huxelles avait proposé au Régent, pour pacifier l'Italie où s'affrontaient diplomatiquement, depuis des années, l'Espagne et l'Autriche, de placer Parme et la Toscane sous l'autorité d'un Bourbon : Don Carlos, fils de Philippe V. Pourquoi pas ? On proposait aussi de donner la Sicile à l'Autriche. On donnerait la Sardaigne à la Savoie. On débitait l'Italie dans ce salon « comme un fromage de Hollande », selon l'expression d'Alberoni, fils de jardinier, Premier ministre du roi d'Espagne, récemment promu cardinal.

On disait oui, on disait non. Le moindre petit grimaud se faisait diplomate, attribuait duchés et royaumes selon son humeur, et buvait par-dessus. « Est-ce que cela (l'un ou l'autre partage) n'arrangerait pas tout ? » Martinelli écoutait cela avec la plus grande attention. Quoi, tout ? Eh bien, d'abord, cet antagonisme entre la Régence et Philippe V, cette impopularité du Régent parce que, tout de même, un Bourbon est un Bourbon, même hispanisé à l'extrême.

– Mais le Régent *adore* être impopulaire!

– Oh! comment pouvez-vous!...

L'Amateur entra, et on se mit à parler de la nouvelle mode du phaéton, voiture légère à quatre roues, du succès du Cardinal de Retz que l'on rééditait, et – ce sujet pouvant aussi présenter des dangers – quelqu'un demanda très haut s'il n'était pas excessif que dans l'organisation du Jardin du Roi onze chaires fussent consacrées aux lettres (dont deux à l'enseignement de l'hébreu), et neuf seulement aux sciences.

– Ah! un défenseur des sciences! Je vois qu'ici au moins elles ne sont pas impopulaires, dit l'Amateur tandis que chacun s'inclinait, et l'on vit qu'il s'était peut-être avancé un peu avant d'être annoncé. Puis il regarda autour de lui avec cette timidité propre à certains Grands quand ils ne sont pas dans leur cercle d'habitués, et son visage s'éclaira en apercevant le Chevalier, parce qu'il le connaissait. De plus son souvenir restait lié à une circonstance rassurante dans la superstition particulière du Prince : que son évanouissement, le jour du Souper Anatomique, vînt d'une farce jouée au Chevalier lui semblait le mettre lui-même à l'abri, au moins momentanément, d'autres crises de ce genre. Son médecin n'appréciait pas du tout ce genre d'arguments.

Aussitôt Martinelli prit de l'importance, et le médecin Lesueur qui l'escortait. La petite Lesueur parut fraîche. Fade, mais fraîche. Mais Madame d'Orlac raconta qu'elle disséquait aussi bien qu'un membre de la Faculté et, bien que ce fût une amplification abusive des talents de Catherine, dès cet instant on s'extasia. Et voyant que l'étreignait, comme amie d'enfance, Mademoiselle Basseporte dont on savait la famille et les liaisons au Jardin du Roi, Madame d'Orlac dit nettement, pour son entourage : « Cette petite est tout à fait bien », ce qui, pour elle, était un sommet d'enthousiasme. La conversation devint générale. On attendit le mage en buvant. L'Amateur daigna dire en regardant avec indulgence la toute jeune duchesse : « Que voilà d'excellent champagne », parole mémorable qui suscita aussitôt le dévouement de cette famille à la Régence. Cela valait bien un Président Fillon !

Enfin le mage parut, avec un fort bel habit, de fort belles dentelles de Hollande le garnissant, une perruque fort propre et les yeux vairons. Ce dernier détail surtout parut convaincant. Martinelli, voyant Lesueur dans un cercle et Catherine dans un coin avec Madeleine Basseporte, se tenait dans l'entourage du Prince, et tentait de ramener la conversation sur l'anatomie en général et celle des femmes en particulier. Mais, buvant, plaisantant, répondant avec la plus grande cordialité, l'Amateur ne paraissait pas avoir conservé le moindre souvenir de cette Antoinette, trois mois avant si convoitée.

Se concentrant sur une coupe de cristal qu'on avait emplie d'eau, le mage annonça d'abord quelques catastrophes afin d'être pris au sérieux; puis une abondance d'enfants mâles, d'héritages fabuleux, de voyages exotiques et de batailles gagnées se mit à pleuvoir sur l'assistance ravie. De temps à autre une bague perdue, un parent âgé décédé, un amant frivole jetaient un nuage sur cet Éden. Mais comme il conclut en liant étroitement la paix et la prospérité de la nation avec la vie de *son* prince (faisant bien voir ainsi où allaient ses sympathies), on l'applaudit, on le couvrit de présents, et, si on douta de la prédiction (il y a toujours des sceptiques...), on ne put douter de l'intention qui mit le Prince lui-même d'une humeur de rose.

« Voilà un voyant comme je les aime ! Rien de funèbre ! Rien de menaçant. Je voudrais le voir prêcher à ma paroisse ! » Et comme, quand il était joyeux, il aimait que tout le monde le fût, qu'il ne manquait pas de malice, et que le chirurgien lui était sympathique bien qu'il le soupçonnât – et parce qu'il le soupçonnait – de vouloir le filouter un peu, il ajouta :

– Vous ne me donnez pas de nouvelles de votre protégée ?

– Catherine ? dit Martinelli, surpris.

– Les yeux bleus ? Non, je sais que vous vous les réservez. Les yeux gris... La biche au bois. *Les Larmes*... Je l'aurais volontiers revue.

Le ton, négligent sans affectation, découragea passablement l'Italien.

– Elle s'est réfugiée à la campagne, dit-il cependant. La farce du somnifère lui a fait peur. D'abord elle a craint d'avoir déplu, puis elle a craint de porter malheur... que sais-je ?

L'Amateur fit signe qu'on lui servît encore un peu de champagne. La petite duchesse espéra qu'il tomberait ivre mort chez elle. Comme il ne s'effondrait habituellement qu'au Palais-Royal, et avec ses roués, ce serait la consécration de son salon débutant.

Le Prince allait rejoindre le salon amarante où le mage reprenait ses prédictions. Il se retourna, pour n'avoir pas l'air de couper le Chevalier. Il se savait observé, il était délicat :

– Notre belle amie est donc superstitieuse ?

Délicatesse ou pas, Martinelli sentit que la faveur avait passé, passait. Il eut un de ces éclairs d'imprudence ou de génie dont il était coutumier.

– Monseigneur devrait le savoir.

Le Prince s'arrêta.

– Comment cela ?

– Mais, parce qu'il y a des années, chez Mademoiselle Séry, dans un verre d'eau, comme il fut fait aujourd'hui, une petite fille fit des prédictions à Votre Altesse, dont la Régence, et la mort du Grand

Dauphin et de sa famille, qui étaient alors bien improbables, et que cette petite fille...

Le Prince revint en arrière.

– Ce serait elle? Mais comment?... Est-il possible! Pauvre Séry, je l'ai bien aimée, du moins je le crois. On embellit parfois le souvenir... Alors, votre protégée...

– Antoinette, oui. La comtesse d'Argenton, alors Mademoiselle Séry, l'employait déjà comme brodeuse. Elle ne vous l'a pas dit? Le respect, sans doute, a dû l'empêcher...

– Surprenant... dit l'Amateur avec une évidente envie d'en savoir davantage. Et elle aurait toujours ce don? Comment l'avez-vous retrouvée? Et quel rapport un chirurgien peut-il avoir...

– Elle évoque l'esprit des morts quand il flotte autour de la dépouille, peu après le trépas, dit Martinelli qui n'était jamais avare d'improvisation et ne savait pas toujours s'arrêter.

L'Amateur était charmé. Vérité ou fiction, il accueillait toujours l'imprévu à bras ouverts. Il attira le Chevalier dans une encoignure.

– Et ils parlent? Les morts?

– Souvent, dit le Chevalier, imperturbable. Les esprits tourmentés ou coupables errent plus longtemps, se détachent plus malaisément de leur enveloppe. Il est arrivé à Antoinette quand je disposais d'un corps entier, mort depuis peu, de lui faire faire certaines révélations et ce phénomène m'a tant intrigué que, sans en tirer aucune conclusion, j'ai revu plus d'une fois cette fille...

– Tout s'explique, dit l'Amateur. Il me semblait bien aussi qu'elle avait quelque chose de plus... de moins... Homberg aussi s'intéressait à ces phénomènes, peut-être explicables, d'ailleurs. Nous ignorons tant de choses! (Il rêva quelques instants, puis :) Retrouvez-la-moi, Chevalier. Retrouvez-la-moi d'urgence. Rassurez-la. Nous la récompenserons, et vous-même... au-delà de vos mérites. Même si elle n'arrive à rien. Il arrive si rarement quelque chose. Mais il faut essayer. Il faut donner ses chances à l'Invisible, n'est-ce pas? Il faut donner ses chances à l'Adversaire, toujours...

Il laissa Martinelli assez décontenancé. Avait-il voulu parler du démon, avec ironie? ou d'adversaires plus terrestres? Il se savait guetté. On disait Philippe V, roi d'Espagne, rétabli et cela réveillait les espoirs; on s'interrogeait sur le sort de la polysynodie, ce gouvernement à multiples têtes (comparé à l'hydre de Lerne par de mauvais esprits), et l'on se demandait lesquelles de ces têtes seraient tranchées – toutes? Revenait-on à un gouvernement autoritaire après ce bel effort d'ouverture? Ces « têtes » avaient des parents, des alliés. Le Régent de France ne manquerait pas d'adversaires.

Dans une encoignure, Catherine, devisant avec Basseporte, n'avait rien perdu du colloque du Chevalier avec l'Amateur et s'efforçait à la légèreté, sans y parvenir. Basseporte, qui avait elle-même entendu, ne voyait là que vantardise et charlatanisme. Après avoir souhaité, pour la mettre à l'abri, que Catherine épousât le Chevalier, elle la voyait ce jour tirée d'affaire à cause de la présence de son père, et souhaitait qu'elle quittât l'Hôtel des Arcoules. Catherine répondait distraitement qu'elle avait encore beaucoup à apprendre. « N'en apprends pas trop », rétorquait Madeleine.

Dans le salon amarante, le mage se répandait à nouveau en prédictions obscures : le danger attendait un grand personnage dans une caverne, il en serait sauvé par un brigand, bientôt pendu. Une bonne action causerait bien du mal, une intention mauvaise tournerait à bien, et le serpent mourrait dans son œuf... Il fut question de l'œuf alchimique, puis d'un acte d'amour maternel qui mettrait l'incendie sur un grand fleuve, le lendemain même. Il y aurait des morts. Le lendemain...

– Oh! si nous en sommes aux symboles! dit l'Amateur.

Et il se retira.

Le lendemain, une pauvre femme, obéissant à une superstition populaire, planta une bougie dans un sabot (certains dirent : dans une sébile) et, en mémoire de son fils noyé, fit flotter le tout sur la Seine. Le sabot s'étant échoué contre un bateau empli de foin, un incendie se déclara qui brûla trente-cinq maisons.

Mais le bruit n'en parvint pas au Palais-Royal, croit-on.

***

Février me trouva tendue, aux aguets, riant beaucoup.

Wilhelm est encore revenu. Il s'enferme à nouveau dans le salon grège avec mon maître, mais ils paraissent animés, de meilleure humeur. Ils poursuivent parfois, à mots couverts, leurs discussions dans la cuisine. Ils ne se cachent plus de nourrir un dessein secret et précipité. J'ai perçu distinctement ces mots : « Il ne s'agit plus de traîner, maintenant. Il faut remettre la main dessus. Le feu est aux poudres. » Ils n'ont donc pas retrouvé Antoinette. Mais Wilhelm, plus rusé, plus déterminé, plus introduit aussi que mon maître, la retrouvera. Je n'en doute pas. L'angoisse me reprend. Ah, Martinelli! Chevalier! Mon maître! Pourquoi vous être laissé aller à votre faconde, à ce goût pervers d'un jeu auquel vous ne tenez plus, j'en suis sûre, et où vous voulez néanmoins gagner? La brillante idée que cette invention de voyance! L'éblouissante imagination! Nous voilà de nouveau en plein danger.

Depuis qu'elle s'est installée, à cause du froid, dans un grenier contigu au mien, et avec ses petits bien entendu, Jeannette a, comme moi, découvert le bon usage des lucarnes. Pourquoi elle épie si ardemment ce qui se passe autour de nous et qu'on ne nous dit pas, je n'en sais rien. Mais ce ne peut être par pure curiosité, son visage tourmenté montre bien le contraire. Elle sort en courant, me confie la petite, qui commence à me sourire, elle me la reprend et, même dans son service (elle enfile un gant pour saisir des pincettes rougies et les saisit de l'autre main, elle brûle ses ragoûts ou les tourne sans les cuire sur le fourneau éteint), elle est d'une distraction qui témoigne d'une préoccupation profonde.

Et voilà que lors d'une de ces visites de Wilhelm (maintenant habillé avec une élégance qui confine au faste), comme je me glisse dans la tourelle-chauffoir où j'ai mes habitudes, j'y trouve ma Jeannette debout, comme j'ai coutume de le faire, sur le petit banc, et l'oreille au mur.

Sans témoigner d'aucune confusion, elle me fait signe de me taire, me fait place sur le banc. Luc et Lucien sortent aussitôt, Lucien emportant la petite qu'il bâillonne d'une main, Luc refermant sans bruit la porte qui mène à la cuisine. Rusés comme des renards. Ils semblent avoir été dressés à faire le guet. Même les enfants réservent des surprises dans cette maison. Mais il est bien temps de faire des façons. Côte à côte, Jeannette et moi écoutons les deux hommes. On les entend d'autant mieux qu'ils ne semblent pas être d'accord.

– Mais pourquoi toutes ces complications? dit Wilhelm avec son accent à la choucroute. Une fois qu'on l'aura attiré dans les carrières de Vanves ou de

Vaugirard, on le fait disparaître, on l'enfouit sur place, et le temps qu'on le retrouve nous sommes en Espagne.

– Où le ministre, sûr du succès, nous enferme dans une bonne forteresse bien discrète, et on nous retrouve pendus, ou étranglés, par accident...

– C'est possible. Évidemment, c'est possible. Mais le garder en otage demande toute une organisation, des relais, des négociations...

– N'est-ce pas votre métier, mon cher? dit le Chevalier, dont la voix me paraît plus amusée qu'inquiète. Nous avons de solides amitiés à Bayonne. Il suffit d'y arriver.

– C'est vite dit. On peut le reconnaître en route, il peut s'échapper, il y a une multitude d'alćas...

– Sans doute. Mais la possibilité que vous évoquiez : le faire disparaître, nous met à dos à la fois ses amis et ses ennemis... Soyez beau joueur, Wil. Finissons la partie.

Dans la tourelle, Jeannette me regarde avec angoisse.

– Mais de qui est-ce qu'ils parlent? De qui? chuchote-t-elle.

– J'ai peur... J'ai peur que ce ne soit d'un grand personnage, dis-je toute tremblante.

Je ne vais pas lui dire ce qui me paraît maintenant évident. Ce n'est pas pour la lui vendre que le Chevalier vantait à l'Amateur les dons de voyance d'Antoinette. C'est pour l'attirer dans un lieu où un piège lui sera tendu. Il se peut qu'il y ait mort d'homme. Et mon maître est mêlé à cela! Je crois que je préférerais encore qu'il ne soit qu'un vil proxénète!

Jeannette, elle, paraît soulagée.

– D'un grand personnage, vous croyez? Il n'est pas de la police, l'Allemand?

– Pas exactement.

(Il est inutile qu'elle en sache trop. Bien que je lui fasse confiance, au fond.)

– Il n'a pas parlé d'une récompense promise?

– Je n'ai pas entendu. Il est évident qu'ils ne se cachent pas sans raison.

– Mais de placards affichés dans les rues, ils n'ont rien dit? Ils n'ont pas dit de noms?

– Quels noms voulez-vous qu'ils aient dits? Attendez...

Justement, j'entends le nom d'Antoinette. Je veux savoir ce qu'il est advenu de la malheureuse.

– C'est une excellente chose, dit Wilhelm, avec cette jovialité que je hais parce qu'elle cache une cruauté qui se complaît en elle-même. C'est une excellente chose qu'on nous l'ait cachée. Sans cela on nous l'aurait escamotée, et son père tout le premier. Et elle se serait laissé faire.

– Vous croyez?

– Ne l'a-t-elle pas suivi en Hollande? Elle aurait pu fuir. Elle fera ce qu'il lui dira de faire. Je saurai où elle est. J'ai mes informateurs. Mais il faut la tenir sous clé jusqu'au dernier moment... et lui, dans l'ignorance.

– Vous me laissez dans l'ignorance aussi, dit le Chevalier avec un peu d'humeur.

– Mon cher, c'est à votre avantage. Vous ne me trahiriez pas, mais vous vous trahiriez aisément. D'ailleurs je ne suis pas sûr de mon fait. C'est une question de jours.

Ils ont dû s'éloigner un peu du mur, car nous les entendons moins bien. Je distingue les noms d'Alberoni, de Richelieu. On parle de la Bretagne, de distribution de pamphlets à la foire Saint-Germain, puis plus rien. Ils ont dû passer dans le cabinet de curiosités, tout en parlant.

– Alors? demande Jeannette presque brutalement.

– Alors quoi?

– Ils ont dit des noms?

– Quels noms voulez-vous qu'ils aient dits qui vous regardent? dis-je, moi-même à l'extrême de la nervosité.

Elle semble se ressaisir.

– Eh bien... Duchâtelet... Ils n'ont pas dit : Duchâtelet? Et Marquand? Et... Vigneron?

Je sursaute.

– Vigneron! Mais Jeannette, c'est Jean-Marie?

– Et après? dit-elle agressivement. Il n'y a pas que Monsieur à se cacher de la police!

Je demeure stupide. De la comparaison. De ce qu'elle implique. Mais l'angoisse l'emporte et doit se lire sur mon visage puisque Jeannette, brusquement radoucie, m'entraîne dans la cuisine, me fait asseoir, me met Bénédicte dans les bras (ses frères l'ont abandonnée assise tant bien que mal dans la huche à pain), et pose une petite casserole sur le feu.

– Je vais vous faire un bon vin chaud, avec des épices. Ça redonne du cœur au ventre. N'ayez pas peur, ils ne les auront pas.

Bénédicte bave sur mon corsage. Je ne trouve pas une parole. Puis, comme Jeannette s'active, râpe de la muscade, cherche la cannelle, son énergie retrouvée, j'ai honte d'être moins vaillante qu'elle et je demande :

– Mais est-ce que Jean-Marie a quelque chose à voir avec... (geste désignant les salons)?

– Oh! non, Mademoiselle! Je ne sais pas de quoi ces messieurs s'occupent, s'il s'agit d'un haut personnage, comme vous dites. Mais mon Jean-Marie, il fait partie des amis.

– Des amis?

Elle pose devant moi un bol de vin fumant et odorant, s'en verse un à elle-même, et s'assied sans façon en face de moi.

– Je vois bien qu'on peut vous parler, dit-elle, tandis que Bénédicte trempe son doigt potelé dans le vin chaud et le retire avec un petit cri étonné. Des amis de la bande... De la bande à Cartouche, quoi!

Oh, non! Cartouche, maintenant! Il ne nous manquait plus que ça! Là, je suis franchement effondrée. Je remets à plus tard toute réflexion, j'empoigne le bol et je bois. L'ivresse me sauvera peut-être de la folie. Jeannette boit aussi, plus calmement, et trempe un croûton dans le vin pour le tendre à la petite Bénédicte. Sur ces entrefaites, le Chevalier entre, venant de la cour. Son haleine fume tandis qu'il referme la porte et, humant le vin d'un air de belle humeur :

– Eh bien! Je vois qu'on ne s'ennuie pas ici! dit-il.

Je ne pleure pas aisément. A vrai dire je ne me souviens pas d'avoir jamais pleuré, sinon de dépit. (Alors pourquoi ce sujet des *Larmes*?) Mais je comprenais maintenant pourquoi Jeannette pleurait la nuit, et parfois le jour, devant son fourneau. Le petit peuple manifeste ses émotions sans vergogne, et certes, avec un mari aimé trop proche de la « bande », et qu'elle pouvait perdre à tout instant, et la menace qu'avait fait peser sur elle la sage-femme des Porcherons qui l'obligeait à repousser celui qu'elle aimait et savait en danger, Jeannette avait bien de quoi pleurer.

Dans ces circonstances, les enfants, tout grands braillards qu'ils fussent, se taisaient; et, l'entourant de leurs corps malingres, pressés contre elle comme pour la réchauffer, semblaient lui promettre de vivre pour sa consolation. Même la petite Bénédicte, qui faisait alors ses dents, arrêtait ses gémissements, regardait le pauvre visage de sa mère, avec étonnement d'abord, puis consternation, et enfin s'essayait à sourire, sûre de son pouvoir. Et Jeannette en effet, essuyant ses larmes avec un coin de son tablier ou un torchon qui lui tombait sous la main, souriait à son tour. Sà cloison nasale déviée lui faisait un visage d'une fâcheuse asymétrie. Il lui manquait une dent de devant; ses cheveux étaient ternes, ses cils et ses sourcils si pâles qu'ils paraissaient sans couleur. Seuls brûlaient ses yeux noirs, pareils à ceux des garçons, et sa bouche pleine, épaisse et douce, parlait d'un amour que je ne connaissais pas. Si j'avais eu à modeler une image du sourire, je l'aurais choisie. Son sourire était toute sa beauté, une beauté qui se suffisait. Je n'en étais plus à m'étonner que Jean-Marie l'eût aimée.

Aussi je ne me formalisai pas lorsque, deux jours après ses confidences, elle me dit avec ce sourire-là, timide et tendre, qui s'excusait :

– Mademoiselle ferait bien quelque chose pour Jean-Marie ?

– Pour vous, Jeannette, oui. Mais je ne puis approuver...

– Mais moi non plus, Mademoiselle Catherine ! Je n'approuve pas ! Je lui ai dit cent fois qu'il allait à sa perte ! Chaque fois que je vois Monsieur Sanson, j'y pense. Et vous avez vu que je lui refuse tout, même les babioles qu'il apporte aux enfants – c'est un bon père...

J'en étais encore à me demander dans quelles proportions se mélangeaient en elle l'amour, la fierté et la réprobation. Sans doute ne le savait-elle pas. Non plus que moi. Tout de même, il y a une différence entre un vulgaire larron coupeur de bourse (je ne voyais pas autrement, alors, Cartouche et ses disciples) et un pamphlétaire, conspirateur sans doute, mais les plus grands l'ont été, et Martinelli n'était même pas français...

J'en étais encore à argumenter ainsi avec moi-même, qu'encouragée par mon silence, elle reprit :

– Si vous pouviez me prêter un jour, un jour seulement, la clé de la Demoiselle...

Absente, Antoinette était pourtant présente. Je compris tout de suite.

– Le maître l'a à son trousseau. C'est une grosse clé, qui porte un chiffre, c'est la seule. Comme il ne veut pas que je mette de l'ordre dans sa chambre, je ne puis y entrer. Tandis que vous...

– Que voulez-vous faire de cette clé?

– Il leur faut toujours des endroits, comprenez-vous, où ils puissent aller à l'improviste. Et puisque la Demoiselle ne reviendra pas... Je connais un garçon qui, en un soir, peut en faire une copie. Le maître ne s'apercevra de rien, vous le connaissez.

– Je ne sais pas... Peut-être... Comment savez-vous que la Demoiselle ne reviendra pas?

– C'est qu'on l'a fait sortir de la Salpêtrière, moyennant une bonne somme. Celui qui l'a payée si cher ne la laissera pas de sitôt.

– Savez-vous qui c'est?

– Jean-Marie peut le savoir. On le connaît dans tout l'Hôpital Général. On sait que ce n'est pas une mouche. On lui dira tout.

– Même où elle est?

– Cela se peut.

L'après-midi de ce jour, je pris la clé au trousseau de mon maître, et je la remis à Jeannette. Le lendemain matin elle me la rendit, après l'avoir frottée d'un chiffon, car elle était un peu grasse à cause de l'empreinte qu'on en avait prise. Nous ne dîmes pas un mot, ni l'une ni l'autre.

– J'ai, à cause de vous, fait une affaire avantageuse, dit la Fillon, avec ces grâces qu'elle réserve à ses intimes.

– A cause de moi?

– Mais oui. En cherchant cette petite qui vous intéresse, j'ai su que la Brincourt morte, Cléo héritait.

– Ah, c'est donc ça... murmure Jailleau qui perd une anecdote.

– Et qu'elle vendait la maison de la rue des Éperonniers. Elle est pressée, elle se marie.

– Ah, c'est donc ça... dit-il encore.

– Non, vous vous trompez, dit la Fillon qui a compris. Cléo était fort attachée à la Brincourt...

– C'était une bien méchante personne.

– Mais fort jolie. Non, Cléo vend parce qu'elle n'est pas faite pour tenir ce genre de commerce. Elle m'a montré ses comptes : au bout de quelques mois il règne là un désordre! On la vole, on la trompe. Les filles n'en font qu'à leur tête... Cléo veut faire une fin.

Cléo épouse un gros marchand d'Angoulême qui veut agrandir son commerce et cherche des fonds, sans trop y regarder quant à leur origine. Ou, peut-être, n'y voyant pas de mal. Les gens sont ainsi. Une parfumeuse était aussi sur les rangs, mais grâce à l'héritage de la Brincourt, Cléo l'a emporté. Seulement il faut aller vite, une histoire d'indiennes bloquées à Saint-Malo... D'où cette vente précipitée d'une maison extrêmement bien située, avec ses deux sorties : l'une sur la Grève, l'autre sur la ruelle, d'un mobilier qui venait d'être renouvelé et que Cléo abandonne pour un prix dérisoire, des tableaux galants, des tapis, huit chambres équipées de miroirs et de judas...

– J'ai marchandé, pour le principe, mais j'étais décidée. En prime, j'ai obtenu un petit bout de votre histoire. Je dois dire que j'y ai eu plus de mal qu'à obtenir les tentures et les garnitures de lit. Elle veut oublier tout cela.

Cléo s'est d'abord montrée réticente. Oui, elle laissera les tentures, les rideaux... Les couvertures ? Les draps ? Elle hésite. Et son trousseau ? Mais ne vaut-il pas mieux que tout soit neuf, et, d'ailleurs, elle veut des draps brodés à son chiffre. Si la Fillon fait un effort...

La Fillon fera un effort. Assez mince. Mais elle veut tout savoir de cette petite fille qui, un soir...

Soit. Et la vaisselle ? Vous rachetez la vaisselle ? La Fillon rachète. Alors Cléo veut bien parler une dernière fois de Thérèse Brincourt, de la petite fille, de cette maison dont elle va fermer la porte et jeter la clé. Elle laisse tout, est-ce entendu ? Y compris le vestiaire, les manteaux de lit, les jupons, les dentelles, que la Brincourt louait pour des occasions... Elle se rhabillera comme il convient à sa future condition. Elle laisse tout, elle s'en va. Elle s'en va vers un grand comptoir verni qui brille, la bonne odeur agaçante des pièces d'étoffe dépliées, le crissement des ciseaux dans l'étoffe, les deux commis qu'elle dirigera, vers le gros sanguin qui, comme souvent ces tyrans de boutique, n'aura dans certains domaines pas beaucoup d'exigences. La honte, le déchirement, l'attrait du gouffre, Thérèse derrière son judas assistant à des spectacles qu'elle voulait lui faire partager : « Tiens, regarde ! C'est le premier Président ! », « Tiens, regarde : c'est un officier du Royal-Auvergne ! », et sa consolation de les voir se vautrer dans la boue, parce qu'elle pensait au fond qu'elle était dans la boue elle-même, qu'elle mangeait de la boue, et voulait faire croire à Cléo qu'on finit par y prendre goût. Tout cela a effleuré Cléo, mais à peine. Elle a reculé, a détourné le regard. Ce n'est pas elle qui a dénoncé les faux-sauniers cachés dans les greniers et causé la perte de Thérèse, mais quand elle est revenue (« Elle n'était donc pas là ? a demandé la Fillon. – Non. Par hasard, tout à fait par hasard, elle était sortie. »), elle a pleuré, c'est vrai, mais de chagrin et de soulagement à la fois. C'est si terrible quelqu'un qu'on aime! Quand il meurt, on est plus léger.

« C'est là qu'il faut signer? » Sans doute elle aurait pu négocier à part la vente des tableaux, tapis et accessoires, et la Fillon fait une bonne affaire. Mais Cléo fait une bonne affaire aussi : elle sait qu'elle l'a échappé belle. Si elle n'avait pas eu l'idée du cocher, ce jour-là, le jour de la petite fille, elle aurait été liée à Thérèse pour toujours, entraînée au fond par le poids de Thérèse, envahie par les cauchemars cruels de Thérèse... Prenez-les, ces tableaux, ces draps, ces souvenirs!... Cléo les abandonne avec soulagement. Et quand elle arrive chez sa tante Claudine Rivaux, modiste, qui la loge jusqu'au jour du mariage, elle a déjà oublié, et Thérèse, et Antoinette, et la Fillon. Elle serre son argent, compte son trousseau, et dit à sa tante, qui est de son village : « Alors, ma tante? Quoi de neuf? », en sachant qu'elle fait désormais partie de ces privilégiés auxquels rien de neuf n'arrivera plus jamais.

La Brincourt était fille d'un inspecteur de police qui, à force d'épier les femmes galantes, finit par trouver naturel d'en tirer profit. Ignominieusement renvoyé, il avait eu le temps de se constituer un petit magot, mais il souffrit de sa dignité perdue. Pourquoi lui? Comme si Maillart, La Rivière, Reynald et Brancardi ne se servaient pas des filles de la même façon! On en avait besoin, des filles, pour déjouer les conspirations, connaître la composition des bandes qui écumaient Paris. On se constituait des fichiers grâce à elles. Et cela montait haut, très haut parfois!

Alors si Maillart, si La Rivière, si... On les payait, d'abord, les filles... Cher, parfois, selon le rang de leurs amants. Puis on leur faisait des faveurs : le frère de la petite Sophie était exempt aux gardes! C'est dire qu'on ne les persécutait pas! Mais un entraînement est toujours possible. Maillart se payait sur la bête, Reynard, qui était bel homme, recevait des bijoux, une guelte, peut-être? et amenait lui-même des clients à sa Rosalinde. La Rivière se contentait de procurer des adresses, et tendait la main. Alors, pourquoi lui? Pourquoi?

Brincourt était d'une férocité ingénue : il oubliait cela. Il battait les filles, ne reculait pas devant un coup de fouet ou même de couteau. Il ne leur faisait pas de compliments. Il ne leur offrait pas de bagatelles, jarretières ou bagues en pierres du Rhin, avec leur propre argent. Il ne couchait pas avec elles, et ne buvait pour ainsi dire jamais. Il ne dépensait pas leur argent à s'habiller galamment, ce qui leur eût donné un motif de fierté. Il amassait. Il était dur et méchant. Ces défauts et ces qualités firent que, tandis que ses collègues le jugeaient corrompu, le petit monde de la galanterie le rejetait pour d'autres raisons. « Il rend la méchanceté ennuyeuse », avait dit la Pâris, célèbre entremetteuse du début du siècle. Mais allez faire comprendre cela à un homme qui s'estime l'objet d'une immense injustice! Il en mourut quasiment de surprise. Si on lui avait dit qu'avec quelques bouteilles et trois mots doux, un peu moins de sobriété et de chasteté, il s'en serait sorti, il serait ressorti du tombeau pour apostropher les anges qu'il imaginait aussi méchants que lui.

Thérèse Brincourt ressemblait à son père : chaste et méchante, avec plus de finesse. Le magot de l'ancien inspecteur lui avait permis de lancer son commerce sur un certain pied de luxe. Elle n'avait pas d'enfant, pas d'ami de cœur, une amie parfois parce qu'il faut bien avoir quelqu'un à malmener sous la main. On disait du mal d'elle : la Brincourt est dure avec les filles qu'elle « protège ». Elle ne va pas vérifier, comme d'autres maquerelles soucieuses de leur marchandise, si les filles sortent indemnes, ou du moins point trop malmenées, des parties pour lesquelles elle les a louées. Elle méprise ce bétail, et c'est peut-être le profit le plus clair qu'elle tire de ce métier. Car, si elle a de l'argent, elle n'en profite guère. Elle s'habille comme une dévote et boit de la piquette. Mais elle a cet âcre plaisir de mépriser la chair, de la vendre, de la voir en quelques années flétrie et déshonorée : les maladies, les gains hasardeux bêtement dilapidés, la boisson réduisant la fraîche et jolie fille en fantôme grelottant dans les draps rudes de l'hôpital. La Brincourt y va parfois faire une visite, pour le plaisir des yeux. Avec cette nature, on la croirait laide. Point du tout. Un peu sèche, seulement; un joli teint, les yeux verts. Beaucoup plus geôlière que la Dufresne ou la Rosalie. Les règles sont différentes, mais elle applique les règles, surveillant de ses yeux de chat les erreurs, les glissements, et poussant de ses jolies mains les fautives dans l'abîme. Elle a encore cela pour elle : des mains très jolies, petites, fines, déliées. Elle brode à ravir. Elle griffe aussi très bien de ses jolis ongles soignés. On dit qu'elle a connu la Voisin, mais c'est dire seulement la peur qu'elle inspire, car au moment de l'histoire que raconte Cléo, elle est jeune encore. On pourrait ajouter qu'elle reste en rapport étroit avec la police, que les filles qu'elle envoie ici et là lui servent d'agents de renseignements. Mais, outre que sa filiation l'y prédispose, ce n'est pas un trait particulier. Toutes ces femmes ont des liens avec la police, du bas en haut de l'échelle. La Brincourt offre à boire au guet, la Dufresne salue l'inspecteur, la Fillon reçoit à dîner le lieutenant général, et la

Sœur Rosalie aurait été, dit-on, la maîtresse de d'Argenson tout récemment devenu ministre.

Trois sur quatre de ces femmes, mises en face d'une Antoinette de quatorze ans, folle de colère, d'humiliation, d'innocence, eussent agi prudemment. Logé la petite, prévenu la famille ou le couvent. Se seraient au moins informées sérieusement de son âge – la séduction d'une fille mineure est encore quelquefois prise au sérieux... La Brincourt fut saisie d'un désir mauvais, fou lui aussi, devant cette beauté et cette ignorance. Il sautait aux yeux qu'Antoinette ne savait même pas ce qu'était un homme. Elle avait seulement entendu dire (au couvent) que se donner à un homme était un déshonneur (hors mariage s'entend!), et que se donner à plusieurs était le comble de l'ignominie. Mais quant à savoir ce que signifiait au juste ce « don », elle imaginait une étreinte, une douleur, quelque chose de sale et de baveux, mais rien de précis. Elle se voyait abandonnée, froide, impassible, aux bras d'un homme sans visage et, au matin, allant à Versailles trouver son père pour lui dire : « Vous me donniez votre nom à regret? Je l'ai déshonoré! » Ce qu'il adviendrait ensuite, elle ne l'imaginait pas. Peut-être un remords tardif de ce père indigne? Peut-être le cachot, le fouet, l'isolement? Elle n'imaginait que des punitions de petite fille, car elle avait été jusque-là bien gardée. Rien de l'innocence avertie d'une petite Catherine, les yeux bien ouverts sur les spectacles de la rue, les oreilles attentives aux ragots de la cuisine et du salon, et, le soir, juchée sur l'escabeau, lisant tout ce qui lui tombait sous la main : de Faublas à *La Médecine traitée comme un Art*. On n'avait donné à Antoinette pour toute lecture que l'*Imitation de Jésus-Christ, Les Vies des Saints*, et le théâtre de Corneille considéré comme édifiant. Elle avait reçu aussi quelques leçons d'histoire romaine dont elle n'avait retenu que le bizarre et l'excessif : Bélisaire condamné à mourir de faim et nourri au sein par sa fille, Lucrèce violée par Tarquin, Arria Paeta enfonçant le fer dans son sein pour donner l'exemple du suicide à son lâche époux, « *Paete, non dolet* ». Ces grands exemples se mélangeaient en un tableau coloré avec les saintes décollées portant leur tête sur un plat, les manteaux brodés d'or qui cachaient mal d'horribles blessures, les petites nonnes rigides aux visages d'hostie qui, toutes blanches, se laissaient pénétrer par le Saint-Esprit et baissaient leurs longues paupières. C'était les tableaux anciens qui ornaient la bibliothèque, ne comportant que des ouvrages ou trop niais ou trop savants pour intéresser les pensionnaires. Et puis il y avait quelques tableaux d'époque (on en blâmait la Supérieure – mais tout bas : elle était bien en Cour) où les saintes étaient plus roses et plus dorées, présentaient une vague ressemblance avec Marie de Médicis, et se prosternaient en somptueux remords composés de cheveux répandus, de larmes semblables à des perles, de bures qui faisaient des plis de brocard.

Et puis il y avait la Royauté, les victoires dont on ne savait pas bien si elles avaient lieu en Espagne ou en Flandres, mais qu'on imaginait avec le soleil sur la cuirasse des héros, tous Français, dont ces petites filles se chuchotaient les noms, dont elles étaient quelquefois parentes. Et les étendards dans le vent. Les processions, les Te Deum, les catastrophes, aussi belles que les triomphes, la mort de Monsieur (Antoinette avait onze ans) qui fit grand bruit. On parlait, dans le couvent même, des pierreries qu'il laissait, de favorites, de fortunes subites, de disgrâces. Comment ces renseignements parviennent-ils dans les cloîtres? Et celui-ci était des plus édifiants. Voilà d'où sortait cette jeune furie, révoltée, généreuse, jeune fauve qui n'attendait d'obstacles qu'évidents, que loyaux... Prête au combat mais, comme disent les veneurs, « bête franche », de celles qu'on piège avec plus de facilité qu'on ne les affronte, gibier de choix pour la Brincourt qui sentit la salive lui monter en bouche. Elle fouilla la jeune fille, découvrit la lettre de reconnaissance; c'était facile, Antoinette n'avait pas autre chose. Une fille noble, donc. La Brincourt reçut cette noblesse comme un crachat.

Folles autant l'une que l'autre, et folies d'une même origine. Blessée, la Brincourt ne supporta pas un instant l'éclat de cet être intact qui déployait ingénument sa force et sa beauté pour vaincre ce qui ne peut être vaincu : la boue. La boue qu'on avait fait manger à Thérèse Brincourt, à Jean-Auguste Brincourt, exempt du Roi. A eux, et pas à d'autres aussi coupables, et plus. Et la révolte de Thérèse, chaste et cruelle, la démonstration de Thérèse qui jouissait du pouvoir de dire : « Vous en mangerez aussi, de la boue. Vous vous y vautrerez aussi. Et même vous paierez pour cela! », n'était pas très différente, en somme, de la fureur soudaine de la belle lectrice de Corneille, de l'admiratrice des martyrs et des héros. Seulement Thérèse avait pris le parti de la boue, elle s'était mise de son côté, veillant seulement à ce que chacun en reçût sa juste part. Qu'est-ce que c'est la méchanceté? C'est peut-être une soif de justice qui s'est retournée à l'envers. On se couche révoltée, on retire sans y prendre garde un corsage dont les manches se retournent, on le renfile au matin, et voilà une mégère de plus... Thérèse Brincourt envoyait des lettres compromettantes de jeunes gens à leurs oncles à héritage, dénonçait des rendez-vous adultérins qu'elle-même avait organisés, employait des filles malades et acceptait des clients à bizarreries.

Elle ne douta pas un instant de l'origine d'Antoinette. Dans une intuition fulgurante, elle comprit même le mobile qui l'avait poussée. « Vengeance! pensa-t-elle. Vengeance! Elle est peut-être même encore vierge. Vengeance, soit. Mais qu'elle paie le prix! » Elle s'était tue assez longtemps pour que l'élan d'Antoinette fût un peu retombé. Puis, de sa voix précise :

– Déshabille-toi! dit-elle à cette fille qui, la veille encore, se baignait avec sa chemise (quand elle se baignait).

Antoinette se débattait dans les agrafes et les lacets. Elle rougissait malgré elle, mais sa fureur la soutenait encore quand, enfin nue, la Brincourt la fit tourner et retourner, afin de vérifier, disait-elle, si elle était assez bien faite pour plaire « ici ». C'était une attaque de front, de celles auxquelles Antoinette saurait toujours répondre. Elle était sûre de sa beauté et, plus que de sa beauté, d'une fierté de jeune arbre que les rebuffades ont forcé à pousser vite et droit.

– On est donc bien difficile, ici? dit-elle avec une sensible ironie, car le salon de la Brincourt était sans faste, et de bon goût. (Mais rêve-t-on de bon goût, au couvent? Et ses beaux seins défiaient la maquerelle.)

Celle-ci retint son envie de gifler, de griffer, de mordre. Elle saisit simplement la jeune fille par le bras, et, ouvrant une porte qui se nichait dans la bibliothèque, la poussa, nue, dans la salle d' « attente ».

Situé entre la Grève et la rue des Éperonniers, le petit hôtel, ou la maison, de la Brincourt avait double issue, comme il convient. On y venait surtout jouer et boire; on y faisait son choix, certains jours et à certaines heures, entre de jeunes personnes qui passaient là comme par hasard, remettaient leur obole à la Brincourt, et s'en allaient chez elles ou chez quelque logeur avec leurs usagers. La Brincourt n'avait que sept ou huit chambres et qui lui servaient surtout à héberger des filles « prometteuses » qui débarquaient de province, sans expérience. On entrait dans l'hôtel par la Grève, et l'on se dirigeait vers la salle de jeu, ou vers la salle d'attente. Dans cette dernière, dont une porte donnait sur le boudoir personnel de la Brincourt où se faisaient les comptées, la sortie se faisait aussi, discrètement, par la rue des Éperonniers. La Brincourt, payée d'avance par les deux parties, se bornait à faire servir du vin et des biscuits par une soubrette si laide qu'elle ne risquait pas de détourner la clientèle. Mais certains jours, et par faveur spéciale, la salle d'attente ne s'ouvrait que pour quelques clients choisis, et pour une ou deux de ses filles que la Brincourt savait vigoureuses et ne reculant devant rien.

Ce jour-là il y avait quatre hommes dans la salle d'attente qui buvaient sec. La Brincourt leur avait promis deux filles : Cléo, forte brune un peu lesbienne, ce qui ne gâchait rien, et Nicole, dite la Théophile, qui avait été contorsionniste dans un cirque, ce qui n'était pas mal non plus. Et qu'elles fussent un peu en retard ne faisait qu'accroître l'ardeur de ces messieurs qui apprenaient à se connaître en vidant des bouteilles qu'ils paieraient en sus.

Mais une vierge, Messieurs, une vierge, livrée à vous pour toute une nuit, que dites-vous de cela? Une vierge et martyre qui ne protestera devant rien, qui subira tout en silence?...

– Une vierge! Allons donc! Elle est jeune, je ne dis pas. Peut-être même trop jeune. Mais vierge!...

– Vous allez pouvoir le vérifier, dit la Brincourt, les dents serrées.

Ses ongles pointus s'enfonçaient dans l'épaule d'Antoinette. Elle la sentit trembler avec délices. C'est que c'était autre chose, ces quatre hommes d'aspect décent, qu'Holopherne, ou le martyre de Polyeucte sous l'empereur Décius.

– C'est cela, vérifions. Doucement, doucement... Et si c'est vrai, nous tirerons au sort l'heureux bénéficiaire.

– Venez, ma belle. Mettons-la sur ce sofa. Jouons les matrones...

– Après tout, il y a deux pucelages, et nous ne sommes que quatre...

La Brincourt referma la porte sur un long hurlement. Elle connaissait ses clients, ils ne s'effaroucheraient pas, et la pièce était matelassée. Elle poussa le mécanisme qui bloquait les deux portes de la salle. Dans l'excitation du moment elle n'avait pas majoré son prix. Elle le regretta brièvement, puis elle alla s'installer à son judas (elle en avait un, comme la Dufresne, comme la Fillon. Elles en avaient toutes, même Sœur Rosalie qui ne s'en servait pas) et regarda. On allait voir comment elle s'en tirait, Mademoiselle Malouin des Essarts ! Cette fois-ci du moins, Thérèse Brincourt n'épierait pas pour le compte de la police.

Le lendemain matin, devant le corps inerte, Cléo qui revient d'une soirée agitée :

– Mais, Thérèse, elle pourrait en mourir !

– Cela vaudrait peut-être mieux, dit Thérèse Brincourt avec un regard singulier.

Elle est rassasiée. Maintenant, elle a peur. Elle est prête à tout. Ce regard mettra dix ans, ou onze, à parvenir jusqu'à la conscience de Cléo, à la décider.

En attendant, elle s'en va chercher un cocher, sur la Grève, qu'elle connaît pour l'avoir occupé plus d'une fois pendant ses pauses, et le décide à charger cette jeune fille, cette petite fille, qu'elle a rajustée de son mieux mais qui ne reprend pas ses sens.

– Je te préviens, dit le cocher, si elle meurt dans la voiture, je la jette au fossé. Pas vu, pas pris.

– Mais si elle revient ? C'est une fille noble. Il y a peut-être une récompense.

– Alors je la mène à Versailles.

De Versailles on le renvoya à Sceaux, où Malouin séjournait, et se vit bien marri de récupérer sa fille.

– Et de là ?

– Ah, mon bon ami, je ne puis faire toute votre besogne ! Il y a une histoire de voyage, de brouille du père avec les du Maine, mais de cela Cléo ne sait rien. Vous pourriez aisément vous en informer. Mais, voulez-vous mon avis ? N'en faites rien.

– Et pourquoi ?

– Toute belle qu'elle puisse être, une fille de ce caractère ne saurait retenir le Bel Ami. Pas plus d'un soir ou deux, à supposer qu'elle y consente. Il aime à rire.

– Il est certain qu'il n'y a pas de quoi... soupira Jailleau.

Il voyait s'évanouir l'espoir de cette petite rente qu'il ambitionnait, et qui se dérobait toujours, comme une femme.

CHAPITRE VII

Où l'on aperçoit Sanson sur son lieu de travail. Où Catherine s'aperçoit que le malheur existe et s'en étonne. Où le Chevalier tente de concilier deux conceptions de la liberté sans y parvenir.

J'arrivai au moment où le supplice prenait fin. La foule était assez clairsemée. L'inertie du corps, lié sur un X de bois, expliquait ce manque d'enthousiasme. L'exécuteur, soit avait dû user du retentum, soit avait donné le premier coup de barre en plein thorax, ce qui avait généralement pour effet de tuer le condamné ou de le faire évanouir. D'où la déception des badauds qui attendaient apparemment des cris, des râles, un spectacle. Le condamné était un certain Michel Maury, voleur et assassin, m'apprit un vieillard, et roué plutôt que pendu à cause de l'horreur de ses forfaits : outre un joaillier et sa femme qui l'avaient surpris pillant leur boutique, il aurait massacré deux ou trois enfants en bas âge, par cruauté pure, car ces enfants ne pouvaient ni le retenir ni même le reconnaître. En fait, ajouta ce vieil homme, la sévérité du juge s'expliquait par le fait que l'on avait déjà soupçonné cet homme d'être un des hommes de Cartouche, bien que l'on n'ait pu le prouver.

– On a voulu faire un exemple. Mais tout le

monde sait que ce n'est pas un homme de la bande : ils ne tuent que quand c'est absolument nécessaire ! Ils ne tuent pas les petits enfants ! C'est peut-être le joaillier qui appartenait à Cartouche : il n'aurait pas été le seul ! On appelle ça des receleurs. Mais attention, il va briser les jambes.

Je ne pus me tenir de frissonner. Le corps avait beau être immobile, d'une bizarre mollesse, les détails tels que les bras, déjà brisés, dont les jointures pointaient comme des os dans un sac, la tête renversée en arrière dont on voyait les dents découvertes, semblables à celles d'un animal mort, me faisaient horreur. Je ne pouvais comprendre que l'on vînt assister à de tels spectacles par plaisir. Cependant mon voisin en paraissait tout réjoui. L'exécuteur s'était détourné pour s'essuyer le front et boire un verre d'eau. Ce n'était pas la première exécution du jour. Il se retourna et se dressa de toute sa taille. Bien qu'il fît encore frais, il avait quitté son habit et n'était vêtu, par-dessus son caleçon, que d'une sorte de camisole qui permettait d'apprécier sa musculature puissante, le jeu des biceps qui soulevaient, lentement et sans efforts, la lourde barre de fer. Un moment il la tint levée, calme, attentif à juger le point précis où il allait l'abattre. Puis la barre tomba avec force et, comme j'étais assez près de l'estrade, j'entendis les os craquer.

– C'est la première fois que vous voyez rouer ? me demanda mon voisin, tout aimable.

Je fis signe que oui.

– Ah ! la première fois, cela fait effet. Mais ce n'est plus ce que c'était. Moi qui vous parle, j'ai vu rouer Vautier, Jean Nouis, et pendre la femme Attibard qui avait empoisonné son mari, et eut le poignet tranché avant l'exécution. Ce bourreau ne vaut pas son père et, d'ailleurs, les juges, aujourd'hui, sont bien trop indulgents.

Je vis que j'avais affaire à un bavard infatigable qui allait me régaler du récit de tous les supplices exécutés en Grève depuis son plus jeune âge, puisqu'il en paraissait friand, et je m'arrangeai pour me perdre dans la foule, en direction de la maison du Pilori, où les corps étaient entreposés jusqu'à ce qu'on en disposât. J'évitai ainsi le dernier coup de barre, après lequel les aides se mirent en devoir de détacher le corps et de l'emporter à l'arrière de la petite maison octogonale. Là, Antoinette avait été exposée, pensai-je.

La foule se dispersait, grommelant, mais sans huer le bourreau cependant, comme cela arrivait parfois. Le bruit répandu que le mort avait été compagnon de Cartouche semblait à beaucoup un motif de pitié, et l'assassinat de deux petits enfants passait pour une fable inventée par les magistrats pour tenter de combattre la popularité du bandit, qui allait croissant.

Je contournai le pilori, dont l'arrière servait de morgue.

Je voulais parler à Sanson sans témoin, et le peu d'éclat de l'exécution d'aujourd'hui me paraissait favorable. Quand un crime intéressait particulièrement le public, ou que la personnalité du criminel excitait, indifféremment, une vive pitié ou une indignation violente, il advenait que la Grève fût pleine à déborder, fenêtres louées, toitures escaladées, enfants juchés sur les épaules de leur père, et même, me suis-je laissé dire, jeunes gens montés sur des échasses à défaut d'autre perchoir, et que l'on faisait dégringoler, le procédé paraissant déloyal. Ce n'est pas moi qui me serais livrée à de telles acrobaties pour voir ce que je venais de voir. Aussi hésitai-je un moment à la porte de la salle en contrebas, où l'on venait de déposer le corps, et où Sanson changeait de vêtements.

C'était la première fois que je le voyais dans l'exercice de ses fonctions. Je n'avais pas imaginé cela. A vrai dire, je n'avais rien imaginé du tout. Quand j'avais pour lui de la sympathie, quand je lui avais trouvé de beaux yeux, quand je m'étais dit : « Tout de même, c'est le bourreau! », je pensais à l'opprobre attaché à son état, mais non à ce qu'il comportait. Aujourd'hui, j'avais vu. Et qu'on le créditât d'une certaine bonté, jusqu'à lui reprocher l'usage trop fréquent du retentum ou le coup de barre prompt qui mettait fin trop vite (au gré du public) aux souffrances qu'il infligeait, n'atténuait pas l'horreur que j'avais éprouvée en le voyant, du même regard calme et attentif qu'il avait porté sur moi, dans ces discussions où il apportait sa bonne volonté et sa laborieuse réflexion, regarder le corps étiré devant lui, le jauger, et, avec l'assurance due à une longue habitude, le briser à l'endroit précis de la jointure. Ce n'était pas un autre homme que j'avais découvert, c'était le même, et c'est ce qui me révulsait.

Ses aides s'empressaient autour de lui, l'essuyaient d'un linge blanc, lui tendaient un verre de vin. L'un d'eux passa une éponge imprégnée d'une eau de senteur vinaigrée sur le cou et le dos puissants. Il ne m'échappa pas qu'ils tentaient de se faire bien voir, de lui être agréable, sans doute en vue de quelque promotion. Sanson était, ici, dans son royaume d'ombre et de sang, un homme de pouvoir. Il se laissait étriller, rhabiller, féliciter, sans complaisance mais sans déplaisir. Deux ou trois quémandeurs attendaient au fond de la pièce, patiemment, presque humblement, qu'on eût procédé à ces soins de toilette pour lui adresser la parole.

J'attendis aussi, mais, comme j'étais sur le seuil, il me remarqua d'abord.

– Ah! Catherine! C'est encore pour cette noyée?

Mais j'ai eu le mot du Chevalier, je vous la fais livrer tout à l'heure. Discrètement : elle avait été signalée à Desnoues par un garçon d'hôpital. Mais quand il a su que je m'y intéressais...

Je ne crois pas qu'il parlât avec une particulière forfanterie. Il énonçait des faits. Dans ce domaine – la disposition des corps, des morts –, le bourreau était une puissance. Il le savait.

– Enlevez-moi cela, dit-il en désignant le corps gisant sur une litière.

Et m'expliqua poliment :

– C'est la salle à côté qui sert de morgue. Elle est fraîche.

Les aides s'empressèrent, cependant qu'il passait une chemise propre, sans dentelles mais d'une extrême blancheur. Bonne ménagère, Madame Marthe.

– Autre chose ?

– J'aurais souhaité vous parler...

– Je ne suis pas seul.

Mes paroles étaient brèves, dépourvues de la sympathie qui avait régné entre nous quand j'étais enfant. Quand avait-elle disparu ? Il m'inspirait maintenant une répulsion dont il était peut-être conscient. J'avais, moi, le sentiment d'éveiller chez lui un agacement croissant. Mais je pouvais avoir besoin de lui. Il s'agissait de rester prudente. J'avais décidé de le rencontrer à la Grève pour que Madame Marthe fût absente, et pour tenter de savoir ce qu'il en était d'Antoinette. S'ils s'étaient l'un et l'autre accordés, pourrais-je être assez convaincante pour les persuader de disparaître ensemble ? Il y avait dans cette démarche peu d'espoir, mais assez toutefois pour la risquer. Au point où j'en étais, je n'avais pas grand-chose à perdre.

J'attendis donc. Mes yeux s'habituant à la pénombre de la pièce, je tournai mon regard vers les silhouettes qui attendaient dans le fond. Il y avait un garçon d'amphithéâtre que je connaissais bien, spécialisé dans le marché clandestin des cadavres, un inconnu de bonne mine, bien mis, avenant, non sans effronterie, et un manchot vêtu en bourgeois qui me toisait d'une manière assez goguenarde : Wilhelm.

– L'enfant fait son marché pour son compte ?

Je vis bien que depuis la vente du buste à Sanson, dont il n'avait soufflé mot, pour avoir prise sur moi, je suppose, il me croyait en affaire avec le bourreau et en secrète concurrence avec le Chevalier. Cela m'arrangeait pour l'instant.

– Et vous, Wilhelm ? Vous n'êtes pas chirurgien, que je sache. Vous n'avez rien à faire ici.

– Vous y êtes les bienvenus, dit Sanson sans excès et de bonne grâce.

Le garçon d'amphithéâtre, se voyant reconnu par moi, s'esquiva en disant qu'il reviendrait plus tard.

– Si vous voulez bien, ne concluez rien, Maître ? dit-il à Sanson d'un ton obséquieux et câlin.

C'était la première fois que j'entendais appeler « maître » un bourreau. Mais que ne ferait-on pour un mort de fraîche date ! Le jeune homme bien mis s'avança alors d'un pas et, sans se soucier de nous :

– Vous me l'avez promis, dit-il à Sanson d'un ton sans réplique.

– Vous l'aurez, dit Sanson avec un radoucissement de ton qui me donna fort à penser. Guillaume l'arrange un peu.

– C'est bien. Nous l'ensevelirons cet après-midi. Ses camarades n'auraient pas aimé le voir dépecé par ces amateurs de charognes. Il a fait bonne contenance ?

– Fort bonne. Vous avez vu, j'ai procédé comme vous me l'aviez demandé. Le premier coup a été le bon.

– Nous vous en sommes reconnaissants. J'ai un tombereau à la petite porte. Puis-je ?...

– Il doit être prêt. Guillaume!... Soulevez-le avec précaution, il se pourrait que l'estomac ait été fort endommagé...

Ces propos (j'en avais entendu d'autres, pourtant, et presque similaires) me soulevèrent le cœur. Mais j'attendis encore. Après tout, mon intention était bonne; Sanson ne pourrait m'en vouloir. Qui sait si, en nous sauvant, mon maître et moi, je ne les sauverais pas aussi tous les deux? Mais il me fallait être seule avec lui, et Wilhelm, dont la présence m'avait inquiétée, ne devait en aucun cas se douter de ce qu'il considérerait (et aurait-il tout à fait tort?) comme une trahison.

Sanson revenait vers nous, et l'air d'urbanité avec lequel il avait mené sa transaction précédente s'effaçait de son visage.

– Monsieur le comte, dit-il à Wilhelm que cette appellation ne paraissait nullement troubler, je vous ai dit non, c'est non.

– Vous y réfléchirez.

– C'est tout réfléchi.

Wilhelm rougit de colère. Je l'avais bien observé, il avait le sang vif. Il en oubliait ma présence.

– Il peut y aller de votre place. Vous ne seriez pas le premier. Levasseur, bourreau de Paris, et cousin de votre père, a bien été destitué.

– Comme proxénète, dit Sanson avec quelque difficulté.

– Il était de votre famille. On pourrait s'en souvenir. Et de vos petits arrangements avec l'un et avec l'autre.

– Simple humanité.

– Humanité ou complicité. Une dénonciation est vite faite, et, pour l'instant, sûre d'être écoutée.

– Libre à vous, Monsieur le comte, dit Sanson qui s'était repris.

Il eut, à ce moment-là, de la dignité.

– Nous n'allons pas nous quereller. Songez aux avantages que vous pourriez, par contre, obtenir. On n'est pas forcément bourreau, comment dites-vous... exécuteur, toute sa vie!

Sanson se taisait.

– Parlez-lui. Prenez son avis. Il est des sinécures, aux Indes, à Ceylan, où vous pourriez vous exiler l'un et l'autre, besogne faite. Non, non! ne me répondez pas. Mais sachez que j'aurai un blanc-seing pour toute décision que j'estimerai opportune. Hâtez-vous seulement. C'est une question de semaines. Venez, Catherine.

Il sortit bruyamment et je le suivis sans protester. Aussi bien je savais ce que je voulais savoir : Sanson détenait Antoinette. Mais Wilhelm le savait aussi.

Il était à pied, malgré un bel habit feuille morte, et crottait sans s'en apercevoir ou sans s'en soucier ses bottes neuves. Il marmonnait : « Marchandage! Un bourreau! Triple sot! Brigand! Bandit! »

Je le suivais, salissant à regret ma jupe dans les boues du dégel qui commençait.

– Votre humeur me coûte une belle pièce, dis-je, feignant l'entrain, car je voulais le confirmer dans l'idée que je travaillais pour mon propre compte, comme Châteauneuf, comme tant d'apprentis qui n'ont de cesse de supplanter leur maître et de lui prendre sa clientèle. Mais pourquoi vouliez-vous ce corps?

Il me regarda un instant sans pourtant ralentir le pas, pour voir si ma méprise était sincère. Mais il faut bien tirer avantage d'une figure ronde et de grands yeux d'un bleu innocent. On me croit aisément. Il se rasséréna.

– Je le voulais pour un ami, qui me donne un bon bénéfice. Et ce maraud préfère l'Enfant!

Cette fois je fus niaise tout de bon.

– Quel enfant?

– L'Enfant, c'est un surnom que l'on donne à Cartouche, dit-il avec la supériorité facile des initiés aux bas-fonds parisiens.

– Quoi! Ce cadavre est donc... Certains disaient que non, que s'il avait été un ami de Cartouche, celui-ci l'aurait enlevé.

– Il aurait pu.

– Que ne l'a-t-il fait?

– A cause des enfants. Meurtre inutile. Il aurait joué un vilain personnage, et c'est ce qu'il ne veut pas. Il n'est pas bête. Nous le verrons commandant de cavalerie, un jour, Monsieur Cartouche, qui sait? Prenons un fiacre, cette boue est intolérable.

Il s'en apercevait bien tard: ma jupe était gâtée.

– Peut-être a-t-il eu pitié des enfants, tout de même, murmurai-je en prenant place à côté de lui.

– La pitié est une denrée rare, petite Catherine. Rare et chère. Tout le monde ne peut pas se l'offrir. Si j'étais toi, j'y renoncerais.

Je ne répondis pas. Il avait dit cette parole avec un peu de rêverie. Mais les Iroquois, eux aussi, avaient peut-être eu un moment de pitié avant de massacrer saint René Goupil.

Et après, ils l'avaient mangé.

Nous arrivâmes. Wilhelm s'enferma aussitôt avec Martinelli, et on put entendre des éclats de voix. Mais je n'écoutais pas. Je réfléchissais.

Que le complot prît corps dépendait donc entièrement d'Antoinette, que Sanson aimait, détenait et, peut-être, contraignait. Wilhelm ne l'ignorait pas et faisait au bourreau des promesses mirifiques afin qu'il lui prêtât « mon amie » jusqu'à la conclusion de l'affaire.

Étonnant comme Antoinette était toujours la clé de tout et, en même temps, comme on la déplaçait, lui faisait changer de rôle, de lieu, de but. Comme un pion, un objet. C'était Sanson que Wilhelm essayait de corrompre ; ce n'était pas elle. « On vous trouvera une sinécure... Vous l'emmènerez ici, là, aux Indes, aux îles... » Comme une valise.

Si on avait pu la joindre... Lui faisait-on des promesses ? Abusait-on d'un égarement dont je n'avais jamais pu mesurer tout à fait la sincérité ?

Je pensai, non sans un peu de remords, que je raisonnais comme Wilhelm, comme le Chevalier, peut-être comme Sanson : je disposais d'elle. Je voulais, moi aussi, qu'elle disparût, qu'elle s'en allât, de bon ou de mauvais gré. Seulement, moi, je voulais qu'elle s'en allât *avant* de nous avoir tous compromis ; tandis que mes conjurés, confiants dans leur projet, voulaient qu'elle s'en allât *après*. Il semblait que le monde entier fût encombré de cette malheureuse, comme d'un instrument une fois qu'on s'en serait servi.

Mais je me trompais peut-être ? Qui sait si elle ne serait pas enchantée d'aller s'installer loin de tout, avec son bourreau ? Madame Marthe l'avait bien épousé, n'y étant nullement contrainte ! Ou, au contraire, s'il la retenait contre son gré, elle ne demanderait peut-être pas mieux que de le fuir, lui et ceux qui voulaient lui faire jouer le rôle chanceux de devineresse ?

C'était à elle qu'il me fallait parler. J'avais bien vu que de Sanson je ne tirerais rien. Et pour la trouver, j'avais besoin de ce Jean-Marie Vigneron qui, d'après Jeannette, connaissait tout le monde.

J'étais dans mon laboratoire, dessinant sans ardeur, et me demandant encore s'il fallait me mettre à la merci d'une servante et d'un vaurien. Mais quelle autre démarche pouvais-je bien tenter ?

Qui d'autre me viendrait en aide? J'imaginais l'horreur de Basseporte, au seul mot de prison, de complot, de bourreau. Elle n'aurait de cesse qu'elle ne m'arrache à mon fâcheux entourage, et ne me dépose en sécurité dans quelque couvent respectable, d'où je ne sortirais que pour suivre, sous sa surveillance, les cours du Jardin du Roi. J'avais pourtant désiré, autrefois, ce sort. Le plus heureux, me semblait-il, qu'on pût ambitionner. J'avais donc bien changé, sans vouloir, toutefois, en analyser la raison.

La nuit allait tomber comme on nous amena le corps que Sanson nous avait promis. C'était des gens du guet, eux aussi ont leurs prix, qui l'avaient repêchée dans la Bièvre. Une femme enceinte de quatre à cinq mois. Femme... fille, sans doute, qui n'avait vu d'autre solution à son embarras. Le cas n'était pas rare, mais il m'impressionna désagréablement. Le lendemain matin, je vis mon maître – qui devait se servir de ce corps pour faire une démonstration sous l'égide du médecin Lesueur, mon père –, moins désinvolte qu'il ne l'était en général dans ce genre de circonstances. Il détourna les yeux du visage bouffi et déformé, et le couvrit d'un linge. Ces gestes me donnèrent du courage. Il était peut-être possible de l'impressionner?

Mais l'après-midi même, tout affairé, ayant apparemment écarté les impressions du matin, il ramenait le corps dans une longue caisse garnie de paille et de crin, et je vis qu'il l'avait soigneusement recousu pour en faire usage.

– Vous l'avez ramenée?

– Un corps entier! Je n'allais pas le laisser perdre!

En l'ouvrant, il avait découvert, me dit-il, que la femme était enceinte de deux jumeaux déjà parfaitement formés.

– Nous allons faire un moulage particulièrement soigné de l'appareil génital avec ses deux petits fœtus. Il ne faudra pas trembloter, nous n'aurons pas deux fois une occasion pareille. Nous modèlerons... tu modèleras une paroi abdominale qui s'adaptera exactement au corps, comme un couvercle, et nous embellirons le corps à l'antique pour en faire une pièce superbe, avec cheveux implantés et un beau visage grec. Ce sera une pièce de tout premier ordre dont tu exécuteras toutes les parties sculptées...

Je l'interrompis, surprise.

– Mais je croyais que vous blâmiez ce mélange de sculpture et d'anatomie ? Vous avez donc changé d'avis ? Vous ne le regretterez pas, vous verrez. Je vous ferai un travail superbe. Nous pourrions l'appeler *Les Gémeaux*, pour donner une note mythologique ?

– Nous... *TU*. Ce sera ton œuvre et je te la laisserai.

Je me sentis pâlir.

– Comment cela, vous me la laisserez ?

Penché sur le corps, il décousait déjà la suture. Il fallait profiter du reste de jour pour mouler avec le maximum de chances de réussite.

– Je veux dire que je te laisserai la signer. Que tu en auras l'entière propriété, dit-il sans me regarder.

Mais quelques maladresses qu'il fit en écartant la paroi abdominale me confirmèrent dans l'idée qu'il était troublé, que, pensant m'abandonner, son but atteint, et allant chercher le prix de ses efforts en Espagne ou en Italie, la noyée de la Bièvre était en quelque sorte son cadeau d'adieu. J'en restai suffoquée d'un chagrin que je pris pour de la colère.

– J'en aurai bien besoin, en effet, quand vous serez à la Bastille.

Il posa son scalpel et s'essuya machinalement les mains à son pan de chemise qui en fut tout sali.

– Qu'est-ce que tu dis ?

– Croyez-vous que je sois sourde et aveugle? Que je n'aie pas compris vos intrigues, et qu'après avoir essayé de prendre l'Amateur au piège de sa... lubricité, vous tentez de le séduire par la superstition, le mettant – et vous-même – en péril de mort? Tout cela sous l'influence de ce cocher qui se fait passer pour comte ou pour abbé! Tout cela pour des honneurs ou des fortunes illusoires, alors que vous n'auriez qu'à cultiver vos dons, votre science...

Je fus interrompue par des sanglots dont je m'aperçus avec stupeur qu'ils étaient miens, par des mots entrecoupés qui m'échappaient :

– ... et vous me quittez... On vous arrêtera... On vous torturera peut-être... ou bien vous ne reviendrez pas... Vous me quittez, vous me quittez...

– Petite Catherine...

Il me prit gauchement dans ses bras, et je sentis bien que si c'était à la façon dont on prend un enfant pour le consoler, cet embrassement, toutefois, ne manquait pas de chaleur.

– Ne pleure pas, ne pleure pas, dit-il d'un ton de voix que je ne lui avais jamais entendu : grave et presque douloureux, d'une tristesse qui ne me concernait pas seule.

Je dominai une émotion dont je rougissais déjà. Il était vrai qu'il avait pu la prendre, qu'il avait dû la prendre, pour la panique d'un enfant abandonné. Je savais bien qu'il y avait là autre chose, mais je ne me souciai pas qu'il le sût. Nous étions assis sur le vieux sofa défoncé, il tint un moment contre son épaule mon visage que mes cheveux défaits couvraient entièrement.

– Sais-tu, dit-il, mais comme parlant à lui-même, que ce sont les mots mêmes de ma pauvre mère, quand le chanoine m'emmena? « Ne me quittez pas », disait-elle en pleurant, « ne me quittez pas »... Puis elle se couvrit le visage de son tablier de servante pour que je ne visse plus ses larmes, et elle ajouta : « Si, si. Soyez fort, mon aimé, quittez-moi. Je serai heureuse si je vous sais à l'abri. » Le chanoine battait du pied d'impatience, je partis.

Nous nous tûmes un long moment. Puis, avec une douceur dont je ne l'aurais pas cru capable, il reposa ma tête sur les coussins poussiéreux, se leva et fit quelques pas jusqu'au corps béant, sans défense, où se recroquevillaient ces deux petits êtres qui n'avaient pas vécu.

– Se tuer pour si peu... Une pauvre fille du petit peuple, qui s'est trouvée grosse, abandonnée, et a cru que c'était la fin du monde, alors que tant de belles dames laissent tomber ce genre de fardeau de sous leurs paniers comme s'il s'agissait de...

– Oh !

– J'exagère peut-être un peu, mais sois sûre que s'il leur advenait ce genre d'inconvénient, les Sabran, les Parabère, les Tencin ne s'en soucieraient pas, une fois passée la colique...

Il fut d'un pas lent jusqu'au broc et à la cuvette, et se lava les mains. Négligent en toutes choses, il ne l'était pas en cela et veillait toujours à ce que je fisse de même, me regardant les mains à la moindre piqûre ou égratignure pour les désinfecter, comme il eût fait d'un enfant. Encore !

– Je ne te quitterai pas, Catherine, du moins pas de mon gré, dit-il en revenant vers moi. Et nous n'irons pas à la Bastille. Ma seule expérience des prisons est celle des plombs de Venise, et je te jure qu'elle ne donne pas envie de recommencer. Si je me vois contraint de partir...

– Eh bien ?

– Je t'emmènerai, ou je te ferai savoir où tu peux me rejoindre. J'ai encore bien des choses à t'apprendre.

Je pensai à Basseporte et me pris à sourire.

– Voilà qui est mieux. Me crois-tu si peu d'amitié pour toi, ou tant d'inconstance, que je te laisse sans recours, à moins que tu ne le désires?

– Non, Monsieur, je ne le crois pas. Mais est-ce par constance que vous suivez cet homme dans tout ce qu'il vous prescrit? Ou par entêtement? Ou par gloriole? Ou encore par conviction? Et laquelle?

Contrairement à ce que je craignais, il ne rit ni ne se fâcha.

– Sais-tu pourquoi, me trouvant seul, je m'étais rendu à Venise? Parce que j'avais senti durement l'injustice dont j'avais été l'objet et qu'il me semblait que, dans une république indépendante, tout devait se passer, même les affaires privées, avec plus d'ouverture, l'habitude de la tyrannie n'y étant pas installée. As-tu jamais cru à quelque chose de ce genre, Catherine?

– Non pas, Monsieur. Vous connaissez mon père. Il n'est pas homme à vous nourrir de ce genre d'illusions...

– C'est ce qu'il me semblait. Je t'ai dit mes mésaventures de Venise. C'est là que j'ai rencontré Wilhelm, comte authentique, comte von Schlieben de son nom allemand. Il ne faisait pas partie de la police, il n'appartenait à aucune ambassade, à aucune administration, même d'un degré inférieur, et cependant il était bien reçu partout, particulièrement par les Espagnols.

« Il donnait la préférence sur toutes les autres à cette nation, bien qu'il fût allemand, parce qu'il avait été fort bien reçu, et appointé par la Princesse des Ursins, qui fut si importante dans ce pays-là jusqu'au remariage du Roi où elle tomba dans une disgrâce foudroyante, expédiée au-delà des frontières, comme on sait, en habit de cérémonie, donc demi-nue. Wilhelm aurait connu le même sort (sauf quant à la nudité dont elle faillit crever, pauvre femme, qui n'était plus jeune!) s'il n'avait senti le vent et noué des liens avec Alberoni, parmesan, fils de jardinier devenu Premier ministre, et bonne paie, ce que n'est pas notre Dubois, fils d'apothicaire. Wilhelm était un peu parent (je crois qu'ils avaient la même maîtresse, ce qui les lia) de l'homme qui m'avait délivré des plombs. Il m'accueillit quand je sortis de prison, l'autre lui ayant garanti que je pourrais « me rendre utile ». Il me fallait quitter Venise au plus vite. Mon chirurgien de maître m'aurait poursuivi de sa haine pour avoir réclamé mon droit et parce que ses mains tremblaient. Où aller? Je me voyais tomber au plus bas.

« Du rang de pauvre et petite noblesse à celui de protégé de mon chanoine, et accusé d'en être le mignon, puis à celui d'aide-chirurgien – à peine au-dessus d'un barbier –, je me voyais enfin descendre au rang d'aventurier, moins encore : d'espion, et le mot est encore trop noble. « Mouche », dit-on d'un espion de basse catégorie. Et je devais cet abaissement au fait que mes parents n'avaient pu me nourrir, et à ce que, avec l'étourderie du jeune âge, j'avais pensé davantage, sous l'égide de mon bon ecclésiastique, à m'instruire et à m'amuser, dévorant des livres et de grasses poulardes du même appétit, qu'à préparer doucement mon bienfaiteur – qui n'était pas tant vieux que sanguin et apoplectique –, à tester en ma faveur. Je me découvrais prisonnier d'une société où pauvreté, jeunesse et désintéressement formaient une somme de forfaits inexpiables. J'en étais accablé.

« Wilhelm me rendit la vie. Il me prêta d'abord de quoi me rhabiller, faire couper mes cheveux, me faire faire la barbe, racheter une perruque décente et un habit un peu propre, m'envoya aux étuves (j'ai cette faiblesse d'aimer me laver), puis s'employa à me rendre courage. D'autres étaient partis de plus bas et montés au pinacle. Mes expériences me servi raient. Je savais écrire l'italien et le français, j'apprendrais vite l'espagnol, d'autant qu'on allait m'envoyer là-bas. Le Conseil d'Italie n'était-il pas à Madrid? La nouvelle Reine n'était-elle pas italienne? Et Alberoni? Bien sûr, pour l'instant morcelée, échangée, ravagée par des querelles intestines ou par des occupants successifs, on ne pouvait parler de l'Italie qu'au sens romantique du terme. Mais cette " entité fragmentée " n'était-elle pas au centre des affrontements de l'Espagne et de l'Autriche? Cosme III n'était-il pas menacé en Toscane? Parme ne serait-il pas espagnol un jour ou l'autre? Si je me rendais en Espagne, moyennant quelques petits services (accusé à tort d'avoir écrit des pamphlets, j'allais maintenant être payé pour en écrire), on me faciliterait des études un peu plus poussées, on m'obtiendrait des lettres patentes, je gagnerais de l'influence, je pourrais sans doute faire parvenir des secours à ma famille, et même (Wilhelm ne reculait devant aucune promesse!) faire quelque bien à la Sicile, qu'on venait d'attribuer – mais Wilhelm avait lieu de penser (!) que c'était provisoire – au duc de Savoie, lequel en devint roi sous son nom de Victor-Amédée II. Je t'épargne les détails fastidieux. La tête pleine de ces chimères, j'embarquai.

– Et vous vous vîtes dupé? demandai-je.

Ma peine se calmait de la confiance qu'il semblait me faire.

– Peut-être pas. Je ne sais. J'obtins tout de suite mes lettres patentes : je savais le latin, je maniais avec dextérité lancette et scalpel, Wilhelm qui m'avait accompagné fit tant que de me découvrir une ascendance espagnole, et l'affaire fut réglée. Mais d'influence, point. Si je m'y étais attelé, j'aurais pu faire fortune sans doute, ou attraper au vol quelque titre ou quelque cordon. Mais le pouvoir de décision... Nous n'étions que des pions. Je découvris tout un monde : petits commis cherchant à monter en grade, auteurs tragiques sifflés se rabattant sur le pamphlet ou la lettre anonyme, porte-balles distribuant à travers l'Europe des littératures séditieuses, marchandes à la toilette mieux informées que des duchesses, secrétaires d'ambassade ayant accès au secret de la correspondance, s'en targuant, et n'en tirant qu'un bénéfice de vanité, jolies filles un peu trop répandues, abbés en banqueroute d'abbayes, valets de toutes sortes. Tout cela épiant, parlant ou écrivant des rapports. Et, parmi ces cirons, faisant même métier, de très nobles figures, de très grands noms, auxquels manquait seulement un peu de numéraire, de quoi établir ou marier leur fille ; ou, simplement, souffrant d'ennui, se donnant le plaisir d'une influence occulte qui embrouillait encore les affaires, jouant double ou triple, ou quadruple jeu. Et quelques chimériques encore dont je fus. Pas longtemps.

« En dehors de ceux-là, tous ceux qui participaient au " secret " avaient quelque chose en commun : le mépris, qui est le vrai nom de la liberté. Mais si ! J'ai fréquenté des banquiers, des aventuriers, des ministres, des entremetteuses, mais une fois que l'on sait cela, c'est le maître-mot. L'étincelle dans l'œil de l'autre ! " Toi aussi, tu sais ? – Je sais. " On se reconnaît, quitte à s'affronter plus tard. On se vaut. Libre de tout, libre comme l'air qui n'a ni goût, ni forme, ni consistance, mais qu'on ne peut pas retenir. Tu as beau n'être qu'un espion, une mouche, un vilain mot pour un métier ignoble, plus tu es ignoble, plus tu es libre, car tu l'es de ta propre estime.

« Voilà ce que Wilhelm m'a appris, quand j'eus passé le temps des berceuses. N'est-ce pas là un ami véritable ?

« Nous nous sommes amusés. Le voyage, les complicités, au service de l'un, au service de l'autre. L'argent. Un jour riche, l'autre indigent. Les apparences, tellement plus vraies que la pompeuse réalité car, déguisé en ministre, ne suis-je pas plus plausible cent fois que Dubois ou Alberoni ? Et là où ils cherchent, au détriment des peuples et des rois, au prix d'une bataille ou d'un traité, leur admission parmi les grands qu'ils méprisent et un chapeau de cardinal, ne chercher que d'innocents bénéfices d'argent, l'argent qui est libre lui aussi, valable en tous pays, sous toutes ses formes, qui permet tout et n'oblige à rien, juste et injuste, selon qu'on le souhaite, sans dignité, sans morale obligée. La liberté de n'être rien, de ne croire à rien... Quel cadeau !

– Êtes-vous bien sûr de cela, Monsieur?

– Faut-il être assuré des choses, quand on les vit? On ne peut pas revenir en arrière. J'ai vu l'envers des cartes, et les plus grands, les plus nobles, jouer avec des dés qu'ils savaient pipés. J'ai eu, moi aussi, part au « secret » : j'ai lu des lettres qui ne m'étaient pas adressées, et de grands mots qui contenaient des poisons cachés. J'ai regardé en face l'indifférence qui est pire que la cruauté... Bah ! rions-en, Catherine, rions-en ! (Il ne riait pas.) Je me suis passionné pour la céroplastie, nous faisons œuvre utile, ne crois-tu pas? Pour le reste...

– Ne pourrions-nous, justement, exclure ce reste, mon maître?

– C'est que tout se tient, Catherine. Et, du reste, qu'as-tu contre mes activités occultes? Je me demande parfois s'il ne s'agit pas d'un seul et même métier : la dissection nous apprenant à connaître les causes physiques qui nous font mouvoir, je serais tenté de dire qui nous commandent, tandis que l'observation...

– Vous vous flattez d'un mot. Je vous préférais plus franc.

– Le mot ne fait rien à l'affaire. L'observation, disais-je, nous donne une notion de la relativité des causes qui mènent les grands événements du monde. Ainsi, une cause minime : le nez de Cléopâtre – ou le tien –, conditionne un destin, comme un caillou invisible dans le rein t'est toxique, en bougeant te torture, et quelquefois te tue.

– Mais tout alors ne serait qu'injustice, ou hasard ! dis-je, fâchée.

Car il me semblait que si ce raisonnement était liberté, c'était surtout liberté de ne rien faire, ou de mal faire.

– Je ne me vois pas changer de condition, ou d'opinion, à cause d'un caillou !

– Le corps des nations s'ébranle parfois pour des causes aussi petites. Question d'emplacement et non de grandeur. Un perruquier peut déclencher une guerre, une maquerelle, un valet qui laisse surprendre une lettre : c'est le caillou. On dit aussi *calcul*, ce qui est amusant parce qu'il peut les bouleverser tous, les calculs. Mal placé, il occasionne des coliques néphrétiques : voir Paré. Mais en un autre endroit, il peut ne pas bouger pendant des années.

– Je vois que je me suis trompée sur vous, mon maître, dis-je, en essayant de le faire sourire car il avait dit ces choses avec son emportement ordinaire, auquel se mêlait aujourd'hui une amertume qui me mettait mal à l'aise.

Je voulais bien lui tirer des renseignements, mais non des confidences, surtout à la faveur d'un moment d'attendrissement que je me reprochais.

– Je vous croyais de la fierté, et je vous vois soudain bien modeste. Un caillou ! Vous ne vous reconnaissez que la liberté d'un caillou ?

– Il peut causer mort d'homme.

– Le voulez-vous? dis-je en assurant ma voix.

Je nous croyais bien loin du complot et d'Antoinette et, tout à coup, ils étaient là, entre nous.

– Non, certes, dit-il avec une horreur qui n'était pas feinte. Assurément non! M'en crois-tu capable?

Je rassemblai mes forces pour l'affronter.

– Vous dites vous-même que les résultats de l'action ne sont pas toujours ceux qu'on en attend. Pouvez-vous répondre de la vie de l'Amateur? De celle d'Antoinette? De certains qui se trouveraient mêlés par hasard à votre intrigue? De votre propre vie, mon maître?

– Oh! ma vie, dit-il distraitement, j'ai cessé de croire à son importance. Elle ressemble à l'Italie : des fragments qui ne font pas un tout. Même pas une langue, l'Italie : le piémontais, le lombard, le toscan, qui ne se comprennent pas... Naples aux Autrichiens, la Sardaigne aux Espagnols, et l'on troquera s'il le faut. Les Tiepolo de Venise, l'Observatoire de Bologne, les découvertes anatomiques de Morgagni ne font pas plus l'unité de l'Italie que ses voyages ou ses connaissances ne font l'unité d'un homme. La seule unité de l'Italie, c'est sa misère, c'est son malheur.

Il y avait dans ces propos un fonds de sensibilité qui démentait le reste. J'y puisai le courage de dire :

– Mais votre vie importe à ceux qui vous aiment, à vos amis, à votre famille, peut-être...

Il regardait ses mains, assis de biais sur un coin de table, et répondit doucement :

– J'ai tenté de les retrouver, à peine arrivé en Espagne. De longues recherches, trop longues. Mon frère avait disparu, pris par les Autrichiens. Mon père était mort peu après. Ma mère... ma mère, restée seule, avait survécu quelque temps. Trop faible pour travailler de ses mains, trop fière pour mendier, trop pauvre pour payer les quelques serviteurs qui lui restaient et qui l'abandonnèrent, elle est morte, elle aussi. Morte de privations, façon décente de dire : morte de faim.

Il regardait toujours ses mains. J'étais debout près de lui, n'osant faire un geste. Et nous ne versions pas de larmes.

***

Ce soir-là, dans ma chambre, j'eus froid. Le vent de mars s'engouffrait dans la cheminée fissurée, hors d'usage, s'infiltrait à travers les tuiles disjointes du toit. Mais à cet inconfort je m'étais habituée. Je le tenais pour accidentel, passager. J'en prenais mon parti, comme on fait en voyage, où l'on ne s'attend pas à trouver ses aises.

J'avais connu, comme tout le monde, la crainte de l'hiver, des hivers, si rigoureux ces années-là. Je savais que des malheureux mouraient de faim. Que le petit peuple, en certains lieux de particulière disette, se nourrissait de pain de fougère, de semences pourries et même, disait-on, de nourrissons dérobés à leurs mères ou de cadavres que l'on déterrait. Les fossoyeurs nous avaient ainsi apporté, un jour de l'année précédente, venant de Paris même ou tout à côté, un corps rongé par places, qu'ils avaient dû arracher à des malheureux qui se le disputaient. Le Chevalier l'avait refusé d'un geste et s'était détourné.

Au début de l'hiver, Jeannette avait demandé au Chevalier, de l'urgence dans le regard, si elle pouvait occuper l'une des mansardes jouxtant la mienne, avec ses enfants. Refusant toujours l'aide de Jean-Marie, elle avait perdu son logement et logeait ses enfants tantôt dans une chapelle désaffectée, non loin de la limite du jardin, tantôt dans la grange d'un maraîcher. Mais, le froid croissant, je me rendais bien compte que si le Chevalier avait refusé, Jeannette et ses enfants eussent été en péril de mort. Et pourtant – dès qu'on n'est pas tout à fait misérable, on pense comme cela, on est élevé comme cela –, je n'avais jamais pensé que de tels malheurs pussent m'atteindre. Le froid, oui, mais on aurait toujours un peu de bois qui viendrait d'une petite propriété, des pelisses, si même un peu mangées aux mites, à entasser sur soi, une peau d'ours, des coussins. La faim, sans doute, mais on vendrait quelque tableau, un bijou, un bien de famille, on aurait un ami qui rapporterait de la chasse, on mangerait toujours quelque chose et, même, il nous resterait de quoi faire quelques charités. On n'était pas, de naissance, de ceux qui meurent de faim.

Mais la mère de mon maître! Une femme d'authentique noblesse, dans sa maison, sur son domaine! Cela pouvait donc advenir à n'importe qui? Le froid, la faim, l'abandon, la prison, peut-être?

« Rien n'est impossible », disait Antoinette. Et moi je ne l'avais pas cru.

– Elle est à Sainte-Pélagie, me chuchota Jeannette, le lendemain.

En se levant, elle passait devant ma porte, Bénédicte dans ses bras, endormie, sa petite tête noire couchée sur l'épaule de sa mère. Je m'enveloppai dans un châle. J'avais froid encore, ce matin-là.

– Qu'est-ce?

– Une maison de l'Hôpital Général, comme la Salpêtrière. Mais on y est plus accommodant, paraît-il. Pas sotte, la demoiselle! Se cacher d'une prison dans une prison.

– Vous devriez suggérer cela à votre mari! dis-je. J'avais de l'humeur, sans bien savoir pourquoi.

– Oh! lui, il est trop connu, dit-elle avec ce

mélange de blâme et de fierté avec lequel elle parlait toujours de Jean-Marie.

– Et où est-ce, Sainte-Pélagie?

– Je vous y mènerai, si vous voulez. Si vous voulez lui parler, il faudra payer quelque chose. Avez-vous...

– Un peu.

Il me répugnait de me séparer, si peu que ce fût, de mes économies, durement gagnées. Mais il faut savoir ce que l'on veut.

– Et il faudra bien prendre garde.

– A quoi?

– Mais, Mademoiselle, à n'être pas suivie! Par la police!

– A cause de Jean-Marie? (Je pensai à la clé.)

– Il n'y a pas que Jean-Marie qu'on recherche, dit-elle.

Je me resserrai dans mon châle.

Des contes de nourrice, on en avait raconté à Antoinette comme à n'importe quel enfant. D'autant plus qu'elle n'avait eu que des nourrices et pas de parentes. Elle n'en avait retenu qu'un vague effroi, celui des apparences. C'est le loup qui se fait grand-mère, mais conserve son appétit; Barbe-Bleue qui garde encore des allures de galant quand, tout à coup, il ouvre son armoire aux défuntes; et la princesse qui, chaque nuit, se change en biche, a beau, de jour, s'attacher son époux, ses dames d'honneur, toute la Cour, par ses agissements exemplaires de princesse – babil, pavane, libéralités diverses –, elle n'en mourra pas moins, transpercée d'une flèche ou sous la dent des chiens, de la mort d'une biche.

Métamorphoses ou révélations? Barbe-Bleue a toujours été un ogre, et le loup un loup. En entrant à la Salpêtrière, puis à Sainte-Pélagie, Antoinette se dit qu'elle a toujours été prisonnière. Et d'abord d'une fausse alternative : sa mère innocente, son père est un misérable ; sa mère coupable, elle porte un nom que son existence même déshonore. Deux issues, si l'on veut, mais qui mènent toutes deux au même destin de souffrance.

Ainsi en est-il des lieux. On dirait que c'est toujours le même où elle est retenue. Le parloir du couvent : une pièce carrelée de noir et de blanc, avec de petites fenêtres donnant sur un préau ; il y a deux portes : l'une donnant sur le salon d'attente des familles, l'autre vers le couloir qui reconduit les jeunes filles vers leur cellule. Mais qu'est-ce que la famille, pour Antoinette ? Une cellule sans fenêtre, une prison qui donne sur une prison. Pour les autres il y a deux portes : celle du monde, celle du cloître. Antoinette à quatorze ans ne peut encore s'imaginer que pour elle il n'y a pas de différence.

Elle se souvient. Sur la table bien cirée, un bouquet de fleurs sans parfum ; sur le mur, un tableau représentant Marie-Madeleine, la pécheresse, abaissant un regard méditatif vers son décolleté généreux et semblant comparer ces rondeurs à celle d'un crâne posé non loin. Le sein et le crâne. Le blanc et le noir. Le bien, le mal. La porte par laquelle on sort et celle par laquelle on ne sort pas. Apparences. Une toute jeune fille peut s'y tromper.

Chez la Brincourt il y avait aussi deux portes. Sûrement plus, mais enfin pour Antoinette, deux portes. L'une par laquelle elle est entrée, tout flamme, toute révolte, une colère presque joyeuse flambant en elle, claire, qui allait tout purifier, tout anéantir. L'autre par laquelle on l'a portée, inerte, vers un destin obscur, à travers un grouillement de visages incompréhensibles, déposée dans un bois où le jour ne pénètre jamais. Mais est-elle vraiment sortie de ce bois ? N'était-elle pas née pour y vivre ? Si ma mère est innocente... si mon père est innocent... Deux portes.

Le salon de la Brincourt, c'est le visage de l'ogre qui se démasque, du loup qui montre les dents. Le damas rouge ! Le capiton des murs ! Les estampes qui disent le plaisir et diffusent le venin ! Les lourdes mains habiles ! Elle crie, puis elle ne crie plus parce que ses cris amènent une fureur renouvelée, des rires affreux, une recrudescence de leur plaisir, à ces hommes. Ce « plaisir » qui n'est pas, comme sur les estampes, un sylphe couronné de fleurs, mais un personnage ventru, un énorme silène qui vous noie dans la boue. Elle suffoque. Les fenêtres obturées de tentures... elle bondit, les écarte pour fuir. Derrière les tentures, un volet. Et derrière le volet ? Un mur ? Vraisemblable.

Autour du jardin du couvent, des murs. Derrière les murs, la honte et le rejet. Si ma mère est innocente, mon père est un monstre. Si ma mère est coupable, je suis coupable d'exister. Le lieu de sa douleur et de sa honte est toujours le même puisque sa douleur et sa honte sont les mêmes, toujours. Les bourreaux invisibles ont seulement pris corps quelques heures (« Des bourreaux, j'en ai connu beaucoup ! » dira-t-elle distraitement à Charles).

Ah ! si, tout de même une issue, peut-être. Écartelée contre le mur, écartelée sur le sol, sur le tapis épais à fleurs, bientôt taché de son sang, sa voix se plaint, s'étrangle et, tout à coup, comme elle tente encore d'implorer (mais qui implore-t-elle, sinon elle-même : trouve quelque chose, échappe-toi, redeviens biche, oiseau, rivière !), tout à coup son corps se détache d'elle. Son corps inerte maintenant, violé, assassiné, mourra sans comprendre : une biche, un oiseau surpris en plein vol. Mais son esprit errant a trouvé l'issue. Enfin l'issue, la porte par laquelle on sort.

Elle est folle, comme on dit.

* * *

Enfin le parloir de la prison. Une vraie prison, qui dit son nom, où l'Antoinette de vingt-cinq ans regarde un homme qui, enfin, l'aime. Qui aime sa honte et sa douleur, les reçoit de ses mains comme on reçoit un bouquet. Un bouquet de misère. Un bouquet-misère... un bouc émissaire. Elle plaisante. Ils rient.

Un crucifix saigne entre les deux portes : celle par laquelle il entre, celle par laquelle elle regagne la cellule ou l'atelier. Bien sûr, à vingt-cinq ans, elle sait. Elle sait depuis longtemps que c'est la même chose. Que la mère coupable ou le père monstrueux sont les deux portes d'un cœur déchiré. Que le parloir du couvent s'ouvrait d'un côté sur la réclusion, de l'autre sur la misère et l'opprobre. Que lorsque Charles Sanson sort, par la première porte, il redevient ce bourreau dont l'on s'écarte, et qu'elle, quand elle s'en va par le couloir d'un jaune pisseux vers les cellules, l'atelier ou le réfectoire qui sent la fève et le pet, elle redevient prisonnière.

Ce qu'elle ne savait pas, jusque-là, c'est qu'entre les deux portes est un lieu immobile où l'on n'est rien, où rien ne vous est demandé, et que c'est peut-être cela, l'amour.

Ou la folie?

– C'est la lettre, dit Jailleau, avec un sourire qu'il croit fin, d'une dame allemande en séjour chez la duchesse du Maine, vers 1707.

« ... *et comme on l'avait mise, ou qu'elle s'était mise, dans un carrosse de louage, en fort piteux état ayant été attaquée soit avant, soit après, on ne put le savoir, il semble que le cocher, ne pouvant lui tirer que son nom et celui des du Maine, et se figurant que le duc et la duchesse étaient à Versailles, car, pour ce commun-là, tout ce qui est grand est à Versailles à demeure, y alla et, tout naïvement, demanda à la grande entrée Monsieur Malouin des Essarts (qui n'est pas plus des Essarts que moi, et n'est même plus le Président des Essarts depuis qu'il s'est fait le conseiller, le financier, et jusqu'au bouffon du duc du Maine, le voyant en faveur auprès de la Maintenon qui était alors tout ce qu'il y a de haut). On lui répond avec de grands éclats de rire qu'on ne connaît pas ce Babouin-là, et peu s'en faut qu'irrité, et sans doute inquiet aussi sur ce qui pourrait s'ensuivre, il ne jetât la malheureuse fille sur le pavé de Versailles comme un reste de venaison. Quand il lui vint à l'esprit, par miracle, de parler de la duchesse du Maine à laquelle il avait cru comprendre que la petite était apparentée. Aussitôt on cesse de rire, on s'exclame, on l'interroge, on jette des regards à l'intérieur du carrosse pour voir la belle infortunée. On lui trouve une figure intéressante, et on envoie le cocher à Sceaux, sous promesse de récompenses extraordinaires. Pendant ce temps, la pauvrette dont on disait merveille perdait son sang par palettes.*

« Pour abréger, ils arrivent à Sceaux où, par bonheur, Monsieur Malouin se trouvait avec les femmes de la duchesse. Tout ce monde accourt, s'attroupe, et Monsieur Malouin de donner une grande représentation de sensibilité en sanglotant, en se tordant les mains, et en criant "Ma fille! Ma fille!" comme dans une pièce de Rotrou. Heureusement qu'une petite femme de chambre qui avait un peu plus de sens que les autres mit fin à ces démonstrations en faisant transporter la fille, qui baignait dans son sang, sur une couche de la salle des gardes qui était proche, et

en appelant un chirurgien (on dit qu'il était du service des écuries, mais c'est peut-être pure invention) qui la bande, lui fait prendre des gouttes de Schaffhouse, enfin la ramène à la vie. On la transporte alors dans une chambre plus convenable. Et voilà que commencent les ennuis de l'ex-Président. En voyant qu'on lui apportait, si l'on peut dire à domicile, cette fille aux trois quarts morte – car, à la voir, c'était au moins cela –, il avait cru ne pouvoir moins faire que ce grand étalage de douleur dont il pensait tirer profit. Mais le soir on douta qu'elle mourût (d'autant que seul le chirurgien s'en était occupé, et que les médecins de la duchesse soit n'avaient pas voulu venir pour si peu, soit se trouvaient absents de Sceaux). Et le lendemain on vit bien qu'elle ne mourrait pas. Il est vrai qu'elle paraissait devoir rester aux trois quarts folle, ce qui était pour Monsieur Malouin une certaine consolation. La voyant si égarée, il pouvait espérer qu'on ne prêterait ni attention ni crédit à ce qu'elle dirait. Après tant de cris et de larmes, il ne pouvait la renier pour sa fille, du moins croyait-il pouvoir arranger un conte à sa façon : qu'il voulait la présenter à la duchesse, ou la marier, ou simplement la connaître. Mais il n'eut pas le loisir de mettre l'histoire au point car survint une tourière des Dames-Noires qui raconta tout. Et, pour une fois qu'elle avait l'occasion de parler, n'épargna pas les détails : le noviciat qu'on avait proposé à la petite comme condition pour que son père, enfin, la reconnût, les termes insultants du billet, ce à quoi, pour rendre l'histoire plus touchante, et bien qu'à mon avis elle n'en sût rien du tout, elle ajouta que feu Madame Malouin des Essarts était la plus honnête femme du monde, que seule la disgrâce et la ruine de son père avaient causé l'insultant refus du Président Malouin de reconnaître son enfant, et que celle-ci n'avait fui le couvent qu'à cause des conditions odieuses auxquelles le Malouin consentait à l'avouer pour sa fille, et pour venir le supplier.

« *Comme il est aisé de prêter toutes les qualités à qui se tait, on décida que Mademoiselle Antoinette, Jeanne, Angèle Malouin des Essarts n'avait quitté le couvent que pour sommer son père de rendre l'honneur à la pauvre défunte, et à elle-même par la même occasion, et qu'en chemin, ignorante qu'elle était des dangers de Paris, de Versailles et du monde en général, elle avait été assaillie et mise à mal soit par des bandits, soit par le cocher lui-même, qu'on eût pendu tout de suite pour donner une fin heureuse à l'histoire, s'il n'avait pris la précaution de disparaître. Et voilà ce grand noiraud de Malouin qui faisait le jeune et le galant, et cherchait une belle petite fortune à épouser, encombré d'une grande fille noire comme lui, assez belle (encore que je lui trouve l'un des yeux un peu louche), mais, après cette aventure, impossible à caser. Qu'en fera-t-il? Que deviendra-t-elle? Pour l'instant on la choie comme un épagneul et on le traite de grand brutal. On ne croit pas à l'adultère, car une femme qui conçoit, après dix ans de mariage, au moment même de sa ruine, est bien inopportune, et tant, qu'il faut qu'elle soit trop sotte pour tromper, – à moins qu'elle ne soit trop sotte pour se débarrasser du fruit de son erreur. Toujours est-il que le doute est permis. Tout cela fait que le Malouin a tout l'odieux de la calomnie, mais garde un peu du ridicule du cocuage qu'il s'est donné. On se demande comment il s'en tirera. Il paraît qu'il s'en irait commercer aux Indes ou en Hollande, ce qui ne sera qu'ajouter un abaissement à un autre...* »

– Voilà une Allemande, ne trouvez-vous pas, qui écrit joliment? dit Jailleau.

La Fillon lui parut réservée.

– Où avez-vous trouvé cela?

– Oh! il y a des trésors dans nos archives! Dieu merci, la poste a bon dos. Une lettre sur trois se perd, une sur dix est amusante. J'enrichis ma collection sans bourse délier.

– Prenez garde de l'enrichir trop, dit-elle.

– Que voulez-vous dire?

– N'avons-nous pas conclu de ces aventures de votre Sicard qu'elle ne pouvait rien vous apporter?

– Sans doute, mais son histoire...

– Eh bien vous la connaissez, son histoire. Du moins vous en savez assez. Trop, peut-être.

– Pourquoi trop? Je ne sais toujours pas comment, de la Hollande, où j'ai des observateurs, ils sont revenus, ensemble ou séparément, le père et la fille; comment elle est brodeuse, ou le prétend, rue d'Enfer; pourquoi elle ne s'est réclamée ni de son père ni de la duchesse...

– Eh! quel besoin avez-vous de le savoir? Occupez-vous donc de Cartouche. On n'ose plus sortir le soir sans cinq ou six laquais, encore la moitié font-ils partie de la bande, et les exempts sont achetés. Voilà de quoi vous occuper, il me semble.

– Mon amie, et la Collection? fit l'auteur, douloureusement.

– Cartouche aussi est un sujet, et un sujet gai!

– Il finira pendu ou sur la roue!

– Eh bien, justement! Tant qu'il n'est pas pris, on s'en amuse, et quand il sera pris, la morale triomphera. C'est ce que j'appelle un sujet gai. Tandis que votre petite Malouin-Sicard, quoi qu'elle fasse, n'aura que du malheur, et n'amènera que des ennuis. Croyez-moi, vous n'êtes pas auteur de tragédie. Laissez à d'autres ces éplorées. Vous êtes comme un joueur qui s'entête sur une carte. Vous y perdrez votre chemise.

– Je m'étais attaché à cette figure... Ariane à Naxos... la nymphe Écho... J'aurais au moins voulu la voir une fois, on la dit si belle...

– Je vous aurai dix adresses de belles filles, et

d'humeur joyeuse de surcroît. Ce n'est pas un attrait que d'être malheureuse !

Jailleau se posait la question.

La Dufresne, à Sainte-Pélagie, n'eût pas formulé les choses ainsi. Et pourtant elle en perdait le boire et le manger, à épier Antoinette. La Sicard ! La Sicard ! Qui eût dit qu'une de ses pensionnaires eût réussi à faire lever cete bonne pâte de femme qu'était la Dufresne, toujours entre deux digestions ?

Et pourtant elle n'avait fait aucun effort pour cela, la Sicard. Antoinette se levait à l'aube, nettoyait sa cellule, lavait son pauvre vêtement à l'eau froide, allait à la première messe, distribuait les fruits et les confitures que lui faisait porter « son galant ». Ainsi la Dufresne dénommait-elle Sanson. Antoinette travaillait à l'ouvroir, ne parlait pas, ne demandait nulle faveur. Soit ! La Dufresne eût admis cela. Elle était tolérante aux vices et aux vertus. Il y a de ces natures incompréhensibles pour qui comptent peu les douceurs de ce monde, et qui finissent par peupler les couvents, dont il faut bien qu'ils servent à quelque chose. Mais Antoinette refusait le moindre service à « ces dames » qui payaient pension. Elle n'eût pas daigné lacer un corset, peigner une chevelure, même si on l'en priait avec des formes. Se croyait-elle (se savait-elle ?) de trop noble extraction pour condescendre à ces basses besognes ? « Moi, je veux bien, pensait la Dufresne, mais alors, comment expliquer cette arrestation pour scandale et prostitution ? Comment une fille de qualité, même bâtarde, consentirait-elle à se laisser visiter et entretenir par le bourreau ? Par le bourreau ! »

Cette énigme prit possession de l'esprit de la Dufresne à tel point qu'elle en vint à se demander si

Antoinette n'était pas là comme espionne du lieutenant de police, pour jauger de ses bénéfices et, le moment venu, la dénoncer à quelque autre qui, tout en la condamnant, mettrait la main sur le magot? Elle imaginait un lien entre Antoinette et la police, ou même l'État. Cette grosse bête avait le flair d'un chien limier. Elle tournait en rond, reniflait, grondait, avec mesure encore, fouillait, la truffe n'était pas loin.

Ce qui lui déplaisait surtout était le respect que Charles témoignait à Antoinette. Plus exactement, cette nuance d'amour si total qu'il se suffisait à lui-même. Cette fascination, ce respect lui faisaient vaguement prendre conscience – un malaise, pas plus, mais qui nuisait à sa digestion – du jovial mépris qu'on lui avait toujours témoigné, et de la trivialité de ce qu'elle appelait « plaisir ». Elle s'en vengea d'abord en soulignant, dans l'attitude d'Antoinette, tout ce qui pouvait affliger son visiteur. Elle l'emmenait dans la petite salle, élevée au rang de parloir, en lui serrant très fort le bras, en la faisant courir dans l'escalier de manière qu'elle entrât dans la salle essoufflée, se débattant, et les cheveux à demi défaits. « Elle ne voulait pas venir, Monsieur Sanson. J'ai dû la forcer! » Mais Charles ne voyait dans ce propos qu'une invite à lui glisser un louis de plus, le lui donnait, n'écoutait pas ses propos (« Un gentilhomme allemand est venu s'enquérir... un valet breton a demandé... un inspecteur réclame la liste des pensionnaires... »), lui donnait encore un écu. Elle lui coûtait gros. Cela lui compliquait un peu la vie car, au début de son mariage, par dégoût de l'argent, il avait laissé à Madame Marthe le gouvernement de sa fortune. Et il regardait Antoinette, si brune, si pâle, s'asseoir sur la chaise, près du rideau de dentelles. Son souffle s'apaisait. Elle lui souriait parfois. Quand son esprit errant revenait se poser en elle, il lui arrivait de penser : « Cet homme m'aime, pourtant... », avec une douceur étonnée.

Il portait sa bague, à elle, au petit doigt. Celle qui ressemblait à une goutte de sang. Un jour il se trouva dire :

– Il faut que je vous rende votre bague, vous aviez l'air d'y tenir.

Y tenait-elle ? L'acceptait-elle parce que lui l'avait portée ? Elle tendit la main, qu'elle avait un peu grande, et mate comme une main de cire. Derrière son judas, la Dufresne jubilait. « Nous en sommes au petit cadeau. Un rubis, pas mal, ma foi ! Ils vont y venir, à mon cagibi, ils vont y venir ! » salivait-elle avec un plaisir que le lucre ne suffisait pas à expliquer. Elle fut bien déçue de les voir en rester là. Il lui sembla qu'ils se tenaient à leur contemplation pour la contrarier, lui faire sentir qu'elle n'était qu'une grosse bête gourmande et lubrique, et eux... Un bourreau ! Une fille ! La juger ! C'était inimaginable. Et parce que c'était inimaginable, elle imagina autre chose.

Si Sanson, loin d'être un amoureux transi, n'était qu'un émissaire qui tentait de donner le change ? La bague venait à l'appui de cette théorie. Que Sanson amoureux d'Antoinette lui offrît une bague était évidemment plausible. Mais une bague armoriée (elle avait vu cela) n'eût pu venir que d'un supplicié. Et la Dufresne avait juste assez de finesse pour sentir que Sanson n'eût pas offert, ni Antoinette accepté, un aussi triste butin.

Même une grosse bête comme la Dufresne (bête voulant dire animal, et animal : flair différent de l'intelligence ; mais l'intelligence s'égare, et le flair suit sa piste) a entendu parler du procès qui oppose les ducs aux princes légitimés, et a le vague sentiment d'un gouvernement provisoire. Même la Dufresne a entendu parler des syncopes du Régent. Même la Dufresne a le sentiment d'une agitation obscure, à multiples têtes qui bougent dans l'obscurité d'une politique à laquelle elle ne comprend rien. Même la Dufresne a entendu parler de Law et des fortunes qui se bâtissent en une nuit, des bandits admirés, des folies sacrilèges (le comte de Horn, d'une des plus nobles familles des Pays-Bas, interrompant des obsèques en cours pour s'emparer du cadavre et s'en amuser – avant de faire pire). Même la Dufresne se dit que dans un monde où tout bascule, sa propre condition peut basculer aussi, dans le bon sens. La Dufresne suit la piste du soupçon, de l'argent. Cette piste commence à la Salpêtrière puisque tout ce qu'elle sait d'Antoinette, c'est qu'elle en vient. N'importe qui attendrait une occasion favorable, douterait, poserait des questions. Pas la Dufresne. Le lendemain du « jour de la bague », la Dufresne va tout droit à la Salpêtrière.

Nous partîmes fort tôt. La rue Poissonnière, qui se trouvait sur le trajet de la marée arrivant du Pas-de-Calais (depuis nous avons vu bâtir une fort belle route venant de Dieppe), était fort encombrée. Nous eûmes quelque mal à entrer dans Paris.

Jeannette me menait par tours et par détours. Elle traversait rapidement une rue, entrait dans une échoppe sans rien demander, ressortait par le fond dans une courette, s'engageait dans une impasse, et, par le jardin d'un petit hôtel, nous nous trouvions dans une autre rue, au milieu d'un enchevêtrement de fiacres, de carrosses, de chaises, à la faveur duquel elle observait avec attention la chaussée, puis repartait en sens opposé.

– A ce train-là, nous ne sommes pas arrivées...

Les enfants confiés au maraîcher voisin, que dirait le Chevalier s'il s'éveillait dans une maison silencieuse et vide?

– Si nous n'y prenons pas garde, nous n'arriverons pas du tout, dit Jeannette.

– Pourraient-ils nous arrêter? Pour quelle raison?

– Vous croyez qu'il leur faut une raison? dit-elle amèrement.

Nous marchions à présent d'un pas plus égal dans des rues plus larges et plus dégagées. Les boutiques y étaient nombreuses, et j'aurais pris plaisir à les regarder si les chevaux, trottant plus librement aussi, ne nous avaient régulièrement éclaboussées.

– Je vais arriver toute crottée, dis-je avec dépit.

– Cela vaut mieux. On verra que vous êtes venue à pied. Je vous ai fait passer pour une parente pauvre qui vient demander un secours à la Sicard. Elle passe là-bas pour être très protégée.

– Vraiment?

– N'est-elle pas la maîtresse de Monsieur Sanson?

– Qui vous dit qu'elle est sa maîtresse? Cela est-il possible? A Sainte-Pélagie?

– En payant bien, Mademoiselle... Monsieur Sanson est riche. Il lui aura fait des promesses. Mais peut-être ne l'est-elle pas, et est-ce pour cela qu'il la tient enfermée. Quand elle lui cédera, elle sortira. Qui sait même si ce n'est pas lui qui l'a dénoncée? Fille du monde ou pas, elle a pu refuser le bourreau.

La façon toute naturelle dont elle envisageait ces possibilités me frappa.

– Mais alors elle doit le haïr? dis-je, plus pour la sonder qu'ajoutant créance à ces suppositions car je ne croyais pas Sanson capable de tant de noirceur.

– Oh! Mademoiselle, on croit cela... et puis on s'habitue, dit-elle.

Nous étions maintenant non loin de l'hôpital.

– Je vais vous quitter ici, dit-elle. Vous irez jusqu'aux Trois Noyés, c'est un cabaret, et vous demanderez Solange. Elle vous guidera. Si elle demande à être payée, dites-lui que vous paierez quand vous aurez vu votre parente. Mais je ne crois pas qu'elle vous demande quelque chose. On lui aura parlé.

Je ne voulus pas être moins discrète qu'elle. Mais comme elle nouait son fichu sur sa tête, et sur sa jupe un tablier qu'elle avait tenu plié dans son cabas, je vis qu'elle craignait, malgré ses précautions, d'avoir été vue, et qu'elle courait un danger. Avait-elle eu pitié de la situation d'Antoinette?

– Oh non, Mademoiselle! dit-elle avec ce tranquille sourire qui éclairait parfois son visage ingrat. Je ne la connais pas, cette femme. Je le fais pour vous.

– Pour moi?

– Vous avez toujours été bonne pour les enfants, dit-elle. Et puis... c'est pour Monsieur le Chevalier, n'est-ce pas?

Je vis qu'elle avait une comparaison sur le bout des lèvres, mais elle n'osa pas aller jusque-là.

– ... Et encore...

– Oui?

– Vous me dites toujours « vous », fit-elle, et tourna les talons.

A quoi tiennent les choses! Si j'arrivais à sauver le Chevalier, et Antoinette, et moi-même, ce serait peut-être à ce détail que je le devrais, et qui n'était pas de courtoisie : de fait, quand j'arrivai à l'Hôtel des Arcoules, j'étais encore si enfant que je craignais, la tutoyant, qu'elle ne fît de même.

Je marchai encore un peu dans la direction qu'elle m'avait indiquée, et fut frappée par le nombre de cafés, de cabarets et de débits de boisson qui se tenaient aux environs de l'hôpital. De loin je vis l'enseigne des Trois Noyés, et fus bien surprise de voir qu'elle figurait trois arbres sur une placette, gauchement peints dans un vert éclatant. A cause de la proximité du fleuve, et peut-être à cause de ce pauvre corps sur lequel nous travaillions, j'avais donné un autre sens à cette enseigne qui m'avait paru de mauvais augure. Je m'arrêtai.

Je vais donc voir Antoinette. Dans quelques minutes peut-être. Je lui dirai... Qu'est-ce que je lui dirai? J'aurai peut-être peu de temps? Sera-t-elle dans une cellule? Derrière des barreaux? Je ne suis jamais entrée dans une prison, ni même dans un couvent. Je sais si peu de choses, mon Dieu! J'ai seize ans, et elle a vécu : elle a vingt-cinq, vingt-six ans, comment la convaincre? Je ne sais pas ce qu'on a pu lui promettre; je ne sais même pas, au fond, qui elle est. Ce visage que j'ai étudié, dessiné, modelé, ne m'a pas livré son secret – à supposer qu'elle en ait un. Peut-être la verrai-je en hâte, en me cachant, dans un débarras, une lingerie; il faudrait préparer mes mots, mes arguments... Que lui dire d'autre que : « Partez! Si vous en avez le moyen, partez. » Et pourquoi le ferait-elle? Mais si elle aime...

Peut-être est-ce elle qui me parlera. Quand on aime, on a besoin de parler, de prendre conseil, de ne pas le suivre, de prononcer un nom. Cela, du moins, je le sais. Peut-être me demandera-t-elle si c'est possible, si on peut aimer un homme tel que Charles, un pauvre malheureux homme condamné dès l'enfance. Si elle peut, a le droit, d'aimer cet homme qui a de beaux yeux et des mains habiles, qui est coupable de n'avoir pas fui, de ne pas être un martyr, cet homme dont la femme attend un enfant, cet homme que j'ai vu, d'un geste précis, briser les jointures d'un corps encore vivant...

Dirai-je oui?

Mais peut-être me demandera-t-elle comment elle

peut échapper à cet homme, à cet homme qui l'a aimée en effigie avant même de la rencontrer, qui l'a abandonnée à ses aides, qui a laissé couler son sang, qui ne l'a sortie d'une prison que pour la mettre dans une autre (dans sa prison à lui – et ce regard que Charles a jeté sur Wilhelm : ne tentez pas de m'arracher ce qui est à moi, c'est aussi le regard de Sanson, du bourreau sur le condamné qui est à lui), qui la regarde comme il regardait, avant qu'elles ne prennent vie, *Les Larmes* ? Comment on peut refuser à la souffrance de cet homme l'éponge trempée de vinaigre, et si elle, Antoinette, sera celle qui refuse ? Comment elle échappera à cet homme qui lui offre l'eau salée, le pain d'angoisse ? Comment elle échappera aux *Larmes*, si elle en a le droit ?

Dirai-je oui ?

Peut-être sera-t-elle frappée d'insensibilité, de stupeur. On dit que des saintes, sous la torture, n'ont rien senti qu'une odeur de lys montant de leur chair roussie, qu'un battement d'ailes des anges rafraîchissant leurs tempes serrées dans les tenailles. Peut-être sera-t-elle muette, ou même souriante, avec ces yeux pâles, ces cheveux sombres, ce regard qui dit « pourquoi ? » et n'attend pas de réponse. Alors je penserai à la mère du Chevalier, à celle de Georget le petit jardinier, aux pleurs de Jeannette, à la noyée de la Bièvre, et moi-même, peut-être, me tairai-je ?

Je revois le buste des *Larmes*. Je revois le profil anatomique, ces nerfs, ces canaux, cet agencement terrible et beau pourtant qui se cache sous l'épiderme, et je pense qu'il y a un secret, il y a une raison ; ne serai-je qu'un ligament, qu'un caillou, comme disait le Chevalier, il me reste – il nous reste, Antoinette – à nous loger où il le faut. Et cela je ne pourrai pas le lui dire, mais il suffit que je le pense, pour tenter ce qui est en mon pouvoir.

Je reprends ma marche.

Une main se posa sur mon épaule. Je tressaillis.

– Vous avez là une belle mante, et bien neuve, Mademoiselle Catherine! me dit une voix grasseyante. Les temps ont changé depuis que vous courriez les rues, déguisée en garçon.

Je n'avais pas mis dix secondes à reconnaître la tête trop grosse, trouée de petite vérole, le cou court, le col de velours semé de pellicules, de l'homme qui nous avait épiées, Jeannette et moi, le jour où j'avais fait la découverte des pamphlets.

Nous nous trouvions exactement devant le cabaret des Trois Noyés, ou Noyers. Il me tenait le bras d'une main ferme, et m'y entraîna.

– Monsieur! Dans un cabaret!

– Qui vous reconnaîtra?

Je le savais bien : la fille qui devait m'y attendre, que l'on nommait Solange. J'espérais bien que, ne me voyant pas seule, elle se défierait. Mais j'étais transie d'une peur soudaine. Il en profita, dans la salle vide et obscure, pour me pousser sur un banc, contre le mur, ce qui m'enlevait tout espoir de fuite.

Il s'occupa quelques secondes à commander à une servante apparue, et assez malpropre, un mélange de bière et d'eau-de-vie dont il lui expliqua les proportions. J'eus ces quelques secondes-là pour réfléchir et me préparer.

– Alors, me dit-il, sa commande faite, on est venue faire une visite de charité?

– Et pourquoi non? dis-je avec autant d'aplomb que je pus en trouver en moi-même.

– Et peut-on savoir où vous comptez trouver Mademoiselle Malouin, votre intime amie?

Je fus surprise, mais sans me déconcerter.

– Vous confondez sans doute avec Mademoiselle

Madeleine Basseporte, mon amie d'enfance, dis-je pour le voir venir. Mais ce n'est pas elle que j'allais voir.

Il m'eût été difficile de prétendre le contraire, Madeleine demeurant près du Pont-Neuf.

– Comme si je ne le savais pas! fit-il, goguenard.

Et il commença à siroter l'affreuse mixture qu'on lui apportait. Puis, plus civilement :

– En voulez-vous? en désignant son verre.

– Franchement non, Monsieur.

– Vous êtes une coquine, une petite rusée. Je vous ai vue sortir avec votre souillon, prendre des traverses, passer par les jardins. Où alliez-vous? Prenez garde que si vous ne me répondez pas...

– Mais je vous réponds, Monsieur! Je vous réponds! dis-je vivement, car j'avais maintenant préparé ma défense. J'allais à la Salpêtrière, voir une amie en effet, mais non point celle que vous avez nommée : une pauvre fille condamnée à tort, Antoinette Sicard, qui...

Il fit un grand éclat de rire.

– Vous n'êtes pas alors aussi fine que je croyais. D'abord votre Sicard n'est restée que trois jours à la Salpêtrière – vous voilà les yeux ronds –, ensuite, cette Sicard et Mademoiselle Antoinette Malouin des Essarts ne font qu'une seule et même personne.

Je n'eus pas de peine à paraître surprise.

– Je l'ai toujours connue pour Sicard, et rien que Sicard. Il est vrai...

– Il est vrai?

La servante apportait le breuvage demandé. Il lui dit un « Mille grâces, Solange » qui me rassura d'un seul coup. Si c'était cela, ma Solange, elle n'avait pas eu un regard qui eût trahi une connivence.

– Il est vrai que son air, ses façons... et jusqu'à ses souliers...

– Comment cela? dit-il avidement.

Je ne vis pas d'inconvénient à lui répondre. Je gagnais du temps.

– Elle allait dans les rues à pied – du moins, pour ce que j'en ai vu : quelques pas –, avec des souliers si fins, si peu faits pour la marche, qu'on voyait bien qu'elle n'en avait pas l'habitude.

– Oh, que c'est joli! Délicieux! Que cette observation me plaît! Permettez...

Et après avoir vidé son verre d'un trait, crié : « Un autre, Solange! », le voilà qui tire un petit carnet graisseux de sa poche et prend note. Je ne vis pas ce que cette révélation pouvait apporter à son enquête, mais je me tus.

– Savez-vous, me dit-il d'un air beaucoup plus civil, comment moi-même j'ai découvert en premier que votre amie n'était pas celle qu'elle prétendait être?

Je vis qu'il voulait être admiré. S'il ne voulait que cette marchandise, j'étais prête à la lui fournir. J'ouvris de grands yeux.

– Je ne vois pas...

– Le lit! Je fis une perquisition chez elle, à tout hasard. Un appartement fort médiocre, encombré de vieux décors forains, à elle loué par un nommé Espalion, se prétendant comédien, peut-être proxénète. Le logeur, le lieu, le quartier, étant d'une fille de bas étage, mais dans la chambre...

– Eh bien?

– Je vis le lit. Fort haut, fort étroit, sans montants ni rideaux. Une seule personne déjà pouvait s'y trouver à l'étroit, mais deux... Je compris immédiatement qu'il y avait duperie.

– Il fallait y penser! dis-je, admirative à souhait.

– N'est-ce pas? Je découvris le reste dans les archives de la police. Il y a là des trésors, Mademoiselle! Des trésors. Et je découvris... Au fait, pourquoi vous cachiez-vous!

Je m'attendais, tôt ou tard, à cette question, mais sa brusquerie me déconcerta.

– Pourquoi je...

– On vous a vue, avec votre souillon, prendre des chemins de traverse. Ne réfléchissez pas! Répondez!

– Mais... pour ne pas être suivies...

– Fort bien. Et de qui?

Je me sentis rougir.

– Du Chevalier Martinelli.

– Et pourquoi le Chevalier vous eût-il suivies?

– Pour s'assurer du lieu où se trouve Antoinette, et peut-être pour m'empêcher de lui parler.

– Il doit bien savoir où elle est puisqu'il est son amant.

Il ne buvait plus. Il n'était plus civil. Je me troublai bien que j'eusse préparé mes réponses.

– Il n'est pas son amant puisque...

Il triompha.

– Elle en a donc un. Et vous savez qui c'est. Vous arrêterai-je? Vous qui alliez à la Salpêtrière, avez-vous le désir d'y rester?

De nouveau il me parut redoutable, avec sa grosse tête et son habit râpé. La servante rôdait. Pouvait-elle me protéger? Probablement pas. Sa présence me donna pourtant le courage de répliquer:

– Sans jugement, Monsieur? N'y aurez-vous pas de peine, malgré votre pouvoir?

– Pour une affaire qui concerne le Prince, non, dit-il.

Et je restai sans voix, me demandant jusqu'où il était informé.

– On vous retiendra pour information, et cela peut durer des mois.

Et si le complot était découvert entre-temps, ce ne serait pas la Salpêtrière, mais la Bastille, et j'avais entendu dire qu'on y était aisément oublié. Je vis bien qu'il fallait lui lâcher quelque chose. J'avouai la vente du buste, en cachette du Chevalier. Et le silence de Sanson après le supplice d'Antoinette, qui m'avait fait supposer... Je n'allai pas plus loin. Mais cela suffit à mon homme qui, se levant à demi, tout à coup, me saisit, me serre sur son cœur, pousse des cris, me commande un verre à mon corps défendant, et s'exclame :

– C'est ma chute! C'est ma chute! Maîtresse du bourreau, c'est extraordinaire! Et ce double amour né d'un buste en cire! Et la Hollande! Et la folie! Merci, ma petite mignonne, merci! Jour faste où je vous ai suivie! Mais la voilà tout effarée avec ses grands yeux et son petit nez rond! Savez-vous que ces nez-là viennent à la mode? Dans un an ou deux, vous serez peut-être jolie. Solange, deux verres! Rassurez-vous, mon enfant, je ne vous arrêterai pas. D'ailleurs je n'en avais nulle intention. A vrai dire, ce n'est pas l'inspecteur qui vous suivait, c'était l'auteur. Mais oui!... Solange! Votre Chevalier, je le sais, s'amuse parfois à des écrits... séditieux, peut-être? Peccadille! On fermera les yeux. Mais il doit être au courant des nouveautés, de ce qui se vend chez... de ce qui s'imprime en Hollande? Et vous-même êtes instruite, vous lisez? Alors, mon nom... Jailleau? François Jailleau?

– Je n'avais pas, dis-je (tremblant qu'il ne me demandât un titre), fait le rapprochement.

– Qui l'eût fait? Qui l'eût fait? Buvez donc, il fait froid encore. Un auteur, voyez-vous, est quelquefois contraint... L'état de police n'est pas glorieux, mais quelle expérience! Quelles facilités! Ainsi, en suivant la trace de cette petite Malouin, j'ai pu utiliser des archives, des lettres, des informateurs, que je n'aurais jamais eus si j'avais été un de ces discoureurs du Café Gradot. Je veux en faire un opuscule, peut-être un roman, qui écrasera les Lesage... Mais buvez donc!

Je bus. C'était du feu. J'en restai étourdie, pendant qu'il me débitait des histoires de bâtardise, de viol, d'exil en Hollande, que la Solange, restée sur le seuil de l'officine où elle préparait ses poisons, écoutait avec autant d'ahurissement que moi.

– Mais n'avez-vous pas quelque détail vivant... Deux femmes, deux amies, se confient bien des choses...

– Mais, m'écriai-je, exaspérée, un peu grisée peut-être aussi par le terrible breuvage dont j'avais bu au plus trois gorgées, mais ce fut assez, elle n'est pas mon amie!

– Qu'est-elle, alors? Et qu'alliez-vous lui dire?

Je ne me maîtrisais plus.

– De s'en aller, si elle en avait le moyen. De nous laisser en paix! De...

– Une rivale! dit-il, comme extasié. Une intrigue accessoire, un sentiment né dans l'ombre... Comme tout cela s'équilibre! Je le tiens! Je le tiens, mon sujet! Peut-être même qu'au théâtre... Mais elle rougit! Quelle enfant! Est-elle donc bien belle, cette Mademoiselle Malouin?

– Elle est belle.

– Mais vous, vous êtes charmante. Et tellement jeune! Et tellement neuve! Et vous découpez des cadavres! Oh! j'en tirerai quelque chose. Quel âge aviez-vous lorsque vous commençâtes?

– Treize ans et demi. Mais je ne dissèque pas moi-même, je...

– Peu importe. Il faut quelquefois donner un petit coup de pouce à la réalité.

Et, comme on décerne le Grand Cordon de Saint-Louis :

– Vous figurerez dans mon livre, petite Catherine. Je vous le promets. Et si je puis écarter votre rivale, je le ferai. Il vous aimera, votre médicastre. Ce sera tendre, touchant, surprenant, nouveau...

Il se leva, vacillant. Je me dégageai aussitôt de mon inconfortable position, non sans constater que la tête me tournait un peu.

Arrivé à la porte, il se retourna, illuminé de bienveillance.

– Dites-moi encore... *Collection d'Historiettes de la Régence, par un ancien inspecteur de police*, que dites-vous de ce titre ? Seriez-vous attirée par un livre qui le porterait ? L'achèteriez-vous ?

– Je craindrais de le trouver un peu sérieux, peut-être ? N'est-il pas paru récemment...

Il me semblait avoir entendu chez les d'Urfé ce nom d'Historiettes. Il redescendit une marche, trébucha, brandit sa canne. Il s'était brusquement enflammé d'indignation.

– Je sais ! Je sais ce que vous allez dire ! Vous allez me parler de Rogissart, un plagiaire, un homme de Cour qui n'ose dévoiler aucun secret de peur de se compromettre ! Il n'y a rien dans ce livre, rien qu'un ramassis d'anecdotes qui couraient déjà les ruelles sous l'Ancien Règne ! Et cela fait illusion ! Et...

Il avait tourné les talons, et, titubant, soliloquant, agitant sa canne qui faisait peur aux passants, il s'éloignait, traversant la chaussée, dix fois sur le point de se faire renverser. Et moi, sur mon banc, dont je n'arrivais pas à me lever, de soulagement, de surprise, je riais, je riais !

Je crois que ce fut la dernière fois où je ris vraiment de bon cœur, cette année-là.

La Dufresne alla droit à la Salpêtrière, demanda la Supérieure, et fut reçue. Entre elle et la Dufresne existait une paix armée. Sœur Rosalie, qu'on appelait la Belle Abbesse (et qui n'avait de religieux qu'un titre de pure forme), était belle encore, riche déjà, fière jusqu'à l'honnêteté, et avait eu pour amants exclusivement de hauts magistrats, un lieutenant de police, un comte polonais, un duc allemand. Elle était, dans cet univers particulier des prisons qui touche à la fois à la justice et à l'illégalité, au gouvernement et au proxénétisme, à dix crans au-dessus d'une Dufresne réduite aux petits délits, donc aux profits minimes. Elle n'était pas sotte, et, bien que secrètement orgueilleuse, n'en montrait rien, consciente que cet univers était une grande machine dont chaque rouage devait être huilé pour que l'ensemble fonctionnât. Elle communiqua volontiers à la Dufresne le rapport qui avait suivi l'arrestation d'Antoinette Sicard. Elles le parcoururent ensemble.

Sœur Rosalie fit observer que, bien loin de porter plainte, le prétendu « client » de la fille avait fui devant le guet. La Dufresne remarqua qu'il était bien étonnant qu'une fille si recherchée (au témoignage de ses voisins qui avaient signalé les nombreuses visites de tant d'hommes différents) n'eût pas attiré l'attention de quelque proxénète. Sœur Rosalie observa que l'appartement où exerçait « cette petite Sicard », encore que situé hors les murs, témoignait d'une certaine aisance, pour ne pas dire d'un certain luxe que n'expliquait pas la fréquentation d'hommes de passage. La Dufresne nota qu'Antoinette avait été arrêtée revenant d'une sorte de « bal masqué », d'une « partie », ce qui prouvait qu'elle fréquentait sinon la noblesse, du moins la finance ou la haute bourgeoisie, et que ces petites maisons de plaisir, qui ne sont pas à portée de toutes les bourses, excluaient l'hypothèse d'une clientèle de trottoir. Sœur Rosalie s'étonna qu'elle n'eût point fait appel à l'un ou l'autre de ses protecteurs pour se faire libérer ou, du moins, pour améliorer ses conditions de détention.

La Dufresne objecta qu'elle avait été transférée à Sainte-Pélagie.

– ... par une intervention dont j'ignore l'origine, mais qui a dû être importante.

– Importante! s'exclama la Dufresne, toute glorieuse d'apprendre quelque chose à la grande geôlière. Par l'intervention du bourreau, oui, qui en serait épris jusqu'au ridicule! C'est du moins un air qu'il se donne.

– Le bourreau? Le bourreau de Paris?

– Monsieur de Paris... Monsieur Sanson, oui. La voilà, sa clientèle choisie!

Sœur Rosalie réfléchissait. L'énigme l'intéressait de plus en plus. Peut-être Sanson figurait-il pour quelqu'un d'autre?

– Jailleau l'a recherchée. Naturellement, je ne lui ai rien dit. Mais il ne travaillait pas pour Sanson, c'est certain. Est-elle sa maîtresse?

– A Sainte-Pélagie! s'indigna la Dufresne.

Mais sous le regard ironique de la Belle Abbesse, elle sentit que ces feintes n'étaient plus de mise.

– Non, ajouta-t-elle simplement, et confuse.

– Sanson peut figurer pour quelqu'un d'autre, même s'il en est épris, dit Rosalie.

– Mardi dernier il lui a remis une bague qu'elle a acceptée.

– Elle a pu la garder? dit Sœur Rosalie, bonnement.

Elles eurent un bref instant un regard complice, et rirent un peu.

– Je la lui ai laissée. J'attends la suite.

– Vous avez bien fait. Un signal? Il y a de la conspiration, là-dessous.

– Vous croyez?

– De la conspiration, du danger, du profit. Vous tenez à suivre le fil?

– Je tiens à partager les profits.

– Fort bien. Mais pas sans les risques.

– Vous saurez conduire tout cela, dit la Dufresne avec sincérité.

Si elle était venue voir la Sœur et lui avait remis les cartes en main, c'est qu'elle connaissait sa réputation d'équité. D'équité bien mesurée, s'entend. La Belle Abbesse s'arrogerait bien quatre-vingts pour cent du possible rapport de l'intrigue, mais la Dufresne se savait incapable de mener une telle enquête à bien. Elle faisait acte d'allégeance. Sœur Rosalie le sentit, et l'accepta.

– C'est bien. Je vous conduirai sans paraître. Mais soyez prudente surtout. Avez-vous regardé cette bague ? A-t-elle la marque d'un joaillier ? On pourrait retrouver par là...

– Je n'y ai pas songé, dit la Dufresne humblement.

Sœur Rosalie soupira. Enfin, si l'autre était plus fine, elle aurait gardé l'affaire pour elle. Si elle l'était moins, elle n'aurait rien subodoré. Dieu fait bien les choses, tout compte fait.

– Relisons ce rapport, voulez-vous ?

Elles remarquèrent qu'Antoinette avait été arrêtée avec une arme (poignard ? couteau de table ? ou même paire de ciseaux ?) à la main, mais qu'on ne l'avait pas accusée de violences, à cause de la disparition de son « client » ; qu'elle était, au moment des cris qui avaient attiré l'attention des voisins, à peine vêtue d'un léger peignoir sous lequel elle ne portait qu'une sorte de maillot « fort peu décent ». Que, parmi ces cris qui avaient motivé l'appel au guet et la plainte en justice des voisins, ils avaient cru discerner des refus réitérés de la jeune femme, des « Non, non ! Je ne le ferai pas ! Pas ça ! Pas ça ! », et, plus tard, un véritable hurlement dont seule la blanchisseuse prétendait avoir compris le sens, qui aurait pu être : « Jure-le-moi ! Jure-le-moi que c'est ça ce qu'IL veut ! »

– Les premiers cris, dit la Dufresne, à supposer qu'il s'agisse vraiment d'un amant, peuvent avoir été causés par une exigence inhabituelle...

– La déclaration de la blanchisseuse est plus intéressante, dit Sœur Rosalie. Elle met en jeu un troisième personnage, si cette femme a bien entendu. Et puis la petite Sicard tutoie le galant. L'aurait-elle fait si elle venait de le rencontrer?

– Il venait peut-être, lui aussi, de cette « partie »?

– Où se serait trouvé le troisième personnage? Il serait intéressant, très intéressant, de savoir qui, exactement, s'y trouvait.

– On s'est bien gardé de l'interroger là-dessus.

– Nos inspecteurs sont si timorés! Ils auront eu peur de tomber sur quelque financier soucieux de n'être pas compromis, sur une robe de justice... Mais il est plus curieux qu'elle n'ait, elle-même, rien dit, en dépit de sa condamnation. Elle spécule sur quelque chose, elle détient quelque secret qu'elle négocie sans doute par l'intermédiaire de Sanson.

– Un secret... érotique? Un grand seigneur, un ecclésiastique, qui redouterait de voir divulguer des goûts un peu spéciaux?

– De nos jours... Qu'est-ce qui peut compromettre qui?

– Le rapport dit qu'elle a été arrêtée dans un déshabillé fort léger, ouvert sur un maillot « peu décent » au jugement de l'exempt, sot du reste. Lisez . « *transparent par parties et à d'autres orné de figures anatomiques* ». Je n'ai jamais entendu parler de cette fantaisie-là. Et vous?

– Jamais. Qui s'intéresse à l'anatomie...? dit la Dufresne qui ignorait jusqu'au sens de ce mot.

– Mais quantité de gens! dit Rosalie, du haut de sa supériorité. Des savants, de grands seigneurs, le...

Elle s'arrêta, frappée par ses propres paroles. La Dufresne baissa les yeux, ce que l'autre ne remarqua pas.

– Observez bien tout. Écoutez, si vous en avez le moyen.

– Je puis entendre, mais ils ne se disent pas grand-chose, fit la Dufresne avec une moue.

– Rien de passionné? de tendre?

– Des riens.

– Vous voyez bien qu'il n'y a là aucune galanterie. Ils attendent. Mais quoi? Oh! nous en saurons le fin mot! dit la Belle Abbesse.

Elle oubliait un peu, dans l'excitation du moment, sa prudence, ses airs de dignité, et la distance qui la séparait de la Dufresne. Elles s'amusaient, l'une et l'autre, énormément.

Sitôt rentrée, je cessai d'avoir envie de rire. Le Chevalier ne m'avait pas demandée, mais Jeannette m'attendait, anxieuse.

– L'avez-vous vue?

Il fallait s'expliquer, lui faire confiance tout à fait, ou plus du tout. Et quel autre recours avais-je qu'elle, qui avait déjà prouvé son efficacité? Il me fallait lui expliquer pourquoi, devant les révélations de l'inspecteur, j'avais renoncé à parler à Antoinette. Éprise ou non, bâtarde ou non, même folle, même désespérée, Mademoiselle Malouin des Essarts ne serait jamais la compagne d'un Sanson. Je lui dis donc, en raccourci, l'affaire Malouin, le complot que je supposais venir de Sceaux et de l'Espagne, le rôle que devait y jouer Antoinette, le danger que nous courions tous. Je lui dis aussi les folies de l'inspecteur, et qu'il me paraissait bien peu inoffensif.

Sceaux et l'Espagne ne captivèrent nullement Jeannette. Elle comprit – ce dont je m'aperçus moi-même en lui parlant – que tout (en ce qui concernait du moins le Chevalier) reposait sur Antoinette. Wilhelm trouverait sans peine d'autres complices, d'autres complots. Il s'agissait de nous tirer de peine sans nous trahir.

– Il faut la faire enlever, dit Jeannette tranquillement.

– Le pouvez-vous?

– *Lui* le pourra.

Je ne demandai pas qui. On disait *Lui* en parlant du Régent, et *Lui* en parlant de Cartouche. Relativité des choses!

– Mais on ne lui fera pas de mal?

Elle se pencha sur Bénédicte qui avait pris ses habitudes dans le pétrin, et lui tendit un croûton à mordiller.

– Ah, Mademoiselle! On ne peut jamais dire comment les choses vont tourner. Mais qui vous dit qu'elle ne sera pas bien aise d'être délivrée de ce bourreau et de ces Messieurs, et n'ira pas de très bon gré dans un endroit tranquille? Si elle résistait beaucoup, poussait de grands cris, ne comprenait pas où est son avantage, évidemment...

Elle vit mon hésitation.

– Vous pourriez parler aussi à Monsieur Sanson? Il a bien peur de la perdre, il pourrait la mettre en province, qu'elle le veuille ou non, et vous en seriez quitte?

J'admirai comme le monde entier voulait se débarrasser de cette malheureuse fille, « qu'elle le voulût ou non ».

– Il faudrait pour cela qu'il la sentît en danger.

– Ne pouvez-vous le lui donner à entendre? Non, ce serait trahir le maître... Écoutez, Mademoiselle Catherine, ne vous tourmentez pas. Je verrai sûrement Jean-Marie cette semaine. Il arrangera tout avec quelqu'un de sûr.

Encore une fois je ne posai pas de question sur cette « personne sûre ». Oh! Catherine! Ne trouver aucune autre ressource qu'un bandit!

– Mais vous lui direz... Pour Antoinette...

Elle prit la petite dans ses bras, la retirant du pétrin, la posa sans façon sur la table (l'enfant mit sans tarder la main au plat de fèves) et, en tisonnant le fourneau, me dit avec une douceur triste, presque maternelle :

– De toute façon, Mademoiselle Catherine, si nous voulons nous en sortir, il faudra bien que quelqu'un paie.

Je n'eus guère le temps de méditer ces paroles. Le Chevalier arrivait, de belle humeur, et Wilhelm, chargé de bouteilles, qui semblait déjà leur avoir fait honneur.

– A-t-on bien travaillé aujourd'hui? demanda Martinelli. Ces *Gémeaux*, ça progresse?

– Il faut qu'elle se hâte, dit Wilhelm en riant, et sans s'expliquer davantage.

Son rire était jovial, innocent même, et pourtant il me fit peur, car il annonçait un dénouement proche.

– Je t'ai rapporté un petit ouvrage qui t'intéressera.

– Un livre! dit Wilhelm, goguenard. Encore un livre! Vous lisez trop, Martinelli, et vous bourrez le crâne de cette enfant de trop de choses. Achetez-lui donc un bonnet, une petite dentelle... Voyez comme elle est attifée!

Je n'avais pas songé à me changer en revenant des Trois Noyers, et ce n'était pas Jeannette qui m'y eût fait penser.

– Ce livre-là lui sera plus utile qu'un bonnet, dit le Chevalier avec une malice que je lui voyais rarement.

Il est vrai qu'il ne remarquait aucun ajustement et que, quand j'avais revêtu un petit corsage baleiné que j'avais acheté presque neuf, il avait prétendu me faire travailler ainsi vêtue. Aussi posai-je le livre sur le pétrin sans l'ouvrir; ne venait-il pas, une fois de plus, de me montrer qu'il me considérait comme une enfant, dont la mise importe peu?

Il faisait moins froid, ce soir-là. Les nuages, chassés par un grand vent salubre, nous découvraient des morceaux de ciel. Les garçons étaient dans la cour, encore emmitouflés, s'amusant d'une toupie. Par-dessus le mur à demi écroulé de la cour, nous voyions le soleil couchant apparaître brièvement entre des couches de brume violine.

Wilhelm débouchait le vin. Le Chevalier étendait ses grandes jambes, se détordait les mains, bâillait de faim. Le lard grésillait dans la poêle. Nous nous taisions.

En dépit de mes craintes, ce soir-là fut un soir de trêve, et je m'en souviens. Jeannette servit les fèves et le lard, qui embaumaient, et s'assit sans façons à mes côtés. Les enfants se tenaient debout près de la table, immobiles comme de petits chiens qui savent que de leur sagesse dépend leur nourriture. Le Chevalier avait pris un livre au hasard. Il en traînait partout, froissés, tachés de graisse. Il le parcourait en attendant d'être servi. Wilhelm buvait sans hâte, mais avec une calme résolution.

Je ne sais pourquoi cette réunion hétéroclite, ce calme soudain, ce dernier rayon de soleil me firent penser à un de ces bivouacs de soldats comme j'en avais vus sur les images à découper que ma tante me donnait pour me faire tenir tranquille, où l'un joue de la flûte, l'autre écrit une lettre, et le troisième, ayant posé sa cuirasse, tourne une sauce, et où ces gestes quotidiens sont empreints de mélancolie, parce que plusieurs de ces hommes vont mourir.

Pour écarter cette pensée, je me levai, taquinai un moment Bénédicte qui, s'accrochant aux barreaux d'une chaise, tentait de se dresser sur ses petites jambes grasses, et pris le livre posé sur le pétrin, que Jeannette allait faire tomber en découpant le pain.

Le livre n'était pas neuf, mais relié en cuir fort propre. Je voulus en lire le titre sur le dos, et n'arrivai pas à le déchiffrer. Par-dessus sa propre lecture, le Chevalier me regardait, avec un petit sourire indéchiffrable aussi. Je n'allais pas pourtant le bouder : j'ouvris le livre. C'était un vocabulaire espagnol.

De joie, de surprise, je dus me rasseoir. D'un coup d'œil, le Chevalier me désigna Wilhelm. Je compris. Il ne devait pas savoir, pas encore, que le Chevalier avait décidé de m'emmener, quoi qu'il advînt. Une vague de joie m'inonda. Malgré ses promesses, je ne l'avais cru qu'à demi. J'eus un moment de griserie. J'eus, ce soir-là, confiance en l'avenir, confiance en mon Chevalier, en Jeannette, en Cartouche. Tout allait s'arranger. J'oubliai Sanson, j'oubliai Antoinette. Il n'y avait plus que ce livre, qui valait contrat (et que je jetai négligemment derrière moi sur une tablette, pour que l'Allemand n'eût pas l'idée de le regarder de plus près), que le regard de Jeannette qui disait « Ne vous inquiétez pas », que le regard du Chevalier qui disait avec une affectueuse malice « Te voilà bien surprise », que la table bien garnie, que le soleil mourant, les petites têtes noires des enfants se pressant à mon côté, que quelque chose que je n'osais pas appeler : bonheur.

Oui, ce fut un beau soir. Le dernier pour longtemps. Jeannette le sentit qui mit sur la table, outre le plat qu'elle avait préparé, un pâté d'anguilles et un grand massepain que nous avions reçu d'une de nos pratiques. Wilhelm même le sentit et, sans doute mis à l'aise par le fait d'apparaître pour ce qu'il était, laissant de côté la fiction du « cocher », sans pour cela nous faire de confidences, se mit à nous narrer, avec une verve qui n'était pas de l'esprit mais une véritable bonhomie, des anecdotes sur la Cour de Russie, où il avait été, à nous décrire les fontaines de Grenade, l'étrange étiquette qui entourait les rois d'Espagne, nia que l'antilope fût un animal fabuleux, comme on la réputait, car il en avait vu de ses yeux dans « les déserts », et dit quelques mots en arabe pour nous éblouir. En parlant, il tapotait parfois le crâne du petit Lucien, qu'il préférait aux autres enfants depuis que sa chevelure noire tournait au roux, et lui donnait à boire dans son verre. Quand la conversation languit, au moment, fort attendu par les enfants, où Jeannette découpa le massepain, sollicitant du regard, et pour la forme, la permission de leur en donner une tranche, je me sentis une envie de taquiner mes conspirateurs sur leur ingénieux projet de voyance (qui me paraissait à cet instant tout à fait chimérique), et je dis à Jeannette, avec une ingénuité tout à fait feinte :

– Dites-moi, Jeannette, quand vous logiez chez vous, et que vous vous en retourniez, le soir, toute seule, à pied, n'aviez-vous jamais peur?

– Point, dit-elle. D'ailleurs, j'avais les garçons qui venaient me chercher et marchaient devant moi en éclaireurs, tout petits qu'ils étaient, la petite liée à mon dos, un bon bâton ferré dans une main. Dans l'autre j'avais une bourse avec des pièces de cuivre, mais qui tintaient. De sorte que si l'on m'avait attaquée, j'aurais jeté ma bourse qui, bien sonnante, aurait arrêté ces gueux. Et s'ils m'avaient approchée, j'aurais donné du bâton.

– Évidemment, dit le Chevalier, la bouche pleine et sans malice, une pauvre femme et trois enfants n'auraient pas fait l'affaire de la bande à Cartouche.

Je baissai les yeux.

– Pour lors, Cartouche n'était pas à Paris, dit Jeannette sans se troubler, et même avec un air de défi. Cette bande-là, vous avez raison, ne se dérange pas pour trois sous. Ils s'attaquent aux riches, et, ma foi, c'est tant pis pour eux.

Le sujet était dangereux et s'éloignait du badinage. Je repris :

– Mais quand vous passiez près du cimetière, Jeannette?

– Eh bien?

– Ne craigniez-vous pas les démons, les esprits des morts qui reviennent, qui sait?

– Oh, les esprits! Mais qui croit encore à cela? Des simples, des vieux, des paysans... dit-elle avec un orgueil citadin.

Le Chevalier me parut légèrement embarrassé.

– Mais quantité de gens croient à ces choses, qui ne sont pas des rustauds, dit-il un peu trop vivement. Il y avait un page, enfin, un ancien page du maréchal d'Humières, qui avait ramené un sauvage du Canada. Ce sauvage voyait à travers le temps et l'espace. Un jour, il fut tout triste et son maître, que l'on nommait Longueil, lui demanda pourquoi. « Parce que ton frère vient d'être assassiné là-bas », lui répondit le sauvage. Là-bas, c'était au Canada. Plusieurs mois après, Longueil sut que c'était vrai.

Wilhelm éclata d'un rire homérique. Le Chevalier fronça le sourcil. Jeannette se détourna pour couper du pain. Mais le petit Lucien, que l'indulgence nouvelle de Wilhelm grisait quelque peu, ajouta son petit rire aigu à la basse de notre soudard, et le Chevalier s'irrita davantage.

– Du vin! dit-il rudement à Jeannette, qui le servit.

L'Allemand se servit lui-même et fit boire l'enfant qu'il tenait sur son genou, sans que Jeannette osât protester.

– L'abbé Dubois y croit, reprit mon maître plus doucement.

– Tout le monde le dit fieffé menteur, pourquoi ne mentirait-il pas en cela? dis-je.

– Bien dit! fit Wilhelm, toujours riant. Et qu'importe? Si la bêtise nous profite, encourageons la bêtise!

Peut-être m'étais-je un peu grisée pour oublier,

fût-ce une heure, mes inquiétudes. Je me moquai ouvertement :

– Voudriez-vous passer pour mage, Monsieur le comte ? Vous avez déjà tant d'incarnations !

Il était décidément d'excellente humeur, car il ne se fâcha nullement.

– Ne me verrais-tu pas avec un turban étoilé et une baguette magique ?

– J'aurais trop peur pour vous, Monsieur. Ces mystifications-là finissent souvent sur le bûcher.

– Comme s'il y avait encore des bûchers !

– Et d'où prends-tu mystification ? me dit le Chevalier, secrètement piqué qu'on le traitât de charlatan (peut-être aussi s'interrogeant sur ce qui me faisait si renseignée). Monsieur de Fontenelle, qui a écrit le livre sur la Pluralité des Mondes, croit aux esprits.

– Il le dit pour tromper les Jésuites, qui le renomment athée, répondis-je victorieusement.

– Vilain singe ! Perroquet ! Tu répètes sans en comprendre un mot les ragots de ta Basseporte. On te presserait le nez qu'il en sortirait du lait, et cela veut raisonner sur les Jésuites !

Je ne sais pourquoi cette phrase me blessa. Parce que, m'ayant prouvé sa confiance et son amitié, il continuait à les cacher devant l'Allemand ? Peut-être parce que, en voyant la petite Bénédicte prendre le sein de sa mère, je m'étais dit bien souvent que si j'avais eu cette chance, et si ma mère n'était pas morte en couches, je n'aurais pas eu à me débattre contre le sort ?

– Je me demande bien d'où proviendrait ce lait, dis-je entre larmes et colère.

La phrase était fort sotte, car j'avais eu une nourrice, après tout. Mais le Chevalier la comprit et, tout embarrassé, me tapota la main, cependant que Wilhelm ouvrait grands ses gros yeux. Par une délicatesse comme s'en découvrent parfois les plus frustes, Jeannette me comprit aussi et, d'un élan, au mépris de toute convenance (dont nous étions dorénavant fort éloignées), étant assise à côté de moi, elle m'enlaça d'un bras, l'autre maintenant la petite Bénédicte sur sa hanche, et me colla sur la joue un vigoureux baiser. J'en restai ébahie, mais plus ébahie encore d'y trouver un vrai réconfort. En fait, je crois que personne ne m'avait jamais embrassée des lèvres, sauf une fois, quand nous étions enfants, Madeleine Basseporte à l'occasion du jour de ma naissance. Cette pensée me fit pleurer tout à fait. L'Allemand, pour qui c'était la panacée, se leva pour me verser du tafia. Jeannette, encouragée par mon émotion, se mit à sangloter, et Bénédicte ne perdit pas une si belle occasion de se manifester. Luc gémissait comme un petit chien, Lucien surveillait la figure de son nouvel ami pour savoir s'il fallait pleurer ou rire, et, dans le doute, lampa encore un verre abandonné, y puisa des forces et hurla. (Ces enfants de Jeannette étaient de terribles braillards, ce qui était, affirmait-elle, signe de santé. A ce moment-là, j'aurais préféré qu'ils se portassent un peu moins bien.)

Le Chevalier regardait ce tableau, les yeux humides, et riant malgré lui en même temps d'assister à ces grandes eaux, et, du coup, nous nous mîmes tous à rire aussi, chacun riant et pleurant à la place de l'autre. Quand nous nous fûmes un peu apaisés :

– Tu vois, Catherine, dit le Chevalier, d'une main s'essuyant les yeux et de l'autre nous versant à boire, ça aussi, c'est la liberté.

Le printemps approchait.

CHAPITRE VIII

Où l'on évoque en quelques mots la duchesse du Maine, qui méritait mieux, et Monsieur de Fontenelle, qui vécut si vieux qu'on peut en parler à n'importe quel endroit d'un récit. Où l'on suit diverses péripéties et deux nuits d'amour qui manquaient à l'ouvrage.

Au printemps 1718, la duchesse du Maine ayant, telle l'abeille dont elle s'était fait un emblème, harcelé, piqué, bourdonné à les rendre fous aux oreilles de ses fidèles qu'il fallait se hâter – c'était le mot du moment – de se débarrasser du Régent, Philippe V d'Espagne étant bien rétabli et prêt (à ce qu'elle disait) à prendre une régence honorifique dont les véritables pouvoirs seraient entre les mains du duc du Maine, il régna à Sceaux une effervescence de ruche.

Naturellement tout le monde écrivait : Sceaux se targuait, à juste titre, de compter parmi ses commensaux un plus grand nombre de plumes agiles qu'aucune autre petite Cour du monde (pour ne pas parler de celle du Palais-Royal que l'on considérait comme le suprême du mauvais ton). Le premier arrêt de 1717 sur les légitimés n'était nullement considéré par la duchesse comme devant entraîner un jugement définitif. Le duc se tenait, en apparence, à l'écart de cette agitation, avec des airs d'indulgence, d'amusement et, parfois, comme pour dissiper certains soupçons, d'effarouchement. Elle, courait les juges, les ministres, les avocats. Soudoyait l'un, séduisait l'autre. Promettait, promettait, promettait, la terre et la lune, à qui l'aiderait à se débarrasser du Régent et à mettre en sa place le duc, qui semblait se laisser faire mollement et pour lui complaire.

Ce n'est pas le lieu de discuter s'il était ou non sincère. Certains disent qu'il ne le fut jamais et qu'il avançait sous le couvert de sa femme, comme les guerriers asiatiques derrière ces masques grimaçants qui ne sont que de pâte à papier. On en pensera ce qu'on voudra. Le certain était que tout ce petit monde se voyait déjà au pouvoir et, avant même d'y parvenir, craignait que les prébendes les plus juteuses ne fussent pas assez nombreuses pour les satisfaire tous. Aussi tentaient-ils de se nuire l'un l'autre. Chacun avait sa stratégie, son complot, ses affidés.

Et c'était ce tumulte même, et les déclarations de guerre sans feinte aucune de la duchesse, qui, justement, faisaient que la police ne les prenait pas au sérieux. Car, pendant qu'on faisait parvenir des messages au roi d'Espagne, lui suggérant des lettres incendiaires à communiquer aux Français, tandis qu'on rencontrait Cellamare rue de Bourbon, dans l'hôtel du Maine que le duc venait d'acheter, ou dans des jardins, en travesti, tandis que Laval excitait les Bretons, que Pompadour se compromettait avec le plus bas peuple, faux-sauniers et indicateurs (à moins que ce ne fût le contraire), Malezieu, Polignac, Dadvisart, jouaient leurs atouts en rédigeant un pamphlet dicté par la passion, sur les droits des princes légitimés. (La duchesse y mit la main, du reste, ayant eu cette trouvaille de s'adresser aux

Français en les apostrophant sous l'appellation de « Citoyens ! » en langue des philosophes.) Chacun sortait sa carte maîtresse. Tel avait un parent auprès d'Alberoni, tel autre avait fait partie de la suite de la reine d'Espagne qui tenait son mari par le prie-Dieu et le lit. Lagrange-Chancel, poète appointé par la duchesse, ne cessait de versifier sur le thème de l'empoisonnement prétendu des enfants de France et sur l'inceste supposé de Philippe avec sa fille de Berry, et déposait chaque jour aux pieds de la duchesse une strophe nouvelle. Richelieu croyait disposer de Bayonne où il avait un régiment. Voltaire, à la Bastille d'où il fut libéré ce mois d'avril 1718, n'était pas resté inactif, et sortit de sa manche un Œdipe tout prêt. Villeroy exhibait un biscuit soi-disant empoisonné qu'on aurait fait parvenir au jeune Roi.

Malouin n'avait que sa fille. Il s'en servit.

Comme il est d'usage, il lui en voulait du mal qu'il lui avait fait, et du ridicule qu'il s'était, à lui-même, donné. Il avait été des plus surpris d'apprendre par Wilhelm, connu à Sceaux comme comte von Schlieben – et qui tâchait d'avoir part à chacun de ces complots même les plus infimes, comme on prendrait des billets pour toutes les loteries –, qu'Antoinette avait plu au Prince, fût-ce l'espace d'un souper. Il s'en servait jusque-là comme d'une servante, la cachant rue d'Enfer, lui faisant distribuer des pamphlets au public, comme s'il se fût agi de billets pour la foire, l'envoyant en Bretagne encourager les conspirateurs, mais n'imaginant pas qu'elle pût jouer dans cette affaire un rôle d'importance, égarée qu'elle était, en grande partie par sa faute.

Il en conçut pour elle plus de considération – mais sans jamais un regret. Mademoiselle de Launay lui ayant insinué un jour qu'il était peut-être dangereux d'employer à des besognes politiques une fille qui ne se possédait qu'à demi, il répondit : « Raison de plus ! Si elle est prise, quoi qu'elle avoue, cela passera pour du dérangement. » Mademoiselle de Launay, qui, pour avoir souffert, avait de la sensibilité, fut choquée par cette réplique. Mais la duchesse trouva l'argument des meilleurs.

Personne, et Wilhelm von Schlieben lui-même, n'avait espéré qu'Antoinette servirait d'autre chose que d'appât, et le soir du Souper Anatomique l'enlèvement du prince était tout préparé, comme il le fut plus tard dans le bois de Saint-Cloud par La Jonquière qui, lui aussi, rata l'affaire. Le complot du Souper ayant échoué, von Schlieben voulut que, dès le lendemain, Antoinette donnât rendez-vous dans quelque endroit écarté à l'Amateur afin qu'il pût réparer tout à l'aise « l'affront » qu'il lui avait fait subir. Mais, soupçonnant qu'il ne s'agissait plus d'un enlèvement, que l'Allemand trouvait trop hasardeux, mais d'un bon petit assassinat tout simple, Antoinette s'y était refusée, d'où les coups que von Schlieben lui donna, le couteau à fruits qu'elle saisit, et le tapage qui amena son arrestation.

Dès lors, Malouin l'eût jugée inutile et abandonnée sans l'ombre d'un remords si la duchesse, informée de tout et du silence gardé par Antoinette malgré supplice et enfermement, ne s'était reprise d'enthousiasme pour cette petite fille autrefois recueillie. Et, par un phénomène inverse et analogue à celui que Malouin avait éprouvé, s'était souvenue de toutes les bontés qu'elle avait eues pour l'enfant devenue jeune femme, s'en était fait honneur, et avait attribué le silence et le courage d'Antoinette à une bien juste reconnaissance. « C'est une héroïne ! » s'était-elle écriée, la cervelle pleine des comédies-ballets où de tels dévouements n'étaient pas rares. Tel un oscillant pendule,

Malouin s'était repris aussitôt d'intérêt pour sa fille. L'invention du verre d'eau, malgré l'antipathie qu'il éprouvait pour von Schlieben, lui avait paru sublime. Mais il n'ignorait pas que, pour l'Allemand, l'important était d'appartenir à celui des complots qui réussirait le premier.

Lorsqu'il avait appris le transfert d'Antoinette à Sainte-Pélagie, Wilhelm s'était refusé à indiquer son refuge au père, qui feignit en vain l'indignation. Il sortirait la fille de sa manche, comme une muscade, quand le besoin s'en ferait sentir. Malouin se désolait de ne pouvoir réussir son complot à lui sans l'aide de l'officieux Allemand qui disait volontiers : « Je me charge de tout », ce que Malouin comprenait, fort justement, par : « Je me charge d'empocher tous les bénéfices. »

***

Ce grouillement, ce fut aussi la Régence. Du plus grand au plus petit, il me sembla, quand je pus, le temps passant, reconstituer cette histoire ou du moins cette partie de l'histoire qui nous concerna, que chacun jouait un jeu passionné, ayant entrevu subitement un monde nouveau où toutes les valeurs basculeraient. Et je ne parle pas seulement des valeurs de Monsieur Law, dont on sait la catastrophe. J'y tins ma part, mais aujourd'hui, en 1730, où le monde semble s'être apaisé, je ne saurais encore très bien dire qui gagna, qui perdit, qui quitta la table trop tôt, et qui s'y attarda un moment de trop, ni pourquoi la partie sembla soudain s'interrompre.

Et si j'ai entrepris ce récit, sans art mais non sans malice, c'est à la suite d'une conversation que j'eus, il y a peu, avec Monsieur de Fontenelle qui me faisait l'honneur d'une visite. (Et comment la petite

Catherine est devenue, après cette aventure, Mademoiselle Lesueur, en possession d'un salon, d'une aisance décente et d'un peu de réputation, c'est ce que je dirai quand cela viendra à propos. Admettez-le et poursuivons.) Admettez-le parce que, en somme, il ne me reste à raconter qu'une seule journée et qu'une seule nuit – mais qu'elles furent longues! Admettez-le parce que, pendant cette journée, ces renversements, cet inattendu de l'époque, triomphèrent au point qu'on ne saurait en tirer une leçon, une morale, ni même la comprendre. Admettez-le parce que cette journée ressemble à Antoinette, telle qu'elle fut. On la regardait, on voyait *Les Larmes*, on ne les voyait plus; on la voyait belle, on ne la voyait plus. Qu'était-elle d'autre qu'une souffrance absurde et, quand la souffrance la quitta, que fut-elle, sinon un beau visage illisible?

Monsieur de Fontenelle – je ne mentionne cette conversation que parce qu'elle me fit souvenir d'Antoinette et de mes jeunes années –, Monsieur de Fontenelle, donc, me parlant de dessins anatomiques dont j'ai une assez belle collection, m'en faisait observer l'évolution.

– Remarquez, disait-il, comme à l'époque d'Errard et de Huyberts, avec leurs anges-squelettes, leurs torses mis à nu au milieu des guirlandes, je me souviens d'un petit squelette délicieux jouant du violon – c'est dans le *Thesaurus Anatomicas Tertius*, je pense – et juché sur une montagne de rognons...

– Des vésicules biliaires, Monsieur!

– Il est vrai que vous vous y connaissez mieux que moi, dit-il avec cette exquise politesse qu'il ne perdit jamais. Eh bien, à cette époque, on s'efforçait de concilier l'art et la science, de marier le corps et l'esprit. Ainsi en est-il dans votre joli buste des *Larmes*, dans votre *Jeune Femme enceinte de jumeaux*... On s'y efforce encore, mais, vous verrez, cela se démodera, cela se démode déjà. On voudra de la science pure, de l'art dépourvu de chair et, si curieux que cela puisse paraître, ce sera la fin d'un monde, d'une façon de voir et de vivre... La science triomphera du merveilleux – j'entends par là l'inexplicable –, et les esprits en seront plus libres et moins inquiets. J'entends parler du petit nombre, bien entendu.

– Et ce sera un progrès, Monsieur?

– En doutez-vous, Mademoiselle? Avec votre belle formation scientifique...

– Ma science est bien petite, Monsieur. Et il y a des domaines où elle m'est d'un piètre secours.

– Donnez-m'en un exemple, demanda-t-il avec cette douce patience, cette urbanité, cet intérêt pour les points de vue les plus éloignés du sien que certains ont eu l'audace de lui reprocher.

C'est alors, avec l'espoir de le distraire et de m'en délivrer, que je lui contai l'histoire que j'appelle l'histoire d'Antoinette, bien que ce soit aussi l'histoire des *Larmes*, du Chevalier, de Sanson, de Jeannette, de ma jeunesse et, pourquoi pas, de l'Histoire tout court. Et puis autre chose encore que je ne saurais définir, une façon d'allégorie, ou de symbole. Mais symbole de quoi?

– C'est le doute qui me reste sur ce point qui m'empêche de ranger toute cette aventure dans la cassette aux souvenirs, avec la miniature de ma grand-mère et les rubans défraîchis de la petite Catherine. On peut l'interpréter de tant de façons... ou pas du tout.

– C'est bien pourquoi c'est un symbole et non une allégorie, me répondit-il avec certitude.

Je crois comprendre que la différence qu'il faisait entre les deux c'était que l'une, l'allégorie, n'ayant que sa signification pour étai (et n'en ayant qu'une), s'effondrait aussitôt qu'on l'en dépouillait. Le symbole ayant, lui, double façon d'exister : par son apparence et par le nom qu'on lui donne, par sa forme et par son sens, par sa peau, ses nerfs, ses artères (ses couleurs, sa mélodie, son anecdote, selon l'art dont il se sert), et subsiste toujours fût-ce par de fécondes erreurs d'interprétations qui engendrent d'autres symboles, toujours vivants, toujours incompris. C'était là l'art vrai, ou la vraie vision de l'univers. C'est, du moins, ce qu'il me parut, mais je pus mal interpréter le propos de l'illustre académicien parce qu'il s'efforçait de m'éclairer sur ma propre pensée, plutôt que de m'imposer le silence.

J'observais que, tant admirés, tant nouveaux, dix ans auparavant, le buste des *Larmes* et le corps de femme que je nommais *Les Gémeaux* (et non Jumeaux afin, justement, de lui donner le sens astrologique qui fait de ce signe le plus caractéristique de la dualité) commençaient à provoquer chez certaines jeunes femmes sensibles des « Quelle horreur ! Je n'arrive pas à trouver cela beau ! ». D'autres, bien entendu, affectaient une curiosité renseignée et pleine de détachement, trouvaient le sac amniotique disproportionné, émettaient l'opinion que des jumeaux siamois eussent été plus intéressants... Bien sûr mon petit musée, qui n'était, si j'ose dire, qu'un embryon de musée, suscitait une curiosité égale, et même accrue. Mais parfois, y passant le soir avant de gagner l'étage supérieur, éclairée par le flambeau que tenait Lucien, je m'interrogeais moi-même sur ce mystère du corps qui en contient un autre qui contient encore cette potentialité qui fait la chaîne des êtres ; le corps n'est-il pas aussi un « symbole » des interrogations que nous nous posons et qui, toujours, en font naître d'autres, et d'autres encore ? « Qu'est-ce qui est plus fécond que l'erreur ? » aurait dit sans doute Monsieur de Fontenelle. Mais avais-je, dans le sens que je donnais à mon œuvre – car j'osais l'appeler ainsi –, commis une erreur? Ou simplement en étais-je restée à une interrogation qui, n'ayant pas eu de réponse, était morte, stérile, avec le Régent en 1723?

– Il est d'autres interrogations qui se posent aujourd'hui, objecta Monsieur de Fontelle avec une ferme modération. Vous n'allez pas, Mademoiselle Lesueur, dans le sens des Lumières.

Et il me menaça gentiment du doigt.

C'était la première fois que j'entendais cette locution, devenue depuis si répandue. Mais j'entendais bien qu'elle s'appliquait à ces savants, à ces philosophes, à ces législateurs peut-être chimériques, qui m'avaient tant aidée à être, dans mon salon bouton d'or, Mademoiselle Lesueur et non plus la petite Catherine. Je ne me pardonnerais pas de fournir à leurs détracteurs le moindre argument qui pût les desservir. Mais je ne pourrai jamais oublier ma première formation, l'amitié peu à peu nouée avec ce corps humain dont j'avais appris la complexité, et ce lien, aussi impossible à rompre qu'à définir, qu'il a avec nos peines, nos émotions et nos plaisirs. J'irais bien jusqu'à dire nos idées, mais je craindrais d'exagérer. C'est donc pour moi seule que j'évoque, en passant dans mon petit musée, cette liaison qui, peut-être, ne sera jamais éclaircie, entre la Création dans son plus concret (plexus poignardé par l'angoisse, tachycardie liée au bonheur soudain), avec la philosophie dans son plus abstrait. Ce qui, parfois, m'incite à me reposer cette question du Créateur à laquelle on donne, aujourd'hui, toutes sortes de formes et des plus nuageuses et, même, extravagantes.

Lucien, devenu mon secrétaire et mon homme de confiance, mais curieux de nature et resté lié avec ce petit peuple dont il est sorti, me racontait l'autre jour que de prétendus miracles se produisant au cimetière Saint-Médard où est enterré depuis peu un certain diacre janséniste, le diacre Pâris (est-ce un surnom?), et l'autorité menaçant de fermer ledit cimetière, une main malicieuse y avait affiché ce distique :

De par le Roi, défense à Dieu
De faire miracles en ce lieu.

Voilà ce qui menace aussi mon petit musée. Qu'on lui ôte le sens qu'il avait pris pour moi. Mais un placard a-t-il jamais résolu un mystère?

On ne se débarrassera jamais tout à fait de la question. Comme on ne se débarrassera jamais tout à fait du souvenir d'Antoinette, quoi qu'il soit advenu d'elle.

Jailleau trouva que le prénom d'Antoinette manquait de poésie. Il en cherchait un autre, pour en faire le titre d'une Historiette qu'il publierait (s'il le pouvait) en préambule aux autres, et qui piquerait la curiosité. Il faisait enquêter en Hollande, pour ne laisser échapper aucun détail, aux frais du nouveau lieutenant de police qui, tout occupé à réorganiser ses services, ne s'en apercevait pas.

Rosalie réfléchissait, supputait, et était arrivée à cette conclusion que si elle tirait l'affaire au clair, elle demanderait non de l'argent, dont elle avait à sa suffisance, mais un mari quelque peu titré, qui lui permît de soutenir ses prétentions.

Malouin, n'ayant pu extorquer à Wilhelm von Schlieben le secret de la retraite d'Antoinette, et trop occupé par un ballet qui plagiait la Comédie Italienne (il devait y jouer Scaramouche) pour la chercher, se rassurait par la pensée que sa fille n'obéirait qu'à lui.

Wilhelm avait suivi Sanson avec l'habileté due à une longue expérience, trouvait Antoinette fort bien où elle était, et d'où il la tirerait quand il en aurait besoin. S'étant rangé à l'avis de Martinelli, il préparait des relais pour le futur prisonnier qu'il voulait tenir hors d'Espagne, pour négocier avantageusement. Pour dissiper tout soupçon, il continuait à la réclamer au bourreau, soi-disant au nom de son père.

Sanson, questionné aussi par Jailleau, se sentait menacé.

Le Chevalier s'occupait discrètement de récupérer ses créances.

Rosalie convoqua la Dufresne par un billet.

– Nous progressons, dit-elle, sans penser à faire à la bonne femme un compliment qui, peut-être, l'eût amenée à dire certaine chose qu'elle cachait. J'ai ici une fille qu'on va relâcher sans tarder. Elle est la maîtresse d'un de ces petits jeunes gens plus ou moins employés par l'ambassade d'Espagne. Elle aime à jaser, excellente chose. Bien sûr, elle est ici par erreur, par malveillance, comme elles sont toutes. Elle serait maîtresse de clavecin. Vous connaissez la chanson : *Il jouait si bien de l'épinette*... Comme notre Sicard est soi-disant brodeuse de fin. On peut appeler ça comme ça.

La Dufresne rit sans comprendre. Mais elle est tellement béate d'admiration – ou le paraît –, tellement fière d'être admise dans l'intimité de la Belle Abbesse, que celle-ci lui saurait presque gré d'être aussi rustaude.

– Eh bien, notre claveciniste a fait des parties avec son petit jeune homme où se trouvait aussi un comte de Schlieben. Et cet Allemand, ou cet Autrichien, je ne sais, était client de la Sicard!

Elle jouit un moment de la surprise de la bonne grosse. Puis, distillant ses révélations :

– Ce Schlieben allait beaucoup à l'ambassade d'Espagne. Il était reçu par le Prince de Cellamare lui-même. Et la petite l'a vu. De ses yeux vu. Elle était avec son galant, clavecinant dans un débarras, lequel avait une fenêtre : elle a vu Schlieben repartir par les communs, en cocher, avec une houppelande!

– Et c'est un cocher qui s'est enfui de chez la Sicard, le jour de son arrestation!

– Exactement, dit Rosalie, triomphante. Mais j'ai mieux!...

La Dufresne joignit les mains, comme devant une apparition.

– Car voici mon raisonnement : cet Allemand, ou cet Autrichien, a de grandes relations. Il se cache, soit. Cela l'oblige-t-il, quand il a besoin d'un service intime, d'aller hors les murs, chez une fille de nulle renommée...

– Elle louche, dit la Dufresne qui ne pardonnait pas ses grands airs à Antoinette.

– ... et risquant sa vie ou sa bourse dans ces quartiers déserts? Non. La maîtresse de clavecin a des amies des mieux hantées : maîtresses de flûte, de viole, de tout ce qu'on voudra. Il n'aurait eu qu'un mot à dire et, en toute sécurité... Il y a autre chose.

La Dufresne ne suivait plus, l'air bovin.

– Mais si! Rappelez-vous la dispute rapportée par les voisins : « Il ne peut pas me demander cela... il ne peut pas exiger... » Je ne me souviens pas des termes exacts, mais ils impliquent une tierce personne.

– Ah oui! C'est vrai! Nous l'avions dit!

– Cette tierce personne explique tout. Il y a complot, ou du moins intrigue, impliquant l'Espagne. L'Allemand transmet ou reçoit des fonds, des documents, que sais-je, qui passent à une tierce personne. Où les laisser en dépôt, sinon chez une fille, et chez une fille inconnue, pas lancée, une fille du faubourg, que nul ne soupçonnera?

– Comme c'est vrai!

– Cette tierce personne doit être haut placée, d'où les précautions, le présent d'une bague. L'invitation de la Sicard à la partie au sortir de laquelle elle est arrêtée s'explique ainsi : si jamais un lien est établi entre la Sicard et le gentilhomme, il l'aura rencontrée là et s'en sera passé la fantaisie. Et le scandale : elle se sera rendu compte qu'elle était en train d'être compromise dans une histoire dont elle savait peu de chose, sauf qu'elle en paierait les pots cassés. Ainsi tout est en place. Il ne nous reste plus qu'à trouver le nom du gentilhomme.

Elle s'arrêta, souriante, sereine, attendant les bravos. Mais la Dufresne, sourcils froncés, visage rougi par l'effort, peinait à réfléchir comme si elle eût été sur sa chaise percée. Enfin elle vint à bout de sa constipation, et les mots arrivèrent, difficiles, comme des crottes de lapin.

– Mais si... la conspiration vient... a un rapport avec... l'Espagne, elle est forcément... dirigée contre...

– Oui, oui... dit Rosalie avec impatience.

– Alors, comment... le tierce... la tierce... enfin, le gentilhomme... était-il à une partie... intime... où justement Monseigneur...

– Mais justement! fit Rosalie avec patience. Bien entendu j'aurai... nous aurons la liste. Mais comment discerner le faux ami parmi les vrais? Il faudrait un indice.

– Ça oui... il faudrait un indice, dit la Dufresne d'un air bête à donner des soupçons à n'importe qui eût été moins rengorgé que Rosalie.

Elle ignorait ce que voulait dire une « tierce » personne. Mais elle était contente de n'avoir plus parlé de la bague, et jamais des armoiries. Elle repartit très vite.

***

Une journée, une nuit d'avril. Sanson va voir Antoinette ; Jailleau va prendre une liqueur chez la Fillon ; le Prince a déjà pris son chocolat et travaille. Voltaire vient de sortir de la Bastille, et part pour un exil très provisoire à Châtenay. La duchesse verse une somme qu'il juge insuffisante à Wilhelm von Schlieben. « On dit que votre bras coupé l'a été pour vol, lui dit-elle. Est-ce vrai ? – Non », répond l'Allemand sans trace de cette irritabilité qu'il exhibe volontiers devant d'autres. C'est qu'il n'est pas froissé. Qu'est-ce que le soupçon de vol, en un moment aussi confus ? La Fillon dit à Jailleau, un peu surprise :

– Mais comment votre Sanson a-t-il été si sûr, dès le début, qu'elle n'était pas une fille publique ?

– C'est à se pâmer ! Vous ne savez pas ce qu'il m'a dit ? « Il n'y avait qu'à la voir... »

La Fillon ne savait pas qu'elle pouvait encore rougir.

Un jour d'avril 1718. Les actions de la Compagnie montent. Tout le monde en veut. Law ne peut suffire à recevoir les solliciteurs. On le poursuit jusque sur sa chaise percée. Une noble dame qui n'arrive pas à obtenir audience n'hésite pas à se poster dans l'escalier de son hôtel et à crier « Au feu ! » pour le faire sortir.

Jean-Marie Vigneron sert de « pilier » dans la bande de Cartouche. Le « pilier » est l'homme le plus fort du groupe désigné pour une expédition ; il se tiendra contre le mur de la maison choisie et soutiendra l'un de ses camarades, parfois deux, qui grimperont par la première fenêtre accessible. Routine.

Wilhelm passe à l'Hôtel des Arcoules. La petite

Catherine court se cacher dans la tourelle. Elle entend d'abord des phrases dépourvues d'intérêt : « Alberoni a traité Nacré comme un gueux. » « Excellent. Il paraît qu'il lui aurait dit : on ne rogne pas des royaumes comme des fromages de Hollande. » « Alors ce sera la guerre. » La guerre, elle s'en moque, la petite Catherine. Mais elle écoute encore. « Cela se prépare, Alberoni exige la Sicile. Si on ne la lui donne, il la prendra. » « S'il réussit ! » C'est le Chevalier, la voix lasse. « Vous reculez ? » La petite Catherine a le cœur battant. Mais elle sait bien qu'il ne répondra pas « oui ». Étourdi, entêté, avec ces idées d'honneur ridicule ! Bien sûr, il rit, ce fou, ce niais, et répond : « Au contraire. Cela nous donne toutes les chances. C'est dans ces circonstances-là, mon cher, qu'il est bon de consulter les oracles... »

– Sanson nous fournira-t-il ce qu'il faut ?

– Tout est convenu.

– On ne se doute de rien ?

– De rien.

– Et le lieu ? Vanves ou Vaugirard ?

– Proche de Vaugirard. Souvenir de jeunesse...

– Ce sera donc demain. Antoinette est sortie ?

– On la fera sortir au dernier moment. Il est plus sûr de l'avoir sous la main.

Catherine n'en écoutera pas davantage.

Demain. Demain.

Elle sortira dans le jardin, la tête perdue, ayant sans cesse sous les yeux une image que lui montrait sa tante lorsque, enfant, elle avait été sage, et qui représentait le supplice de Ravaillac. Demain. Que doit-elle craindre ? Espérer ?

La longue journée commence.

L'après-midi est tiède, presque chaud, incitant au repos.

Chez la Fillon le dîner s'achève. Il est un peu plus de trois heures. On sert des fruits, des liqueurs, du café. On fait souvent de la musique à cette heure-là, et c'est l'occasion pour l'une ou l'autre de ses filles de montrer qu'elle est digne d'être présentée (on dit « présentée » comme à la Cour, du moins à la vieille Cour) à un amant de haute volée. Ici, pas de hâte, pas de nervosité. Les affaires d'argent et d'ambition se traitent dans la matinée, l'après-dîner est réservé aux plaisirs. L'un des plaisirs de la Fillon est de recevoir Jailleau, d'avoir son poète comme la duchesse du Maine et, malgré sa grosse tête, son col de velours noir semé de pellicules, ses épaules de porteur d'eau et ses chaussures souvent crottées (mais les poètes ne le sont-ils pas, par définition ?), elle se sent avec lui un point commun : ils sont collectionneurs. Oh ! pas de la même façon... Jailleau, qui vit seul, s'entoure d'objets qui lui rappellent des affaires réussies : il possède la bourse qui trahit Montrachet (maintenant aux galères), un corsage de la Belle Laitière qui fut pendue pour vol de bijoux, une lettre de Duval-le-Limousin qui s'évada et lui écrivit de Marseille pour s'en excuser.

La Fillon est seule à savoir que la Présidente Pilles-Rose fut, un jour, la petite Manon de la rue du Coq, et que la marquise de Nonancourt a pour les hommes du peuple un faible qu'elle satisfait dans un décor d'estaminet, arrangé tout exprès pour elle. La maison de la Brincourt, achetée dans des conditions si avantageuses, sera, pour ces choses-là, bien utile. Et le récit que lui en fera le laquais de la marquise ou le charmant joueur de viole du cardinal enrichira sa collection à elle, qu'elle ne partage qu'avec Jailleau. Ce goût commun, cette curiosité désintéressée, ce sentiment d'être en marge qui est devenu une supériorité, a fini par devenir une complicité, plus : une amitié. Ils sont hors jeu. La Fillon riche, Jailleau pauvre encore, mais tous deux amusés d'un rien, revenus de tout, faisant des échanges. Au fond, ils ont l'esprit du siècle : ils créent avec ce qu'ils ont sous la main leur cabinet de curiosités.

Jailleau reprend l'histoire d'Antoinette où il l'a laissée, nonchalamment. De temps à autre, dans un cabinet de curiosités, il est un objet auquel on se blesse, et qui se révèle envenimé. Une flèche primitive, un poisson mal naturalisé, une main antique, de marbre, qui porterait malheur. Jailleau ne s'est jamais douté de cela.

– Vous pensez bien qu'après cette épopée, Malouin n'était pas trop en faveur à Sceaux. Par contre, l'infortunée devint fort à la mode, à la façon de Mademoiselle Aïssé. Mademoiselle de Launay la prit en affection et s'efforça de lui donner le vernis qui lui manquait. Dans ses bons jours (elle était restée, de toute cette aventure, un peu éberluée), la duchesse la faisait jouer sur le petit théâtre de Sceaux. Elle plaisait dans les rôles tristes. On n'a jamais pu lui ôter de la tête que la plus belle pièce du monde était la *Théodore, vierge et martyre*, de Monsieur Corneille qu'elle avait lue chez les Dames-Noires. Du moins c'est ce que disait la duchesse, qui est assez caustique, vous le savez, et ne riait de la pauvre fille que pour tracasser Malouin, amoureux transi, qui se donnait le genre, comme beaucoup de ces Messieurs de robe, de ne s'occuper nullement de sa charge, mais de passer son temps à faire de petits vers, et à imaginer des ballets. La petite fille avait fort bonne mémoire, dit-on, pour tout ce qui ne la concernait pas. Et elle était éperdument reconnaissante à la duchesse de ne lui faire aucun grief de ses malheurs, contrairement au Malouin qui lui en voulait des torts de sa mère – ou de ses propres torts –, et, plus encore, d'être grande et belle fille, ce qui lui rajoutait dix ans.

La duchesse aurait même réussi à marier la petite si le Malouin avait voulu y mettre du sien. Mais (et là on vit que ses grands cris de sensibilité, quand il l'avait revue, n'étaient que comédie : il jouait, lui aussi, sur le petit théâtre, et il y jouait encore les amoureux !) il refusa de lui donner le moindre sou. C'était la duchesse, dans sa bonté, qui pourvoyait à son entretien. Et, comme elle est fort impérieuse et n'aime pas qu'on lui résiste – surtout ce Malouin qui s'était dit son esclave et son mourant –, voyant un mariage avec l'Écossais Hasbury manquer faute de quelques milliers de livres que le président refusait, sans plus réfléchir elle le chassa de sa vue, déclarant que s'il ne voulait point dépenser d'argent (dont il était, pour être honnête, fort dépourvu depuis la ruine de son beau-père feu Vézelany), il en gagnât et ne reparût à ses yeux que couvert de diamants comme une Golconde. Elle lui offrirait son passage pour les Indes. A vrai dire, c'était un mouvement d'humeur qu'il eût été avisé de laisser passer. Mais il se piqua et, étant vaniteux autant que méchant, s'en alla dans l'heure, non aux Indes mais aux Pays-Bas où il avait quelques amis, et où la grande dignité qu'il s'attribuait ne l'empêcha pas de commercer de toiles, d'oignons de fleurs, et d'une sorte de carrelage qu'ils ont là-bas, et qu'il troqua contre des épices. Bref, croyant le piquer, Madame du Maine lui rendit service, mais elle ne rendit pas service à la Demoiselle que son père, vrai ou supposé, emmena en guise de représailles. On dit qu'il lui fit subir les plus atroces privations, lui répétant que c'était à cause de son irruption malencontreuse que s'était trouvée compromise une situation qu'il avait mis des années à échafauder et sur laquelle il avait tant misé.

A vrai dire, c'était un peu un chimérique que ce Malouin – des Essarts, ou pas –, auquel la duchesse, ses fantaisies d'opéra, ses faveurs aussi calculées que l'avaient été celles du vieux Roi et auxquelles elle parvenait à donner une importance extrême (son Ordre des Mouches à Miel, dont ne faisait pas partie qui voulait), les aventuriers qu'elle recevait au milieu de la meilleure compagnie, et ces conspirations ourdies qui allaient par douzaines et s'entremêlaient, avaient tourné la tête. Il n'avait pu pardonner à sa femme, qui était, en tout cas, innocente de la disgrâce de son père si elle ne l'était autrement. Il ne pardonnait pas à sa fille de ne pas s'être laissé, sans résistance, ensevelir dans un couvent qu'il lui aurait choisi bien obscur et bien éloigné.

Bien qu'il ne fût pas assez fou pour ne pas s'être précautionné en matière d'argent, il l'était assez pour lui faire croire qu'à cause d'elle il manquait de tout, jusqu'au plus nécessaire. Et ne lui ayant pas laissé, par un départ précipité, le temps de s'expliquer avec sa protectrice, il lui disait encore qu'elle était cause de tout. Le mariage manqué – dont il laissa, bien entendu, ignorer à Antoinette qu'il l'avait été par son avarice à lui –, il l'attribua à l'affaire, restée un peu obscure il est vrai, de l'agression du cocher. Dans sa folie de persécution il se prétendait « deux fois déshonoré par la mère et par la fille », et leur victime à toutes deux.

Avec un peu de bon sens et d'usage du monde, Antoinette eût pu lui répondre que plus d'une fille aussi endommagée qu'elle s'était mariée quand ni les écus ni les protections ne lui manquaient. Mais elle n'avait pas eu le temps d'apprendre cela. Et quand elle voyait un seul laquais en souquenille leur porter une soupe de pain, dans leur froide demeure hollandaise, elle se sentait criminelle. Elle doutait même de l'innocence de sa mère. Il ne lui semblait pas possible d'être seule à avoir péché, d'être maudite, sur terre par son père, et dans les cieux par une martyre. Elle préférait penser que, pécheresse, sa mère, dans un au-delà, l'aimait encore. Elle mangeait la soupe au pain et souffrait les feux de bois trop maigres en expiation de leurs torts à toutes les deux. Elle était moins seule, ainsi.

Cela faisait bien plaisir au Malouin qui, le cure-dents aux lèvres et le chapeau sur l'oreille, s'en allait se gaver de volailles farcies et de bière dans un cabaret voisin (mon homme là-bas a été de ses commensaux), sous prétexte de promenade de digestion. Un soir qu'il pleuvait, Antoinette qui l'avait attendu remarqua innocemment qu'il n'était, pour un promeneur, guère mouillé. Il la gifla avec d'autant plus de plaisir qu'il giflait deux femmes en même temps.

Antoinette souffrait en silence. Dans ses déambulations de servante, elle avait rencontré une vieille qui disait la bonne aventure, et qui avait pour elle invoqué sa mère, dans une arrière-boutique. Madame Vézelany, dans cette atmosphère empestée de fromages et de harengs, était apparue à sa fille recouverte d'un suaire, et avait prononcé à voix presque inintelligible les mots : « Pardon, je t'aime. » Ce qui pouvait s'interpréter comme on voulait. Antoinette, qui désespérait, en déduisit que sa mère était coupable, et que son amour même pour sa fille venait de là. Pouvait-on aimer un enfant de Malouin des Essarts ? Qu'il fût « dans son droit » le rendait plus odieux encore à Antoinette, bien qu'elle ne contestât pas ce droit, qui la faisait esclave.

Le Grand Dauphin étant mort le 14 avril 1711, Malouin « fit un saut » à Versailles pour que la duchesse du Maine constatât, à son air, à son carrosse, à cet indéfinissable dans la contenance et la parure d'un homme, que la mauvaise chance l'avait quitté. Madame la duchesse de Bourgogne mourut le 12 février 1712, et le duc de Bourgogne, son époux, l'élève de Fénelon, le 18. Le 8 mars, date de la mort du petit duc de Bretagne, Malouin se trouvait, non à Sceaux, mais tout près : à Châtenay, chez le savant Malezieu qui se chargea de la réconciliation.

Comment résister à un homme qui pouvait concevoir un ballet en trois petits quarts d'heure, consacrait son « talent » à la poésie sous toutes ses formes mais sur un seul sujet : les perfections de la duchesse Louise-Bénédicte, à un homme qui revenait d' « exil » non seulement sans rancune, mais enrichi ? De fait, Malouin, malgré le succès de son commerce, s'était ennuyé comme un rat à Amsterdam, et cela explique un peu qu'il ait pris ce plaisir à tourmenter sa fille, et cela explique tout à fait (il était trop fou pour être seulement intéressé, c'était un mangeur de nuages) ses retours de plus en plus fréquents, de plus en plus brillants. Enfin il retrouvait la « divine atmosphère » de Sceaux. Il éclatait comme un feu d'artifice dont il avait les brillants mérites : son esprit partait en fusée et retombait en cendres. Peut-être, d'ailleurs, tout son différend avec Madame son épouse venait-il du fait que, par la disgrâce du beau-père, il perdait ses entrées à Versailles. Tout ceci n'est peut-être qu'une tragédie de l'ennui...

La Fillon d'un hochement de tête et d'un sourire montra qu'elle appréciait ce trait.

– La duchesse aimait ces demi-talents, ces belles machines auxquelles manque on ne sait quoi qui en ferait un grand homme : elle les tenait à sa dévotion. Et comment Malouin aurait-il pu en vouloir longtemps à la souveraine de l'Ordre des Mouches à Miel qui avait un jour élu un robin : le président de Romanet, de préférence à deux grandes dames ? (Mademoiselle de Launay protesta, du reste, dans un pamphlet fort spirituel, et... mais ceci sont les petits secrets de la duchesse, et les cent chèvres de Sancho.) Il ne retourna donc en Hollande que pour mettre ordre à ses affaires, ce qui prit quelque temps.

« Le vieux Roi mourut. En un même jour, les espoirs du duc et de la duchesse du Maine se gonflèrent, et éclatèrent, comme dans la fable de la grenouille. On ne désespéra pas, pourtant, d'une revanche. On battit le rappel des amis proches ou lointains. On voulut faire nombre. On exigea Malouin qui allait et venait d'un mouvement de pendule entre ses chimères et ses plaisirs qui étaient à Sceaux, et ses intérêts hollandais. On se souvenait à peine qu'il avait une fille.

« Lui avait continué quelque temps à prétendre qu'il ne vivait que de son travail, prétention qui diminua au fur et à mesure que l'ennui se dissipait et que les petits soupers de Sceaux, les nuits blanches et la fureur du jeu et des petits vers le reprenaient. Mais cela n'en faisait pas moins quatre années qu'Antoinette brodait et faisait de la dentelle dont elle avait appris le principe, du matin au soir, et ce dans une pièce à demi cave, humide, comme cela se pratique pour la dentelle fine car le fil, s'il est trop sec, casse. Antoinette contracta, dans ce sous-sol à soupirail, une petite fièvre continuelle, des yeux cernés qui paraissaient plus grands, un teint qui resta pâle jusqu'à son dernier jour. La jolie admiratrice de Corneille, la belle révoltée de quatorze ans, n'existait plus.

« Revenus à Paris, elle (ou lui) ne voulut pas qu'on la vît à Sceaux si changée. Elle se logea hors les murs, loin de tout, dans un appartement de hasard, et continua à vivre de ses talents. Lesquels ? C'est ce dont on discute... Monsieur Malouin des Essarts joue toujours les galants à Sceaux, à Clagny, et dans tous les lieux où la duchesse du Maine se rend, et remplace ses sonnets par des pamphlets fort ridicules où il s'exclame sur l'atrocité de la Régence et les droits bafoués des princes légitimés. Ils sont là toute une cohorte : les Pompadour, l'abbé Brigaut – ou Brigout –, et jusqu'au Président de Mesme qui, dit-on, leur apprend la syntaxe.

– Dangereux ?

– Oh ! moins que les faméliques qui soulèvent le petit peuple. Comment voulez-vous qu'on les prenne au sérieux ? Permettez encore une anecdote : comme Malezieu était délégué du duc du Maine dans les Dombes, un jour, les députés de cette province le vinrent trouver solennellement : « Pardon, leur fut-il répondu, Monsieur de Malezieu ne peut vous recevoir : il joue la comédie. »

Ils se mirent à rire tous les deux, contents d'eux-mêmes et du spectacle que leur donnait la vie.

– Et à côté de cela, cette pauvre fille... Je ne puis croire qu'un extravagant, comme vous m'avez décrit le Malouin, ait pris au sérieux une incartade de sa femme. C'est la Comédie Italienne.

– Malheureusement, pour elle, c'est Corneille, ou même Rotrou. Vous verrez qu'elle finira tout de même au couvent. Chez les Repenties.

– Qu'elle le mérite ou non ? Malgré tout, cela intrigue. Et aimée du bourreau ! C'est du roman espagnol tout pur !

– Il est certain, dit Jailleau en s'étirant (il attendait qu'on servît la collation, il s'était mis en appétit en narrant cette histoire), que cela n'est pas au goût français.

Du coup, il se demandait si l'idée de faire de Mademoiselle Malouin des Essarts l'héroïne d'un opuscule à part était à retenir. La Fillon rêvait sur ces sentiments excessifs qu'elle aurait cru d'un autre temps. Et cette femme intelligente, familière des Grands, cet homme initié à tant de secrets mesquins ou redoutables, ne faisaient pas plus de rapprochements entre les malheurs d'Antoinette et les ambitions qui fermentaient à Sceaux, qu'entre la bande à Cartouche et la signature de la Quadruple Alliance.

***

– Demain, dis-je à Jeannette.

– Demain ! Mais il faut que j'avertisse... que je prévienne... Parfois, pour *les* toucher, il faut un jour ou deux...

Demain. Si je ne puis passer par Jeannette, il me faut atteindre Sanson. Demain. J'avais beau savoir qu'il y aurait un moment crucial, je perds un peu la tête.

C'est le moment que le Chevalier choisit pour me remettre un billet pour Sanson, justement. J'y cours. Je cherchais un prétexte, le voilà tout trouvé. Au détour de la chaussée, je m'arrête sous un arbre, sans hésitation j'ouvre le billet. Je lis. « *Le pendu doit être livré demain, à cinq heures après-dîner, dans la petite maison de la rue de Charonne. Vous savez qui s'y intéresse. Ne nous faites pas faux bond. Votre ami. M.* »

C'est donc bien demain. Apparemment, Sanson ne sait rien du rôle que doit jouer Antoinette dans l'affaire ; c'est un atout. Il voudra la sauver. Mais comment le persuader qu'elle est en grand danger, si je ne lui révèle la conspiration ? Comment espérer qu'il risque sa vie pour Martinelli ? Je pouvais tenter de n'impliquer que Wilhelm, mais on l'avait trop vu chez nous. J'avais perdu du temps. J'avais cru percevoir, ces derniers temps (depuis les prétentions de l'Espagne sur la Sicile), que mon maître marquait une sorte d'hésitation, mis par Wilhelm au pied du mur. Mais il était gagné par le temps, saisi par cette hâte que nous sentions tout autour de nous, faite de peur, d'espoir, de supputations diverses : depuis la peur d'être agressé le soir qui faisait certains se faire escorter de cinq ou six laquais pour faire une simple visite, jusqu'à d'autres qui risquaient tout leur bien et celui de leur famille dans l'espoir de le décupler.

Ces changements mêmes de conditions, qui commençaient à se faire de plus en plus fréquents au fur et à mesure que s'affirmait le succès de Monsieur Law, mettaient dans les rapports de société une incertitude étrange, une sorte de précaire égalité, comme celle qui règne dans les maisons de jeu ou de plaisir, où l'on se traite de pair à compagnon, pour ne plus se connaître à la sortie. Mais quelle serait la sortie de notre aventure? Réussir avant les autres? Jeter sur la table les dés gagnants, les bonnes cartes? Courir de plus en plus vite jusqu'au succès, à l'exil ou à l'échafaud? Je ne pouvais à ce moment prévoir la folie et l'exécution du comte de Horn (ce fils d'un Grand d'Espagne qui devait poignarder un courtier – toujours la folie de la spéculation), le complot et la décapitation des Bretons Pontcallec, Montlouis, Du Couëdic et Le Moyne. Mais l'aurais-je pu, que je n'aurais pas tremblé davantage que ce jour-là, sous le chêne du Clos Sainte-Marie.

Je m'aperçus que ma coiffe était détrempée, le bas de mes jupes tout boueux, et je repartis en courant. Je ne passai même pas par l'arrière-cour. Je frappai à coups redoublés du heurtoir en cuivre sur la grande porte, peu soucieuse d'être vue, décidée à user de n'importe quel argument. Ce fut encore une fois Madame Marthe qui m'ouvrit.

Cette fois elle était grosse à pleine ceinture, et cela me fit mesurer le temps passé. Des mois! Des mois perdus que j'aurais pu utiliser si j'en avais su davantage, si le Chevalier m'avait fait confiance plus tôt.

– Il n'est pas là pour l'instant, dit Madame Marthe, mais il ne va pas tarder. Vous pouvez l'attendre.

Entrez donc. Justement, j'allais faire une petite collation. Vous m'accompagnerez. Voulez-vous des fruits confits, quelques biscuits, un peu de madère, du thé?

Elle avait ce petit air de supériorité contente qui ne la quittait pas. Était-ce une feinte? Je me souvins de la tête de Sanson posée sur mes genoux, de ses sanglots, parce qu'il avait enfanté un malheureux de plus. Madame Marthe, en tout cas, ne paraissait pas malheureuse.

Je demandai avant tout à écrire quelques lignes, au cas où son mari ne reviendrait pas. Elle y consentit de bonne grâce. Mais qu'écrire, qui le frappât sans nous trahir? Je griffonnai, à la suite des trois lignes du Chevalier: « *Antoinette est en très grand danger. Où qu'elle soit, changez-la de lieu avant demain.* » Même si ce n'était pas très clair, il ne s'agissait que de gagner du temps. Si j'avais quelques jours devant moi, je me faisais fort de dissuader mon maître de sa folie. J'irais jusqu'à... J'irais n'importe où!

Cependant Madame Marthe ne semblait pas s'apercevoir de mon agitation.

– Asseyez-vous, je vous en prie. Charles ne me pardonnerait pas de vous avoir mal reçue.

Elle me fit passer dans une salle où, effectivement, une collation était servie. Elle m'offrit un coussin, disposa le couvert. Je m'assis. Que faire d'autre? Faire collation avec la femme du bourreau. Ô mon père, qui m'avez vendue, ô mon maître, qui m'avez compromise, ma tante si guindée, mon amie Madeleine si bien en Cour, qu'eussiez-vous dit de me voir là? Mais si je pouvais voir Sanson, tout serait sauvé peut-être? Je dégustai donc bravement les fruits confits de Madame Marthe, admirai son nécessaire qui contenait théière, chocolatière, cafetière, ingrédients exotiques de toutes sortes. Elle m'offrit de me faire du café, qu'elle préparait, dit-elle, à merveille. Mais on m'avait mise en garde contre les effets nocifs de cette drogue, et je préférai du sirop d'orgeat.

L'attente commença.

Madame Marthe s'affairait, et tout à coup, devant cet empressement envers moi qu'elle connaissait si peu, qui était si peu de chose, je crus voir une petite fille qui imite sa mère et joue à la réception avec sa poupée. J'en fus un bref moment touchée car je compris combien, enveloppée, quoi qu'elle en eût, dans l'exclusion qui frappait son mari, Madame Marthe avait peu l'occasion de jouer les maîtresses de maison. Son plaisir était évident. Mais moi, soudain grande personne devant cette jolie enfant, et contrainte de cacher mon anxiété grandissante, je me souvenais de ces paroles prononcées avec tant de souriante indifférence : « Charles est en ville », et à ce qu'elles signifiaient. Et l'injustice de leur sort, la nuance de pitié qu'elle m'inspirait en cet instant où, toute rouge de plaisir, elle me gavait de sucreries, la sympathie même que j'avais ressentie parfois pour Charles ne pouvaient me faire oublier, dans la terrible préoccupation où j'étais, que ces murs tendus de damas, ce luxe de table, ce cabinet incrusté de nacre, cette desserte abondamment garnie de porcelaine, et jusqu'à l'ample robe d'indienne dont, malgré l'interdiction de cette étoffe et son prix, Madame Marthe était drapée, que tous ces biens venaient du gibet.

– Va-t-il venir?

– Mais oui, mais oui... Vous ne vous ennuyez pas avec moi, j'espère?

Il s'agissait bien de s'ennuyer! J'étais de plus en plus mal à l'aise. Ce lieu où j'étais venue plusieurs fois, brièvement il est vrai, me paraissait tout à coup sinistre. L'idée même de voir y paraître Sanson me mettait presque au bord de la nausée. Pourtant, quand si souvent il était venu à l'Hôtel des Arcoules, escorté d'un de ses aides, pour nous livrer quelque pièce anatomique, j'avais ressenti sa gêne, sa souffrance, cette hésitation même qu'il avait à tendre la main de crainte qu'on ne la lui refusât, et cette honte me faisait si grand-pitié que j'allais à lui d'un élan, mais, depuis, je l'avais vu place de Grève, levant la barre de fer. Et ce jour-là, habitée par mes appréhensions, voyant que c'était du malheur des autres (auxquels soudain je me comparais) qu'il tirait profit : belle demeure confortable, chevaux attelés, nombreux domestiques, et toutes les fantaisies qu'il plaisait à Madame Marthe de satisfaire, je ressentais soudain cette horreur, et presque ce dégoût, que le commun manifestait pour les Sanson.

Je revoyais le livre de ma tante, et Ravaillac écartelé, et Madame Sanson, portant peut-être dans son sein un futur exécuteur de plus, me parlait cherté des denrées, grignotait son cédrat de ses jolies petites dents blanches, rajustait son bonnet et tapotait son chignon sous un tableau de bonne facture représentant le Christ en croix et ses bourreaux. Tout cela, je l'endurais pour le Chevalier, me dis-je l'espace d'un instant, car, pour moi, j'eusse pu encore me sauver, rejoindre ma tante à Quimper ou un grand-oncle assez hargneux qui m'eût hébergée à Angoulême. J'eusse pu, et je ne le faisais pas. Il y avait bien une raison à cela?

Là-dessus Sanson entra dans la pièce. Il me souriait, comme d'habitude, avec une touchante gaucherie. Il embrassait sa femme avec résignation. Il avait son habit bien coupé, le gênant un peu cependant aux épaules, sa perruque bien peignée, bien mise. Il était tout à fait à son ordinaire, et pourtant, c'était le bourreau.

Il me fit entrer dans son cabinet, et Madame

Marthe ne protesta pas, encore qu'on lui enlevât son jouet. Je crus voir qu'elle avait peur de lui, et cela me fit plus d'impression encore que tout le reste.

– Ah! Catherine, me dit-il avec enjouement, j'espère que vous ne venez pas me demander encore d'autres pièces! Je vous ai donné la préférence, surtout pour la noyée de la Bièvre, et c'est tout juste si je n'en ai pas été de ma poche. En avez-vous au moins tiré quelque chose?

– Elle était enceinte de jumeaux, dis-je avec difficulté. J'ai pu faire un très beau moulage.

– Très bien! Très bien, fit-il en se frottant les mains. Content de vous avoir rendu service. Alors, que puis-je...

On aurait dit que je le voyais pour la première fois. Une pointe de vulgarité, passée inaperçue jusqu'ici, une onction dans le ton, légèrement pharisaïque, une ombre, un rien, de cette fatuité presque involontaire que l'on voit aux hommes publics, aux comédiens, aux prédicateurs... Et j'aurais eu tant d'usage de cette sympathie, presque une attirance, que j'avais éprouvée pour lui! Même son visage régulier, cette sorte d'harmonie triste qui m'avait paru être de la beauté, ces grands yeux sombres et doux, n'étaient plus ceux d'un bel homme : c'étaient l'harmonie de la mort, une douceur impitoyable, une inflexibilité sans haine, sans colère et, sans doute, sans pitié. Car, au fond, me disais-je, de qui avais-je vu Sanson avoir pitié, si ce n'est de lui-même?

C'était le bourreau. Ce soir-là, pour des raisons que j'ignorais encore, il avait l'air presque heureux. Les oreilles pleines de ces cris affreux qui vont s'étranglant dans le larynx qui se brise, les yeux pleins de ces grimaces pitoyables qui, très vite, se figent et où tout le visage supplicié semble se désarticuler soudain pour ne laisser que cette caricature à Dieu, comme un message de révolte. Presque heureux... C'était le bourreau, lui, Charles, avec lequel j'avais rompu le pain, auquel j'avais serré la main, qui avait un jour pleuré, la tête sur mes genoux de petite fille. Mais je n'étais plus une petite fille.

– Où est Antoinette? lui dis-je presque brutalement.

– Antoinette?

– Oui. Où l'avez-vous cachée? Peut-on la trouver? Êtes-vous sûr de ceux qui la gardent?

Il me regarda d'un air franchement stupide. C'était un homme brusquement menacé dans sa vie – ils ont facilement cet air-là, mais je ne le savais pas.

– J'ai lieu de croire que l'on sait, ou du moins que l'on soupçonne, où elle est, et qu'elle court un grand danger.

Une ruse s'éveilla sur son visage.

– Et si cela était, pourquoi viendriez-vous me le dire?

Comment répondre sans trahir Martinelli?

– Parce que vous l'aimez. Parce que vous voudrez la sauver.

C'était répondre à côté. Il le sentit. Son visage devint plus inexpressif encore : un masque derrière lequel les yeux guettaient.

– Mais vous, vous ne l'aimiez pas, Catherine?

– Parce que, selon vous, il faut adorer quelqu'un pour vouloir le sauver? La simple humanité ne vous paraît pas exister?

– Ne vous fâchez pas. La sauver de quoi? Je sais que son père la recherche, mais je ne crois pas qu'il la trouve.

Il paraissait sûr de lui. Comment faire? Que dire sans trahir le Chevalier, et pourtant en lui faisant comprendre que le danger était imminent, que nous avions à peine quelques heures devant nous?

– Vous vous souvenez du Souper Anatomique?

– Oui.

– Antoinette avait plu au Régent. Cela, vous le saviez?

De nouveau il eut cet air réservé, presque sournois, et, comme il baissait les yeux, je me demandais avec colère comment j'avais pu jamais le trouver beau ou même sympathique.

– Il l'avait sûrement oubliée le lendemain...

Je l'aurais tué!

– Lui, peut-être, mais son entourage? On la cherche. C'est au premier qui mettra la main dessus pour l'apporter triomphalement au Prince, et en tirer le meilleur prix. Croyez-vous que, quand les laquais coudoient de grands seigneurs, et parfois font le coup de poing ensemble pour acquérir une action de Monsieur Law, ils hésitent quand il s'agit d'une fille?

– Croyez-vous me l'apprendre? dit-il avec insolence. Un inspecteur de police est même venu m'interroger. M'interroger! Moi!

– Pourquoi pas vous? Êtes-vous duc et pair?

– Je suis l'Exécuteur, dit-il avec une pompeuse simplicité.

Je dominai ma colère.

– Charles, vous me dites aimer cette femme. Une meute est déchaînée contre elle. On veut s'en servir, d'une façon ou d'une autre. Elle a beaucoup souffert déjà. Imaginez ce qu'elle peut devenir entre les mains de roués sans scrupules. Elle peut y perdre la raison tout à fait. Allez-vous les laisser faire?

– Je ne vois pas, dit-il, votre intérêt là-dedans.

– Que vous importe? Allez-vous les laisser faire?

– Non. Sûrement non. Mais pourquoi cette hâte, cet affolement? Il faut trouver un lieu plus sûr, plus retiré, cela ne se fait pas en un jour...

– C'est ce soir, c'est cette nuit, qu'il faut que vous la retiriez d'où elle est! m'écriai-je, véritablement affolée de cette résistance à laquelle je ne m'attendais pas.

– Il doit donc se passer quelque chose demain?
Je crus que la vérité la désarmerait.
– Oui.
– Racontez-moi cela, dit-il en se carrant dans son fauteuil.
– Mais puisque je vous dis...
– Il est à peine six heures. Je ne puis agir avant minuit. Je suppose qu'il sera encore temps?
Je crus déceler dans son ton une sorte d'ironie. Était-ce possible qu'il ne me crût pas? C'était un quitte ou double. Sans doute Sanson pouvait nous dénoncer et échanger nos libertés contre celle d'Antoinette. Mais si je laissais le complot se poursuivre, le risque était plus grave encore : je lui dis ce que je savais, en atténuant autant que possible le rôle du Chevalier. Il fut un temps avant de me répondre.
– Je ne vous crois pas, dit-il enfin.
– Quoi!
– On ne peut l'amener par la force à jouer ce rôle. Elle n'y consentira pas.
– N'a-t-elle pas consenti, déjà, à se rendre au Souper Anatomique? Et dans une tenue qui devait révolter sa pudeur?
Il ne pouvait nier cela, tout de même! Il s'obstinait pourtant, de l'air d'un gros garçon boudeur.
– Elle n'avait pas compris de quoi il retournait.
– Et quand elle a été arrêtée? Ne se serait-elle pas défendue, si elle n'avait été complice...
– Complice! (Il rougit jusqu'au sang.) Elle ignorait tout! Elle croyait expier...
– Expier quoi?
– Mais... La culpabilité de sa mère.
– Ne peut-elle imaginer l'expier en se soumettant à son père, qui est mêlé à toute l'affaire?
– Elle!
On eût dit qu'il parlait d'une sainte. Comment le

complot et le prétexte de voyance auraient-ils pu être ourdis sans son accord?

– Elle vous a fait croire cela? Et vous, avez-vous mordu à l'hameçon?

– Il faudrait avoir l'esprit bien bas pour ne pas la croire. Il est vrai qu'avec votre petit esprit, vous ne pouvez évidemment pas la comprendre!

Et c'est cet homme que j'avais pris pour un ami!

– Ce n'est pas une maîtresse qu'il vous faut, c'est une victime. Et vous vous refusez à croire qu'Antoinette puisse être autre chose. Je ne vais pas m'évertuer à vous convaincre. Mais admettez que si elle se trouve mêlée à ce complot, fût-ce contre son gré, elle court un danger?

Il l'admit de mauvaise grâce.

– Alors? Vous désirez la voir souffrir encore davantage? Vous désirez avoir le privilège de la décapiter vous-même? De la pendre, peut-être, si sa noble origine n'est pas indiscutable? Non, n'est-ce pas?

Brusquement il perdit sa superbe et parut honteux des mots qu'il venait de prononcer.

– Mais que feriez-vous à ma place?

– Retirez-la d'où elle se trouve. Et, si elle vous aime...

– Elle m'aime, dit-il avec ferveur.

– Que ne partez-vous ensemble? Il doit y avoir des pays... Et pourquoi pas la Louisiane? On n'est pas difficile, à ce que j'entends dire, sur ceux qui se déclarent volontaires.

– La Louisiane! Comme un repris de justice!

– Et qu'êtes-vous de plus?

Nous restâmes là, affrontés, pendant quelques secondes. Je crois bien que nous nous haïssions.

Il se reprit le premier.

– Vous voulez sauver le Chevalier, dit-il froidement. Je ne veux pas qu'on m'enlève Antoinette. Je vous promets qu'avant midi, demain, elle aura quitté... le lieu où elle est. Est-ce bien ainsi?

Je savais que les « invocations » projetées par Wilhelm et mon maître ne pourraient avoir lieu qu'à la nuit tombée, et qu'ils n'iraient prendre Antoinette qu'au dernier moment de crainte qu'elle ne s'enfuît ou ne changeât d'idée. J'avais été un peu dure en employant le terme de « complice ». Mais cette confiance obtuse de Sanson m'exaspérait. Si Antoinette n'était pas le cerveau de la conspiration, il n'en était pas moins vrai que, par moments, elle avait consenti à y tenir un rôle. Et si sa souffrance, son égarement étaient réels, elle n'était pas – à mon sens – sans en jouer quelquefois.

– C'est bien, dis-je aussi froidement que lui.

Nous nous passâmes de prendre congé.

***

– Alors? demanda Jeannette.

Je revenais hors d'haleine, trempée de pluie, et rien moins que sûre que Sanson agirait. Nous n'en étions plus aux ménagements.

– J'ai tout dit à Sanson pour qu'il la fasse disparaître.

– Il le fera?

– Je ne sais pas. Il peut croire que c'est un piège, au contraire. Qu'il sera suivi...

Elle réfléchit, son sombre visage asymétrique se concentrant avec force.

– Gardez-moi les petits. Je cours au Café Mignot. En cas d'urgence extrême, il y a peut-être un moyen...

– Vous croyez?

– Si j'y trouve quelqu'un de la bande, ils arrangeront tout. Soit qu'ils trouvent la fille, soit qu'ils se saisissent du Chevalier, pour quelques jours... le temps de nous retourner.

– Se saisir de lui! Mais il se doutera...

– Il ne se doutera de rien. Ils feindront une méprise, ils trouveront... Ils ne sont pas sots, vous savez.

La nuit déjà tombait.

– Faites attention que les petits ne chutent pas dans l'escalier, dit-elle encore.

Et, sans même prendre un châle ou un parapluie, elle s'élança d'un élan si vigoureux, si résolu, que je m'aperçus soudain de l'harmonie de son corps sain et bien proportionné, en contraste avec son visage.

Et c'était pour moi, pour nous, qu'elle courait ainsi. Basseporte eût-elle couru pour moi sous la pluie cinglante? A mes frayeurs, à mes étonnements, il fallait ajouter celui-ci: Jeannette était devenue pour moi une amie.

J'allai m'asseoir dans l'escalier en pas de vis pour surveiller les garçons qui aimaient particulièrement à y jouer. Je pris Bénédicte sur mes genoux. Elle me connaissait mieux, à présent, et elle me fit un grand sourire humide avant d'appuyer sa petite tête noire sur ma poitrine et de se rendormir. J'attendais.

Un peu plus tôt, ce jour, à force de se répéter « tierce personne, tierce personne »... la Dufresne a une idée. Elle autorisait parfois, selon son humeur, Antoinette à se laver les cheveux. Cet après-midi-là, justement, quand l'idée lui vient, Antoinette est dans un cuveau. On lui fait même la grâce d'un cruchon d'eau tiède. A côté du cuveau, un savon, un linge, sa jupe et son corsage soigneusement pliés, et, sur le châle rouge, à peine visible, la bague de rubis. D'un tour de main adroit, la Dufresne renverse le cruchon, le redresse, s'exclame. Elle a pris la bague et l'a cachée dans la poche d'un petit tablier assez coquet qu'elle porte parfois. L'étoffe est fine, la bague se devine dans la poche. Antoinette tord ses cheveux, d'un bras saisit le linge, se drape avec décence, sort du cuveau, étend la main vers son corsage, ne trouve rien. Elle lève les yeux vers la Dufresne qui la domine de toute sa stature grossière, baisse le regard sur la poche du tablier, se tait.

Une heure plus tard, la Dufresne est chez un petit bijoutier-receleur qui s'y connaît (il travaille aussi pour d'aristocratiques familles qui paient si peu et si mal qu'il est bien obligé, n'est-ce pas, de s'entremettre entre filous et revendeurs qui sont, en somme, plus honnêtes). Il n'a pas de peine à reconnaître les armoiries « du reste discutables » de la bague. « J'achète. » « Non, merci », dit la Dufresne. Elle paie quelque chose pour les renseignements reçus. Elle aussi, elle est honnête à sa façon. A sa façon : car c'est sans prévenir la Belle Abbesse, imaginant même un prétexte de comptes à rendre (imaginant, elle !), sans dîner, sans consulter personne, qu'elle s'en va tout droit à Sceaux dans un carrosse de louage. Comme cela, sans perdre une minute.

Il doit être sept heures. A cette heure-là, Catherine sort seulement de chez Sanson. Mais Catherine, mais Sanson, mais Jailleau, et le Chevalier, et Wilhelm, raisonnent; la Dufresne, comme un gros chien truffier, ne se laissant distraire par rien, qui va vers le profit, mue par son flair seul, se servant de ceux qui ont cru se servir d'elle, aboutit droit à l'origine du complot qu'elle a flairé dès l'abord, et se présente, sortant de son fiacre boudinée dans une robe de brocatelle jaune, devant Monsieur Malouin des Essarts qu'elle n'a pas hésité à faire appeler, pour affaire urgente, et qui se trouve là par bonheur.

– Qu'est-ce donc, ma bonne femme ? demande-t-il avec hauteur.

Il allait entrer en scène pour son impromptu. Il est vêtu en Scaramouche.

* * *

– Faites vos paquets, dit la Dufresne, qui est revenue de Sceaux à grandes guides, un collier d'or au cou. On va venir vous chercher. Ah! vous aviez laissé votre bague auprès du cuveau. C'est moi qui l'ai trouvée, vous avez de la chance.

– Je vous remercie bien, Mademoiselle, dit Antoinette.

Bénédicte est toujours sur mes genoux. Je lui fais manger sa panade dans la cuisine, pour me donner une contenance. Jeannette est revenue.

– Jean-Marie n'est pas là, et les autres sont en expédition. Mais il passera ce soir et viendra tout de suite.

– Vous êtes sûre?

– Si je le lui demande, vous pensez!

Son visage reflète le farouche orgueil de la femme aimée. Si j'étais aussi sûre de mon maître...

Il rentre vers neuf heures avec Wilhelm, ce dernier de nouveau vêtu en cocher. Jeannette réchauffe le ragoût. Je berce Bénédicte, craignant qu'on ne lise sur mon front ce qui est, tout de même, une sorte de trahison. Heureusement Wilhelm a bu. Il dispose comme il le veut des vins de l'ambassade d'Espagne et ne les économise pas. Il appelle cela « donner de la consistance à son personnage ». Ils parlent sans plus de périphrases : ils supposent qu'ils ne nous perdront pas de vue jusqu'au dernier moment. D'ailleurs, ils ne se méfient plus de nous : il est trop tard. Est-il trop tard?

Jeannette me jette un coup d'œil rassurant. Mais enfin Jean-Marie a pu changer d'avis, ne pas passer chez Mignot, être arrêté, blessé peut-être... Le croit-elle invulnérable ?

– C'est quand même fou qu'il ait avalé cette histoire de la petite fille, dit Wilhelm en se coupant du fromage.

– Ce sont les gens intelligents qui croient à l'invraisemblable. Ou, du moins, lui accordent ses chances.

– Vous avez le corps ?

– Je l'aurai à six heures du soir, rue de Charonne. Sanson le pend dans l'après-midi.

– Vous l'aurez tout chaud, en quelque sorte ! s'esclaffe Wilhelm.

Il a décidément trop bu. Il ne remarque même pas des bruits, craquements, grattements, dans le jardin. Des pas sur les cailloux... Mais Jeannette, aux aguets, me prend Bénédicte qui, réveillée, ne perd pas une si belle occasion de hurler.

– Heureusement qu'on va être débarrassé de cette marmaille ! s'exclame Wilhelm.

– Vous avez vos hommes ?

– J'en ai dix.

– Ce n'est guère.

– C'est vous qui payez ?

– Il me semble qu'à Sceaux on aurait pu financer...

– Nous ne sommes pas les seuls. Nous sommes même très loin d'être les seuls... Et chacun présente une liste de frais.

– Nous ne sommes pas les seuls, mais nous serons les premiers.

Jeannette se glisse vers le jardin. Par malheur, Bénédicte s'est rendormie.

– Où allez-vous ?

– La coucher.

– Ça couche ici, maintenant, cette racaille? Oh! au fond, c'est plus sûr... Mais ne vous pressez pas, vous. Elle dort aussi bien ici, cette petite. Servez-moi du vin doux avec les massepains.

– Mais oui, Jeannette, dit le Chevalier en riant. Servez Monsieur, il est chez lui après tout!

Dehors on n'entendait plus rien. Jean-Marie était-il monté au grenier? Jeannette pourrait-elle lui parler à temps? Il eût été imprudent devant l'Allemand de montrer de la hâte ou de l'inquiétude. Déjà il nous regardait, Jeannette et moi, avec méfiance. Il avait mangé, la lucidité lui revenait.

– Je m'en vais l'enfermer à clé, dit-il en montrant la servante. Allons, prenez-la, cette petite. Les garçons sont là-haut?

– Oui. Vous croyez vraiment...

– On ne prend jamais trop de précautions, dit l'Allemand.

Et, poussant Jeannette devant lui, il sortit dans la cour. Là, il poussa un cri. Il venait de se heurter à Georget qui se tenait dans l'ombre.

– Mais qu'est-ce qu'il fait là, celui-là? Ce sont les Enfants Trouvés, chez vous! Je m'en vais l'enfermer aussi. Où sont les clés des mansardes?

– Sur les portes, dit le Chevalier avec une pointe d'agacement.

Ces façons de commandement ne lui plaisaient guère. Mais il ne pouvait donner tort à l'Allemand. En effet, il valait mieux, à son point de vue, que toutes précautions fussent prises, et passer la nuit dans un grenier ne pouvait être considéré comme une véritable cruauté. Jeannette et moi y dormions toutes les nuits. Quant à Georget, bien qu'on l'entendît protester, puis pousser un cri (l'Allemand avait dû le frapper), il n'avait pas même de domicile fixe. Peut-être était-il venu justement chercher un abri? Ou alors... Mais je m'inquiétais maintenant de tout et de tous. Était-ce bien Jean-Marie que j'avais entendu? Sinon, comment parviendrait-il jusqu'à sa femme? A moins qu'il n'ait été déjà dans la mansarde et, dans ce cas, je supposai (il avait sans doute une partie de l'agilité de son illustre maître Cartouche qui sautait par-dessus les rues, de toit en toit, d'une façon que l'on disait surnaturelle) qu'il n'aurait pas de mal à en sortir. Quoi qu'il en soit, s'il était là-haut, Wilhelm ne l'avait pas aperçu car il redescendait, le visage satisfait, avec ce sourire obtus et rusé à la fois qui était son expression habituelle et comme sa devise. Je m'étonnais depuis longtemps qu'avec un tel visage l'on conspirât : il semblait avoir le mot ESPION gravé sur le front.

– Alors? Vous êtes tranquille? demanda le Chevalier non sans ironie, et peut-être même avec un peu de mépris pour cette prudence (et je me souvins non sans frémir du « jouer si on ne risque pas de perdre »... qui m'avait fait si peur).

– A peu près, répondit tranquillement Wilhelm en se rasseyant. Le petit jardinier s'est sauvé, mais c'est un sot, il me semble.

Et, me désignant d'un geste négligent, mais le regard fort acéré cependant :

– Et celle-là, qu'est-ce qu'on en fait?

Le carrosse à quatre chevaux de Monsieur Malouin des Essarts roule à toute vitesse de Sceaux à Sainte-Pélagie. Il n'a même pas pris la peine de se démaquiller. Il a enlevé seulement son nez postiche et changé d'habit.

Sanson se demande s'il va obtenir de la Dufresne qu'elle fasse sortir Antoinette en pleine nuit. Et où la cacher? Chez lui? Impossible. Dans la maison désaffectée du Pilori? Comment l'en faire sortir en un lieu où passent tant de gens ? Soudain une idée lui vient. Outre trois pendaisons, il a à faire fustiger une fille un peu voleuse, un peu prostituée. Il lui proposera de prendre la place et le nom d'Antoinette à Sainte-Pélagie. On ne les trahira pas avant deux ou trois jours pendant lesquels, sous ce faux nom, il pourra la loger dans quelque maison mal famée avant de trouver un lieu plus sûr. Mais on ne lui livrera la fille que le lendemain matin. Et il faut prévenir Antoinette. Le temps de ces réflexions laborieuses et il repart vers Sainte-Pélagie.

Il fait très noir maintenant. Il doit être neuf, dix heures du soir. Il demande Antoinette. Refus. Il demande à savoir seulement si elle est dans sa cellule. Silence. Il réclame la Dufresne. Elle le reçoit, majestueuse, son collier d'or au cou et la promesse de l'impunité la parant d'une sorte de bouffissure orgueilleuse (elle a, il faut le dire, arrosé son succès). Et, se vengeant un peu d'on ne sait quelle offense : continence de Charles, orgueil et humilité d'Antoinette, ayant touché, outre le collier qui vient de Malouin, une belle petite bourse de la duchesse elle-même, qui lui a promis, en sus, sa « protection », la Dufresne a le sentiment d'avoir joué tout le monde, y compris son alliée Rosalie, et c'est avec un plaisir gourmand qu'elle annonce à Sanson qu'Antoinette Sicard a été libérée, il y a à peine une demi-heure, et qu'elle est partie « dans le carrosse de son amant ».

Elle triomphe parce qu'elle revendra le collier une belle somme. Elle triomphe parce que la duchesse du Maine lui a parlé, à elle, et pas à Rosalie. Elle triomphe parce qu'elle a prouvé à Monsieur Sanson, qu'elle voit accablé, que ces amours de contemplation, ça ne va jamais bien loin. Elle triomphe enfin parce que c'est elle, avec ses vues modestes, ses plaisirs sans ambition de goinfrerie et de fornication, ce qu'elle appelle son « bon sens », qui a eu raison, et qu'Antoinette elle-même lui a donné raison en suivant docilement ce seigneur dans son carrosse. Elle croit qu'elle a triomphé d'Antoinette, et se rend compte que c'est ce qu'elle voulait, plus que le collier, plus que la belle révérence qu'elle a été autorisée à faire à la duchesse.

Elle ne sait pas qu'avoir approché Antoinette, pour une femme comme elle, c'est déjà trop.

Et comme elle ne saurait être méchante très longtemps, et qu'elle voit ce pauvre Sanson tout pâle (il devait l'aimer vraiment, cette fille, en fin de compte, et tant que ça a duré il s'est montré généreux), elle lui offre un verre de bon bourgogne. Il l'accepte machinalement et le boit tout debout.

– Alors, vous avez trois belles pendaisons, demain? dit-elle pour lui changer les idées.

– Et celle-là, qu'est-ce qu'on en fait?

Il but dans mon verre, et il appuyait sur mes épaules son bras amputé qui me pesait horriblement.

– Voulez-vous me lâcher! dis-je avec une nervosité que ce geste seul ne justifiait pas.

– Et pourquoi?

– Pour que je prenne un verre propre.

Il saisit fort bien mon intention et, posant le verre, leva le bras. Le Chevalier le retint d'un geste prompt et net.

– Wilhelm!

– Vous avez peur que j'endommage vos propriétés? Elles n'en valent pas la peine. Si vous m'en croyez...

– Eh bien?

– Des petites guenons de ce genre, vous en trouverez cent pour une à Villaviciosa. Si j'étais vous, je m'en débarrasserais.

Il dit cela avec un grand calme et, comme il m'avait lâchée, il piochait dans le plat, goûtant tour à tour les divers massepains avec une gourmandise d'enfant. Et cela en parlant de se « débarrasser » de moi !

– Et par quel moyen ? demanda le Chevalier qui tentait de tourner la chose en plaisanterie, mais, me sembla-t-il, sans sa désinvolture habituelle.

– Le feu prend si facilement dans ces vieilles baraques ! On la met sous clé avec les autres, une lampe se renverse, nous sommes dans un estaminet l'un et l'autre... et plus de témoins !

Il riait. Plaisantait-il ?

– Prenez garde que ce raisonnement ne s'applique à vous ! dis-je aussi froidement que je le pus. On se débarrasse des témoins, mais aussi des complices. Et même des exécutants...

– Est-ce que tu oserais me menacer, puceron ? Vous lui en avez beaucoup trop dit, il me semble.

Il se tournait vers le Chevalier et ne riait plus.

– Si vous la laissez derrière vous, elle nous dénoncera tous les deux.

– A qui ? dit le Chevalier flegmatiquement. Si nous réussissons, il n'y aura plus aucun danger de ce genre. Et si nous échouons... De toute façon, je ne compte pas la laisser derrière moi, comme vous dites.

– C'est-à-dire que si vous vous retrouvez à la Bastille, nous voisinerons ?

– Vous l'avez trop bien nourrie, dit Wilhelm. Elle est devenue effrontée. Confiez-la-moi une demiheure seulement, et vous verrez si elle ouvre encore la bouche.

Sans doute le Chevalier était-il rendu nerveux par l'action imminente car il répondit avec une âpreté qui ne lui était pas habituelle :

– Confier une enfant à un homme tel que vous? Pas même une minute!

Cette fois, Wilhelm parut se fâcher tout de bon. Se dressant à moitié, la main sur le pommeau de l'épée, il dit sans élever la voix mais avec beaucoup de violence contenue :

– Vous m'insultez! Vous, un aventurier, un découpeur de viande morte, un charlatan, l'ami d'un bourreau! Vous devriez me remercier à genoux d'avoir daigné vous employer!

– Ce n'est pas vous qui m'employez, dit le Chevalier avec calme. Et si vous préférez renoncer...

« Oui! Oui! implorai-je intérieurement. Faites qu'ils renoncent, Sainte Vierge! » Tant il est vrai que, dans les moments terribles, le besoin d'une mère est tel qu'on se tourne vers une image si l'on ne possède pas de souvenirs. Et, plus tard, il me revint que, dans ce moment où, désespérée, j'implorais cette Vierge à laquelle je ne croyais qu'à demi, je lui prêtais un peu les traits farouches de Jeannette.

– Renoncer? dit l'Allemand en se rasseyant. Quand tout est prêt? Et n'oubliez pas qu'il y a d'autres projets au feu.

– Aucun ne sera prêt avant des semaines. Nous agirons demain.

Demain! Sanson aurait-il réussi à libérer Antoinette? Et pouvaient-ils, ces deux hommes si différents, réussir ensemble? Pouvaient-ils réussir sans Antoinette? Jean-Marie Vigneron interviendrait-il, ou Jeannette se faisait-elle des illusions sur son pouvoir? Et quel rôle devait jouer ce pendu que mon maître réclamait à Sanson? Qu'avais-je à perdre? D'une voix que je m'efforçai de rendre ferme :

– En somme, c'est le pendu qui risquera le moins?

– Alors, tu lis mes billets maintenant? dit le Chevalier en riant, dans un de ces brusques changements d'humeur dont il était coutumier, et où je le retrouvais.

Wilhelm aussi se prit à rire. Sa vilaine figure de reître en parut presque débonnaire.

– L'espion espionné! Finalement elle est drôle! Vous avez raison, gardez-la. On pourra peut-être s'en servir un jour. Mais, en attendant, mettez-la en lieu sûr. Elle s'est enfuie de chez son père, elle pourrait bien s'enfuir d'ici.

– Oh, mais non! dit le Chevalier.

Leur bonne humeur à tous deux semblait revenue. L'instant d'avant prêts à s'étriper, l'instant d'après les meilleurs amis du monde, voilà bien les hommes!

– Elle ne fuira pas! Je vais la garder dans le lieu le plus sûr qui soit!

– Et où cela?

– Mais... dans mon lit! dit le Chevalier avec un sourire.

Décidément, c'était la soirée des surprises!

L'Allemand s'en alla sans cérémonie, comme il était venu. Tout à coup il m'était moins antipathique, peut-être parce que je le sentais en danger et prêt à l'affronter sans histoires. Nous le raccompagnâmes jusqu'au fond du jardin; il était venu par les champs et avait attaché son cheval au saule de la chapelle. Il faisait doux, la lune brillait, le vieux lilas bourgeonnait vaillamment. Une lumière brillait à la fenêtre du grenier où couchait Jeannette. Une silhouette d'homme passa.

– Tiens, elle a laissé monter Jean-Marie, dit le Chevalier sans y attacher d'importance. Les voilà enfermés. C'est plaisant!

Mon cœur battait fort. L'avais-je sauvé? L'avais-je trahi? Ou mes efforts seraient-ils inutiles?

– Allons! dit-il gaiement. Viens, que je te mette sous clé, ma petite espionne.

Il m'emmenait vers le bâtiment de façade. Celui où j'avais eu si peur.

Les deux pièces poussiéreuses du premier étaient toujours encombrées d'un fatras poussiéreux, mais les ballots de papier n'y étaient plus. Par contre, la dernière pièce où je n'avais pu pénétrer s'ouvrit pour découvrir à mes yeux une vraie chambre meublée très proprement, presque élégante, avec une commode, des guéridons, une alcôve garnie de rideaux bouton d'or (cette couleur m'est, depuis, restée chère). Tout cela frais et décent, à le croire installé de la veille.

– Voilà ta prison. Elle ne durera guère. Je viendrai te chercher demain soir. Si je ne venais pas... mais je viendrai. Veux-tu des dragées? Elles sont exquises.

Il s'était assis sans façons sur le lit et grignotait des dragées qu'il puisait dans un beau drageoir d'émail.

Il me semblait être seule avec lui pour la première fois. Ma peur avait presque disparu, et je ne ressentais plus qu'un embarras qui n'était pas déplaisant.

– Que n'habitiez-vous cette chambre, au lieu de votre taudis encombré?

– Oh! j'y étais bien, dans mon taudis, dit-il. Cette chambre...

– Oui?

– Je l'avais aménagée au mieux lors de mon premier séjour en France... quand j'espérais encore que ma famille...

Je compris qu'il parlait de sa mère, mais je ne voulais pas l'attrister.

– Mais ensuite?

– Je n'avais pas trouvé de femme à y mettre, dit-il, redevenu moqueur.

– Vous ne cherchiez guère, avouez-le!

– En avais-je besoin?

Il me parut qu'il éprouvait le même embarras que moi, et j'en fus émue, sans le montrer.

– Aussi y mettez-vous une prisonnière?

– Une prisonnière que je veux surveiller de près. De très près!

Et le voilà qui m'attire à lui, se rapproche, m'enlace, porte la main à mon corsage que je portais assez étroitement lacé, et me dit :

– Tu ne pourrais pas m'aider un peu!... Tu enlèves ta chemise?

J'oubliai le résultat douteux de mes démarches, Sanson, Jean-Marie enfermé avec sa Jeannette, Wilhelm s'agitant, et le lendemain. La voix du Chevalier se faisait tendre, et la gaucherie lui seyait si bien que, s'y ajoutant cette pensée qu'il y avait longtemps, s'il l'avait voulu, qu'il aurait pu exiger ce qu'il ne faisait que demander (ses mains s'activant tout de même), je ne résistai pas plus longtemps.

Je me souvenais de la délicatesse avec laquelle il m'avait remis la clé de ma soupente, de mes rêveries dans cette pauvre chambre mais qui m'appartenait plus que jamais chambre ne m'avait appartenu chez mon père. Je me souvins des moments où il me lisait ses traductions de l'Arioste ou du Tasse, sous le jambon qui se balançait au plafond, et je comprenais que mon ironie d'alors était déjà de l'amour. Il n'en avait jamais abusé, et pourtant qui m'eût défendue? Il est vrai que j'étais bien jeune et bien laide quand il m'avait, par pure bonté, acceptée.

– Laide, toi? Mais du premier jour je t'ai trouvée ravissante!

– C'est vrai?

– C'est cent fois vrai! Tiens, regarde...

A demi nu déjà (c'est bien lui, c'est bien sa folie, et sans pudeur, ou dans l'inconscience totale, il bondit, me montrant ses fesses maigres, brunes et musclées), il saisit un carton à dessin posé sur la commode, l'ouvre, revient vers le lit (où je me demande toujours, pour répondre à sa question, si j'enlève, oui ou non, ma chemise, mais comme, aidée tant bien que mal, j'ai enlevé tout le reste, ce n'est plus qu'une question théorique) et me montre des esquisses, un profil, une silhouette, une fillette penchée sur un moule, tendant à bout de bras un calque, musant dans le jardin... Une fillette qui a treize ans, puis quatorze ans. Puis, soudain, à quinze ans, c'est une jeune fille tout entière saisie par le crayon adroit, avec sa première robe neuve, une cotonnade à motif de tulipes.

– Catherine!

Déjà le problème des chemises ne se pose plus. Nos bouches se joignent, les coussins s'écrasent, et, toute novice que je sois, il me semble qu'en amour mon cher maître n'est peut-être pas un véritable expert. Tout compte fait, je préfère cela. Je l'enveloppe de mes bras. Nous disons peu de chose. Et comment dire le délice de nous être enfin trouvés? Je sens ses mains dures sur mon dos. Il me serre trop fort. Je mords son cou hâlé... Mon Dieu! à quoi servent ces descriptions qui n'ont de charme que dans le souvenir?

Je ne retiens pas, tout de même, un léger cri, et il dit avec embarras :

– Ma petite mignonne, c'était donc vrai? Que tu étais vierge?

– Dame! Tu ne le savais pas?

– Non. Je pensais... peut-être Châteauneuf... Il est si jeune...

– Je pensais, qui sait, qu'Antoinette...

– Jamais! Et puis j'avais une autre idée en tête. Toi aussi?

– Moi aussi.

Est-il nécessaire d'en dire plus? J'ai vécu douze ans sur ce « Toi aussi ».

Le lendemain tout prit feu et flamme, et tout fut sang, fureur et confusion. Mais il y avait eu cette nuit et nos sommeils, et nos réveils, et, à l'aube, comme une indiscrétion, comme un adieu déjà, cette question que j'osai murmurer :

– Tu ne m'as jamais dit ton nom de baptême... ton prénom...

– Giacinto.

– C'est un nom de fleur. Un jour...

– Oui ?

– Un jour, je voudrais que nous ayons un jardin.

– Nous aurons un jardin.

Il me quitta sur ces mots pour rejoindre Wilhelm qui, déjà, l'attendait dans la cour avec deux chevaux piaffant. Pour quels préparatifs ? Que va-t-il se passer ? Mais je suis comme frappée d'une stupeur heureuse.

– Je t'enferme à clé, tu ne m'en veux pas ?

– D'autant moins que cela ne m'embarrassera pas pour sortir. Chez mon père, je sortais toujours par la fenêtre...

– Tu crois que je l'ignore, ma mie ?

Il est là, sur le seuil, la veste à moitié enfilée, la chemise très blanche, les cheveux et les yeux très bruns, sa grande bouche aux dents inégales sourit, ses grandes jambes vont franchir le seuil. Il s'ébouriffe les cheveux comme chaque fois qu'il est embarrassé. (« Ta perruque ! – Ô mon Dieu ! merci ! ») Il cherche quelque chose à dire qui soit tendre, qui ne soit pas ridicule, qui ne soit pas désinvolte, qui dure comme un parfum. Et je le tire d'embarras, moi petite, moi qui puis dire pour la première fois de tout mon cœur « mon maître », je lui dis :

– A tout à l'heure... et j'ajoute : Giacinto ?... Moi aussi.

– Moi aussi, Catherine.

Et en voilà pour douze ans.

CHAPITRE IX

Qui ressemble à un dénouement, si la vie avait un autre dénouement que la mort. Encore n'est-ce pas bien assuré.

La journée suivante s'annonça belle. Madame Marthe surveillait sa lessive, qu'elle faisait étendre sur le pré, derrière sa maison, par les aides de l'exécuteur disponibles jusqu'à midi. Elle ne soulevait plus rien, à cause de son état de grossesse avancée. Mais elle regardait avec complaisance le linge blanc sur le pré vert, les draps étalés, les chemises suspendues. Et que ses propres dessous et, sous peu, les langes d'un nourrisson dussent se balancer à côté d'autres linges d'où on avait parfois du mal à retirer les taches de sang ne la gênait pas. Un vent léger soufflait.

C'était la fin avril, le 23, un mardi. Trois voleurs qui avaient tenté d'assassiner une boulangère seraient pendus vers deux heures. Deux des corps seraient immédiatement livrés à la Faculté de Médecine, la routine. Le troisième irait en fin d'après-midi rue de Charonne où le Chevalier avait une dissection à faire. Il en était convenu ainsi depuis plusieurs jours.

A l'Hôtel des Arcoules Catherine s'était levée, vêtue lentement. Était descendue dans la cour. Le

Chevalier n'avait pas fermé la porte à clé, oubli ou confiance. Jeannette n'avait pas paru, ni les enfants. Dormaient-ils encore? Jean-Marie s'était-il chargé d'empêcher l'expédition projetée? Georget, réapparu, traînait dans les parages sous prétexte de fouiller la cuisine et d'y manger les restes du repas de la veille. Elle n'osait monter, appeler. Aller chez Sanson ne servirait à rien. Il n'y avait qu'à attendre. Un peu plus tard dans la journée, si rien ne s'était passé, elle ferait un léger bagage. Ses actions du Mississippi sous ses trois jupons, son vocabulaire espagnol, ses deux bonnets, quelques louis dans un mouchoir, et deux robes qu'elle s'était récemment achetées. Ce qu'elle regrettait de ne pouvoir emporter (à supposer que l'enlèvement eût lieu et réussît), c'était son matériel : sa cire, ses pinceaux, ses couleurs, ses racloirs affûtés... Elle eût bien préféré n'avoir pas à partir et ne voulait pas penser à ce qu'il adviendrait d'elle si le complot avait lieu et échouait. Il valait mieux rêver que Martinelli reviendrait, dépité, comme le soir du Souper Anatomique, et que la vie reprendrait, pareille et si différente. Ou alors ce serait le départ, le premier. Car de l'humeur dont était le Chevalier, il y en aurait d'autres... Il lui faudrait apprendre à laisser bien des choses derrière elle. Elle y était prête.

Mais il lui fallait savoir, vite. Peut-être, sans qu'elle le sût, tout était-il arrangé, empêché? Georget était reparti. Elle alla vers l'escalier pour réveiller Jeannette et savoir. En passant devant sa propre chambre, restée ouverte, elle jeta un regard au vieux miroir fêlé, s'y vit rose, souriante : jolie. Elle frappa à la porte du fond, chantonnant sans le savoir, tourna la clé. Jeannette et Jean-Marie se dressèrent sur le lit, les enfants étaient à leurs pieds, pelotonnés.

– Vous n'êtes pas encore parti? commençait-elle quand un vacarme et une bousculade emplirent le petit escalier; une demi-douzaine d'hommes, conduits par le petit Georget, se précipitant dans le couloir puis dans la chambre, se jetèrent sur Jean-Marie en chemise, se débattant, mais soulevé du lit, emporté, sans même que Catherine ni Jeannette aient pu réagir, ni à peine se rendre compte de ce qui se passait. Les enfants, réveillés en sursaut, se taisaient, sentant la gravité de la situation. On entendit encore quelques bruits confus dans la cour et, toujours porté par ses agresseurs, Jean-Marie fut enfourné dans un fiacre entré là Dieu sait comme. Les autres s'y entassèrent aussi, et le tout disparut comme un rêve absurde, brutal et bref.

– C'est Georget, dit Jeannette, livide.

– Vous croyez? Ils l'ont peut-être amené de force?

– Ce n'est pas vous qui avez ouvert le portail, n'est-ce pas?

– Non!... Bien sûr que non.

– Alors?... Il l'a vu entrer hier soir et est allé le dénoncer.

Elles descendirent avec les enfants, toujours exceptionnellement calmes.

– Mais pourquoi Jean-Marie est-il resté, hier soir? Je pensais qu'il repartirait par les toits.

– Il a voulu rester, voilà pourquoi. Et comme il était dans la chambre... Et le gros cochon qui est venu nous enfermer à clé...

Et tout à coup elle éclata en sanglots dans son tablier.

– Mes pauvres enfants! Mes pauvres petits! Leur père sera pendu et leur mère...

Et Catherine vit qu'elle pensait aux funestes prédictions de la sage-femme des Porcherons. Mais elle se reprit presque instantanément.

– Je cours chez Mignot. Cartouche ne laissera pas aux mains du guet un de ses meilleurs hommes. Et puis, on peut toujours payer... Et ils s'occuperont du Chevalier, aussi.

La petite Catherine courut à son paquet tout préparé en tirer les quelques pièces d'or qu'elle possédait.

– Je ferai de mon mieux pour nous deux, dit Jeannette.

C'était la première fois qu'ayant les trois enfants à garder, qui se serraient autour d'elle, Catherine sentait qu'elle les aimait. Qu'en elle toutes les portes de l'amour s'étaient ouvertes en même temps.

***

Ce fut la plus longue journée de ma vie.

L'angoisse pour ceux qu'on aime est étonnamment simple. D'abord on est frappé de terreur. Ce n'est pas par hasard que la foudre est tombée là. C'est parce que nous l'aimions que cet homme, cette femme, cet enfant, est malade, menacé, ou en danger. Nous avons attiré l'attention sur lui par cette élection qu'est l'amour. Nous l'avons mis en lumière. Nous sommes coupables. Évidence.

Puis refus de l'évidence. Ce qui a pu être maléfique peut être bénéfique. La statue d'envoûtement peut devenir ex-voto. La malédiction se retourne comme un gant et devient bénédiction, protection, armure. Ce retournement désespéré est le deuxième mouvement de la douleur, un scherzo exaspéré, un halètement d'effort. On sait que l'on est arrivé au bout quand on croit que cela est possible.

Troisième temps, on dit : « Mon Dieu... »

On n'invoque pas Dieu, on ne prie pas. On ne « croit » pas forcément en Dieu. On dit seulement « Mon Dieu » parce qu'il n'y a pas d'autre recours, si l'on veut survivre, que ces mots qui viennent de loin, d'ailleurs, qui abolissent le temps parce que d'autres lèvres, d'autres douleurs, les ont prononcés. Et les prononcent. Et les prononceront. Dire « Mon Dieu », c'est poser un moment le fardeau.

On le reprend. Comment pèse-t-il le moins? Sur l'épaule? Sur la nuque? Soutenu par les deux mains jointes? Quelle démarche faire, quel remède utiliser, qui va-t-on implorer, aller quérir, menacer, payer? Comment agir?

Agir est le quatrième mouvement de cette symphonie de la douleur. C'est un mouvement aigu, une vrille, un scalpel. On va crever l'abcès, débrider la plaie, on va trancher dans les chairs tuméfiées déjà jaunies de corruption. C'est un mouvement petit, précis, étriqué, égoïste. Peut-être sain. Si on arrive à ses fins, la délivrance de l'être aimé, c'est pour nous, c'est pour l'arracher, lui, à la douleur, et arracher la douleur de nous.

Qu'il soit là. Qu'elle soit là. Qu'il, ou elle, soit vivant. Ici, devant nos yeux de chair, ou dans cet hôpital où une main tire les rideaux, ouvre la fenêtre à l'espoir; dans cette prison où un tampon s'écrase sur une feuille de papier pelure et veut dire délivrance. Dans ce lit dont les draps sont frais. Que sa main soit là, pas même dans la nôtre mais simplement posée sur la table, ou occupée à ses humbles tâches de main : coupant le pain, ramassant quelque chose (qu'elle écrive ou qu'elle balaie, cette main, c'est étonnant comme son moindre geste devient alors symbolique). Le corps de l'être aimé se déplace, sa voix façonne des paroles. C'est assez.

Alors, étonnamment, après cet accord, majeur, majestueux, la douleur revient, réapparaît. Celui qui en a bu une gorgée ne l'oublie plus. La cause disparue, la douleur est toujours présente. Elle s'élargit comme un fleuve, et l'on est chacun d'un côté.

L'amour et l'angoisse sont un. Ces eaux sont mêlées. Qu'elles coulent librement avec le fleuve, et la douleur est peut-être joie, largo; le fleuve rejoint la mer, la mer le nuage, et dans nos mains tendues retombent les gouttes de pluie, les larmes. Da capo. Parfois, à cet instant, on dit encore « Mon Dieu ! ». Parfois on écrit « des larmes de joie ». Il est donné à certains de savoir que les larmes de joie, ce sont encore des larmes.

***

Catherine attendait. Jeannette courait. Les enfants avaient peur. Avant six heures du soir le Régent n'était pas dans la peau de l'Amateur et parlait avec d'Argenson d'une possible altération des monnaies. Jailleau conduisait triomphalement son prisonnier à un exempt qui, après l'avoir fait passer aux aveux (il parla tout de suite pour se dédouaner de l'Hôtel des Arcoules et de ce qu'il en savait, mais Jailleau était sorti se rafraîchir...), disparaîtrait avec lui cet après-midi, secrets vendus au commissaire, au moment où Sanson pendrait les trois assassins de la boulangère. Un émissaire partait vers le Palais-Royal. Jailleau buvait de la bière, pensait à une femme belle, à une belle phrase, ignorait tout. Antoinette était assise rue d'Enfer dans une pièce aux volets mi-clos, pour ne pas donner l'éveil ; on viendrait la chercher.

Sanson était passé à l'Hôtel des Arcoules, indifférent à l'absence du Chevalier, à l'arrestation de Jean-Marie Vigneron, indifférent à tout, cherchant Antoinette. S'il ne la trouvait pas, il retournerait à Sainte-Pélagie, il corromprait la Dufresne : elle avait peut-être menti, il la questionnerait, elle finirait bien par parler. Il souffrait jusqu'à l'anesthésie. Il ne pensait pas en bourreau « je la torturerai », il le pensait en homme, en homme qui porte en lui un bourreau, comme tous les hommes.

Il alla rue d'Enfer, vit les volets entrouverts, monta. Elle était là, semblable en apparence, assise avec sa jupe couleur de sang et son châle couleur de boue, son corsage sans col de décapitée, son regard couleur d'encre avec laquelle on n'écrirait rien.

Il vit qu'elle était une autre.

– Je vous ai cherchée à Sainte-Pélagie. Je ne croyais pas que vous sortiriez avant une semaine.

– Vous l'espériez.

Sa voix aussi était autre. Ce n'était plus cette voix d'une angélique indifférence, cette voix blanche d'enfant qui chante le *Salve Regina*. C'était la voix d'une femme, avec son passé et son avenir.

– Vous aussi, dit-il avec cette lourde simplicité qui était son arme.

Elle s'était levée, elle arpentait la pièce, nerveusement, nouant et dénouant son châle qui glissait, passant et repassant devant le chandelier qui éclairait pauvrement la pièce (les chandelles étaient de suif et non de cire, elles répandaient une odeur de graisse; il pensa furtivement à l'odeur pure du parloir). Et ils étaient tantôt dans l'ombre, tantôt dans la lumière.

– Peut-être, dit-elle avec une nuance de défi. Peut-être... Pourquoi pas? Peut-être me serais-je accommodée encore une semaine, un mois, d'une vie de prisonnière. Mais alors pourquoi pas le couvent? L'acceptation?

Elle rit brusquement.

– Je ne vous ai jamais dit ce qui avait tout déclenché? Elles étaient naturellement du côté du plus fort : mon père, le Roi, Dieu... Même Dieu, ce n'était pas le crucifié aux mains des bourreaux (il reçut le choc en pleine poitrine, sans broncher), c'était le trône, le sceptre, le globe, n'est-ce pas? Elles disaient « votre pauvre mère » comme on touche une limace, pour se mortifier, et sans lui accorder, à ma mère, la moindre présomption d'innocence. Et ces chuchotements... Ces vierges – enfin, je suppose que quelques-unes devaient bien l'être – se délectaient des infamies supposées de Madame Malouin des Essarts. Et me parlaient d'expiation, de rachat. Expier quoi? La ruine de mon grand-père, sa disgrâce? Le Roi étant le représentant de Dieu, ces sottes croyaient qu'il avait le pouvoir de damner. Il l'avait. J'avais quatorze ans, et j'étais en prison, vouée à la honte... Sœur Antoinette de la Boue... Sœur Antoinette de la Jupe Troussée... Sœur Sainte-Putain... Qu'est-ce que je disais?

Était-ce à lui qu'elle parlait? Où étaient leurs beaux silences habités? Il pensa à la torture, quand on enfonce les coins de bois dans les jambes du condamné : les questionneurs ont coutume de dire : « Il a tenu jusqu'au troisième, jusqu'au quatrième coin », certains tenaient jusqu'au bout. Restaient les dégâts. Même libérés, ils ne marcheraient plus jamais. Lui, en était au sixième coin. Celui après lequel, dans le meilleur des cas, l'on boite.

– Ah oui!... Elles voulaient, après la lettre, que je commence mon noviciat. La Supérieure, elle, n'était pas une sotte, n'était même pas fort dévote, connaissait le monde et la Cour. Elle aurait pu, à défaut de cœur, faire preuve d'un peu de bon goût. Et elle me dit, après la lettre qu'elle avait lue, que j'avais lue, elle me dit avec sévérité : « Il va falloir tout de même commencer à m'appeler " Ma mère ". » Je ne l'avais jamais fait. Je lui ai dit : « J'aurais peur d'avoir l'air de vous insulter, Madame... »

« Elle a rougi, un peu. Et vous savez, Charles, ce qu'elle m'a répondu? " Vous avez une fâcheuse tendance à tout exagérer, mon enfant. Il ne faut pas prendre les choses au pied de la lettre. " Mais c'était ma vie qu'on sacrifiait au pied de cette lettre!

Elle rit encore doucement. Il retrouvait l'Antoinette des débuts, celle qui ne l'aimait pas encore, qui passait d'un égarement léger à de brefs sursauts de cygne irrité. Et c'était comme une gamme qu'on lui faisait parcourir là, de cette Antoinette à l'autre, également belle, et qui ne l'aimait pas, avec un profil de sang et un profil de larmes.

– La lettre de votre père? murmura-t-il très bas, avec les précautions que l'on prend pour débrider une plaie. Mais il voulait voir la plaie, le sang. *Leur* sang. La retrouver, la reprendre.

– Je ne sais pas... C'était peut-être les lettres qu'on nous faisait broder au canevas? Le Z comme un oiseau, le X comme un chemin...

Elle était loin. Si loin...

– Qui est venu vous chercher? Qui vous a mise ici? dit-il pour briser son envol.

Il savait maintenant comment elle s'évadait. Un procédé, une méthode? Certains accusés font ainsi des aveux incohérents, la vérité passant inaperçue au milieu d'un tissu de folies. Mais il n'y a de fous que ceux qui le veulent bien, pensa-t-il durement.

– Qui?

Elle redescendait sur terre. Il y avait dans son regard un douloureux reproche, mais c'était un regard.

– Mon père, évidemment. Mon père. Il va revenir.

– Et qu'est-ce qu'il fera de vous? Qu'est-ce qu'il fera pour vous que je ne puisse pas faire? (Nullement soulagé par l'erreur de la Dufresne : il n'avait jamais pensé qu'elle pût avoir un amant.) Voulez-vous que nous partions? J'ai de l'argent à Nantes, dans le commerce des épices. Nous pourrions partir, changer de nom, partir aux îles...

Encore un rire différent, brusque, strident.

– Vous croyez que je ne sais pas ce que l'on vend, à Nantes? Des nègres. Des esclaves. Pourquoi n'avez-vous pas mis votre argent dans les galères? On ne peut pas, peut-être? Pardon...

Sa voix redevint sa voix. Douce, un peu rauque, avec un regret de ce qu'elle disait.

– Non, Charles. Ce qu'ils peuvent faire, vous ne pouvez pas le faire.

– Qui : ils?

– Les Grands, vous savez? Ceux qu'on appelle les Grands. Du moins nous disions ainsi, au couvent. Ceux qui condamnent, qui damnent, ils peuvent aussi absoudre. Le jour où je suis arrivée, où on m'a déchargée à Sceaux, c'était le jour de l'inauguration d'une fontaine. Une fontaine superbe. Je l'ai vue plus tard. Elle représentait des figures de l'Antiquité dont une très belle Cérès qui jetait de l'eau par de multiples seins... Vous savez qu'elle a des quantités de seins, Cérès, parfois six, parfois huit, il me semble. C'est l'Abondance, c'est la Terre. C'est la Mère aussi : une bonne mère qui s'en est allée chercher sa fille aux Enfers... Vous ne comprenez pas? Une bonne mère! Moi, j'en suis sûre, si elle avait vécu, j'aurais eu une bonne mère. Alors c'est moi qui irai la chercher aux Enfers. Ils me l'ont promis.

– Mais comment...

Il craignit de comprendre.

Rassise, sereine, elle poursuivait comme un conte.

– Mon père même me l'a promis. Elle sera tout à fait réhabilitée. Elle aura sa tombe, là-bas, dans le cimetière de famille, avec une belle épitaphe. Il y aura des arbres dans ce cimetière, des saules, des cyprès peut-être?

– Antoinette!

D'un ton presque mondain :

– Vous savez qu'elle n'a jamais habité le château? Mais on m'a montré l'endroit, et la dalle toute prête, et la chapelle...

– Antoinette!

– Oui, mon ami?

Un rayon de soleil se faufilait à travers les battants d'un volet mal clos et faisait paraître funèbre la lueur vacillante des chandelles.

– Mais de quoi parlez-vous?

– D'un tombeau, Charles, dit-elle en regardant ses ongles. Du tombeau de ma mère. On me l'a promis...

Il lui sembla qu'ils s'y trouvaient, dans ce tombeau : la chambre démeublée, le chandelier, le jour nié, rejeté au-dehors comme on fait quand le corps froid du mort, étendu sur le lit, pose en silence sa question.

– Qu'on vous a promis à quelles conditions? Que « qui » vous a promis? Votre père?

– C'est-à-dire que c'est eux qui l'ont forcé. Il tenait à passer pour cocu, figurez-vous. Il l'était peut-être, après tout... Est-ce qu'on sait? Pourtant il me ressemble, dit-on, de physionomie. Expie, expie, tu n'expieras jamais assez, me disait-il quand nous étions en Hollande. Vous avez vu la dentelle que j'ai appris à faire, là-bas? J'y ai ruiné ma santé, l'humidité se porte sur la poitrine... Mais j'ai fait des cols pour plusieurs dames à Sainte-Pélagie, et elles en ont été ravies. Enfin, il a promis.

Il retrouvait l'Antoinette du début de son incarcération. Cette mobilité fébrile qui fuyait dans tous les sens, qu'il avait prise pour l'égarement de l'humiliation et de la douleur, et qu'il avait portée dans son sein, aimée, fondue avec sa propre douleur. Mais soudain c'était lui qu'elle fuyait.

– Qui a forcé votre père à cette promesse? Qui? Pourquoi?

Elle avait peur. S'il y a un frémissement, une odeur, que le bourreau connaît, c'est celui, c'est celle, de la peur. Une folle n'a pas peur, n'est-ce pas? Elle me trompe...

– Qui? Pourquoi?

– Je croyais que le bourreau ne faisait qu'exécuter, dit-elle.

Elle le regardait en face. Avec mépris?

– ... et que les questionneurs étaient considérés comme la lie de la profession.

– Mais je veux vous sauver! dit-il avec désespoir.

– De quoi?

Oui. De quoi? D'une réconciliation avec son père? Avec ce qu'elle appelait « les Grands »? D'une réconciliation avec elle-même qui le laisserait, lui, irrémédiablement seul?

– Je vous aime, dit-il, sans l'ombre d'un espoir.

Elle lui prit la main gentiment, avec un regard d'excuse, un regard d'enfant qui ne comprend pas ce qu'on lui veut. Puis, comme pour le consoler par une révélation qu'elle semblait juger sans importance, elle dit patiemment :

– On a promis à mon père la somme nécessaire pour relever le château, et qu'il y fasse transférer le corps de ma mère et l'y enterre dignement avec le reste de la famille.

– Et ceux qui lui ont promis cela, ce sont ceux de Sceaux? Là où l'on vous avait amenée?

– Puisque vous le savez, pourquoi le demandez-vous? dit-elle, absente, un peu boudeuse.

– Mais ils vous exposent! Ils vous mettent en danger! C'est pour leur obéir que vous vous êtes laissé arrêter, mais savez-vous que si on s'était douté de quelque chose, vous risquiez la question?

– Pour ce qu'ils me racontent! dit-elle de ce même ton boudeur qui, tout à coup, remontait de l'enfance. Et pour ce qu'ils m'ont fait faire! Porter des paquets, aller en Bretagne... Si vous croyez que c'est amusant! Je n'avais même pas un châle de bonne laine, la diligence a versé deux fois... Et croyez-vous qu'ils m'ont seulement remerciée?

– Qui?

– Eh bien : les Bretons! Ils devaient croire que j'étais payée.

– Mais les Bretons conspirent, eux aussi! On s'est servi de vous pour des démarches très compromettantes!

Il avait le cœur battant. Elle faisait donc vraiment partie, non d'un complot, mais de plusieurs. C'était grave, partait de haut, on allait tout découvrir, il aurait à l'exécuter lui-même... Angélique, soudain, réapparaissait dans sa robe trempée de pluie. Elle aussi avait de beaux cheveux, était innocente et coupable. Il la saisit dans ses bras – Angélique ou Antoinette.

– Ne me serrez pas si fort, Charles, vous me faites mal.

– Mais il faut fuir! Vite! Avant que votre père n'arrive!

Les mots ne paraissaient pas l'atteindre. Fuyait-elle réellement dans la folie une réalité trop dure ou trop complexe? Ou feignait-elle la folie pour mieux servir les desseins de la duchesse du Maine? Car tout venait de là, c'était trop évident. Mais si elle feignait, ne pouvait-on penser que tous ces chocs subis depuis l'enfance l'avaient placée dans un équilibre sans cesse vacillant? Tantôt présente, tantôt perdue? Tantôt l'aimant, tantôt... Non!

– Allez-vous risquer votre vie pour un tombeau? Partons! J'arrangerai tout. Partons.

– Vous ne le pourrez pas. Êtes-vous jamais parti?

Voilà! De nouveau ce regard aigu, présent, cette repartie presque caustique qui le faisait douter. Elle disait cela comme Marthe l'aurait dit, comme l'aurait dit la petite Catherine, comme l'aurait dit n'importe quelle femme dotée de ce qu'on appelle « bon sens ».

– J'étais seul...

– Moi aussi j'étais seule, quand j'ai quitté le couvent. Et j'avais quatorze ans.

– Je ne savais pas que vous pouviez être méchante, dit-il lentement.

– Je puis, n'est-ce pas? dit-elle, charmée. Je l'ai été avec mon père, vous savez. Il est toujours à me poursuivre avec ses idées de rachat, d'expiation... Je lui ai dit que maintenant j'avais compris. Que je n'étais plus une petite fille de couvent, et que j'avais bien vu que, dans le monde, tout se rachète, mais comme on rachète un bracelet perdu, un corset gâché. Qu'ils avaient fait leur prix, et que je paierais.

– Antoinette!

– ... Il était enragé. Il croyait que je ne savais pas qu'on l'avait payé, lui aussi. Je ne suis pas si sotte de ne pas voir ce qui crève les yeux. Mais je ne lui en veux pas de cela. Vous verrez, je le ferai rire. J'y parviendrai...

– Je verrai?...

– Mais oui. Ne partons-nous pas?

– Vous et moi?

– Tous, tous... Nous partons tous, dit-elle un peu distraitement. Est-ce bien joli, l'Espagne?

Il eut froid.

– L'Espagne?

– Sans doute. N'est-ce pas là que nous devons tous aller ce soir, après les carrières de Vanves?

Il retourna chez lui, la laissant là, assise derrière son chandelier, comme une tireuse de cartes. Il ne pouvait la sauver, ni l'enlever, contre son gré. Ni la dénoncer. Il n'y avait rien à faire. Et de toutes ces péripéties : innocence ou culpabilité de Madame Malouin des Essarts, ambitions de la duchesse du Maine, rôle de Malouin à la Cour de Sceaux, rapports du Chevalier avec son royal client, rien ne l'intéressait que la disparition de cette petite chambre, bien cirée, du rideau de dentelle de la fenêtre, de la plante verte sur la cheminée, de cette femme si belle, si triste, et qui l'aimait.

Il retourna chez lui. « Êtes-vous jamais parti? » Il ne partirait plus. Il retournait chez lui, à pied, et, cet après-midi, il irait exécuter trois assassins sans intérêt... Il rentrait chez lui.

Comme il approchait de Saint-Laurent, il entendit des cris. Entrant dans la maison, il se trouva au milieu d'un tumulte de femmes qui montaient et descendaient l'escalier dans un grand désordre de bassines et de linges, et comme il entrait dans la chambre, il vit un petit être sanglant et grimaçant que l'on posait sur un coussin, Madame Marthe, les jambes en l'air, à qui l'on faisait respirer des sels en oubliant de lui rabattre les jupes, et une cuvette qu'on emportait avec le placenta. Ce tableau lui parut si ressemblant à son tumulte intérieur qu'il s'assit sur un prie-Dieu repoussé dans un coin, et pleura.

Quelques instants plus tard, Madame Marthe ayant repris ses sens, caché ses fesses et retrouvé sa dignité, lui annonça qu'elle lui avait donné une fille, et l'autorisait-il à la nommer Anne-Renée?

Il autorisa. Du moins, ce n'était pas un garçon, cela lui laissait un peu de répit.

Martinelli s'était plié aux volontés de l'Amateur, qui voulait être sûr que l'homme serait indubitablement mort. Comme si un pendu pouvait en réchapper! Mais refuser serait éveiller les soupçons. Le corps du pendu serait donc déposé en fin d'après-midi dans la petite maison de la rue de Charonne, et sommairement disséqué pour l'instruction des retardataires qui ne s'étaient pas encore donné le plaisir d'une dissection. Pour appuyer ses assertions, qu'Antoinette rappellerait à lui l'esprit du mort, le Chevalier avait refusé la dissection du cerveau. Celle qui fait frémir les dames quand la scie dentée sépare délicatement le haut de la calotte crânienne, comme on décapite un œuf, sans rien répandre. Il n'était pas certain, avait-il dit, que cette opération ne rendrait pas l'invocation de l'esprit plus difficile.

– L'esprit, l'âme, si vous préférez, qui revient, doit bien se loger quelque part? Laissons donc le cerveau et la face intacts.

– Vous croyez cela? avait demandé l'Amateur.

– Je ne le crois pas. Je l'ai constaté une fois.

– Et l'homme était bien mort?

– On ne peut plus mort. J'avais extrait les reins, le pancréas, le foie et la rate.

– Ainsi ferez-vous rue de Charonne. Ensuite nous transporterons le corps dans les carrières de Vanves puisque vous les jugez propices à votre dessein.

Se moquait-il? On ne se moque jamais de ces choses-là qu'à demi. Et un peu de résistance sur les points accessoires est bon, aussi, pour dissiper les soupçons. Ainsi, avec tout le tact nécessaire, le Chevalier avait-il suggéré que rue de Charonne – où ce qui aurait lieu devant une douzaine d'élus ne servirait en somme que de hors-d'œuvre à la tentative d'invocation que, pour l'Amateur et deux compagnons, réaliserait Antoinette – on ne bût pas trop. Du moins, que l'Amateur et ses deux amis....

– Pas trop? avait murmuré pensivement l'Amateur, en regardant le Chevalier de ce regard soudain aigu, scrutateur, où il se dévoilait. Vous savez que je suis sujet à des crises... Rien de grave, des absences dirons-nous... où je perds tout à fait conscience, où je suis inerte, où l'on pourrait faire de moi ce que l'on veut?

– C'est ce que je voudrais éviter, Monseigneur, avait répondu Martinelli avec fermeté. Il faudrait attendre longtemps pour retrouver des circonstances aussi favorables.

Ils s'étaient regardés, comme deux duellistes essayant leurs épées. Ils avaient trouvé en face d'eux chacun une fermeté égale, avaient baissé les armes. Le moment n'était pas venu de s'affronter. Peut-être ne viendrait-il pas... Depuis le troc, au bénéfice de l'Espagne, de la pauvre Sardaigne contre l'opulente Sicile, cette conviction – qui servait de base à son goût d'aventure et de changement – d'œuvrer pour un lointain remembrement de l'Italie s'était sérieusement effritée. Mais il n'était pas homme à reculer devant une entreprise décidée. Quant à l'Amateur, il s'amusait d'être dupé (d'être cru dupé) par l'histoire de la petite fille au verre d'eau. Mais, après tout, l'affabulation avait pu n'être mise en avant que pour lui inspirer confiance dans les « pouvoirs » d'Antoinette. Et quant à ceux-ci, il n'était pas absolument sceptique : il y avait dans cette belle fille égarée quelque chose de différent, quelque chose qui attirait et déplaisait à la fois, et qu'il n'arrivait pas à définir. Il pensait à ce bal de l'Opéra où apparut tout à coup une femme en haillons, image même de la misère, qui s'était écriée comme on lui demandait en quoi elle était travestie (car on ne pouvait imaginer qu'une pauvresse se fût ainsi introduite) : « Je suis la Misère, la Dame du Royaume ! », et l'Amateur songeait qu'Antoinette était, elle aussi, la Dame d'un royaume, peut-être immatériel, celui des Larmes.

Maléfice ? Pure magie blanche, affirmait le Chevalier. L'Amateur avait souvent regardé le buste. Il y a quelque chose d'horrible pourtant, et presque de satanique, dans ce profil veiné de bleu. L'Église ne loge-t-elle pas le péché tout entier, ou presque, dans le corps : cette innocente et monstrueuse machine ? Le médecin qui enseigne, conseille, est estimé ; le chirurgien qui tranche, ouvre, pénètre dans le corps, a avec lui une intimité suspecte, est dédaigné ; le barbier plus encore. Le juge, le policier sont des hommes ; le bourreau, l'exécuteur, presque plus. Et pourtant, une fois étendu sur une table de marbre, qu'est-ce qu'un corps ? Sinon un silence, un silence tel qu'il paraît presque surnaturel ? Invraisemblable ?

Est-il possible qu'une pensée, un sentiment, une douleur, une révolte continuent à tourner autour de la carcasse abandonnée, comme un chien fidèle et désolé qui finit tout de même par s'éloigner lentement, se retournant encore une fois ou deux, puis disparaissant? Disparaissant où? Ou cette pensée, cette douleur (certains diraient : cette joie extatique, nuance possible dans la gamme de ce qui pourrait survivre) meurt-elle comme le chien? Un peu plus tard que son maître seulement?

Le corps est là, sur la table de marbre jaspé de la rue de Charonne. Il est affreusement maigre. On a revêtu le visage, sans doute convulsé, d'une sorte de cagoule, de sac d'étoffe rude, et cela donne à cette nudité rigide et grise un aspect plus funèbre encore. Martinelli se souvint du Souper Anatomique, de la gaieté, des hâbleurs qui se rengorgeaient de braver un interdit, des curieux qui s'étonnaient, des pervers qui goûtaient leur propre répulsion, et de Florence disant doucement, quand ils avaient pénétré dans la salle aux verdures : « Au fond, c'est beau, l'appareil respiratoire! » Il y avait eu à ce moment-là un silence riche, plein, au bord d'une révélation très simple et essentielle. Puis tout avait explosé en rires et en jaillissements de champagne. Mais ce moment avait été.

Aujourd'hui, le silence était gêné, presque hostile. Même l'Amateur n'avait pas sa jovialité coutumière, et le laquais qui servait le vin était très pâle et tournait les yeux loin de la table qui occupait le centre de la pièce. Des voix chuchotaient.

– Pourquoi lui a-t-on mis ce sac sur la tête?

– Voyons! Parce que c'est un pendu!

– C'est ma troisième dissection.

– Moi la seconde. Mais je regrette qu'on ne nous montre pas le cerveau. C'est le plus intéressant.

– J'ai peur de ne pas le supporter. Vous avez des sels?

– On s'y fait très bien.

Les phrases tombaient dans le silence sans le rompre. Le corps était au centre de ce silence, comme une pierre.

– Buvez! Buvez! disait l'Amateur, agacé.

Ils avaient tous assisté à des exécutions, certaines impressionnantes de cris, de sang versé. Certains avaient participé à des batailles, vu les chevaux s'enfuir, traînant leurs entrailles, entendu des cris d'agonie. Ils avaient tous veillé un parent, un allié, étendu sur son lit de mort, dans des odeurs parfois putrides; ils avaient vu les ongles bleuir, la peau adhérer aux os plus étroitement comme si le mort se recroquevillait. Puis, au bout de quelques heures, prenant son parti de sa propre décomposition, se laissant aller, les chairs mollissant, le corps consentait et commençait sa dernière métamorphose dans l'odeur fade et sucrée qui attire les mouches avant les vers.

Et pourtant ceci était différent. Ce corps sans visage, si propre, si sec, si froid sur le marbre froid, si blanc, si maigre, et par là même si peu charnel, n'était pas un mort. C'était la mort elle-même, impersonnelle, sans détails, même répugnants, sans particularités : leur mort. Un médecin ami de Dionis et qui avait avec lui étudié la catalepsie s'approcha cependant et dit qu'il s'agissait bien d'un cadavre, que nulle supercherie n'était possible.

– Garantie qui me paraît inutile pour un pendu, dit le colonel Rivière, un proche du Régent, qui avait fait Lérida avec lui.

Avec soulagement Martinelli entendit quelques rires. On finirait par être impressionné...

Une troisième fois le laquais fit circuler le plateau. Cette fois son air de dégoût et de blâme fut dédaigné. On s'habituait.

– Ouvrez donc, dit l'Amateur.

Martinelli prit son scalpel. Il pratiqua une incision en Y sur la poitrine et sur l'abdomen, puis enleva une partie triangulaire de la cage thoracique. Il préleva le cœur et les poumons en ligaturant les artères principales. Il retira, ainsi qu'il l'avait dit, les reins, le pancréas, le foie, la rate, en les nommant au fur et à mesure, et sentit derrière lui un intérêt et un soulagement qui venaient de ce ton didactique. On se rapprochait de la table. On se familiarisait avec ce qui n'était, en somme, qu'une curiosité naturelle. Le nombre habituel des torchères avait été doublé afin que l'on ne perdît rien de la démonstration. A côté de la grande table en marbre jaspé se trouvait une console à dessus de marbre noir. Martinelli y disposait l'un après l'autre les organes, jusqu'à extraction complète de l'appareil digestif.

– Peut-être, dit Martinelli qui, s'étant appliqué à disséquer avec précision mais sans trop de hâte pour que son public puisse suivre et voir l'organisation des organes avant qu'il ne les eût extraits, peut-être allons-nous avoir une surprise intéressante. Ce corps si maigre a l'estomac protubérant. Peut-être une tumeur, un ulcère important... je vais l'ouvrir. Si vous souhaitez vous écarter... Ces tumeurs sont parfois assez fétides...

Les deux dames invitées se reculèrent, battant de l'éventail. Les hommes, au contraire, resserrèrent leur cercle. Certains étaient tout contre la table, leur coupe à la main. Si certaines coupes tremblaient légèrement, si même un peu de liquide doré se répandait sur le parquet, on feignait de ne pas s'en apercevoir. Le détachement scientifique était à la mode.

Martinelli incisa l'estomac avec une extrême légèreté, craignant un jaillissement déplaisant. Il demanda une serviette au laquais, mais celui-ci, blême, son plateau à la main, regardait maintenant, fasciné, horrifié, et le chirurgien n'insista pas. S'il fallait qu'il s'occupât en même temps d'un estomac et d'une syncope... La paroi de l'estomac délicatement incisée, Martinelli l'écarta avec précaution et découvrit une masse grosse à peu près comme un poing, consistante, d'un jaune verdâtre qu'il attribua un instant à de la bile qui eût imprégné un aliment mal digéré, ou une tumeur. Puis soudain, il comprit. En même temps une voix dit avec horreur :

– Mais c'est de l'herbe !

Il eût pu trouver quelque chose, il resta court. Un bref silence fut suivi du bruit sec du scalpel qui tombait à terre. Et tout à coup, de la façon la plus inattendue, le laquais se mit à crier :

– Ils découpent un homme mort de faim ! Ils découpent un homme ! Au secours !...

Et, se ruant vers la fenêtre qui donnait sur la rue, il en arracha l'épais rideau, en ouvrit les battants et continua de hurler « Mort de faim ! Au secours ! On tue un homme ! », ameutant ainsi les cochers attendant leurs maîtres, les domestiques des maisons voisines, les passants encore nombreux à cette heure, et quand, revenus de leur surprise, deux des gentilshommes présents s'élancèrent pour le maîtriser, en un temps étonnamment bref une foule hurlante s'était déjà amassée devant la petite maison et en cherchait les issues.

Personne n'avait compris les cris incohérents du laquais. Les uns disaient qu'on affamait à mort un prisonnier dans la maison, d'autres qu'on le torturait, voire qu'on allait le manger et qu'il s'agissait d'un cas de cannibalisme. Certains, plus au courant, parlaient de l'assassinat de la boulangère, mais ce fut encore mal compris et l'on crut que, devant les malheurs publics, il allait y avoir une distribution gratuite de vivres, ce qui accrut l'affluence.

– Il faut fuir par le jardin!

– Mais ils sont déjà dans le jardin!

Une foule hurlante saccageait en effet le petit kiosque oriental, croyant y trouver des victimes à délivrer. Une femme de chambre qui époussetait fut ainsi arrachée à ses occupations et portée en triomphe pendant un bon quart d'heure. Heureusement, les richesses de ce voluptueux abri où avaient passé tant de jolies femmes tentèrent les sauveteurs qui, se muant en pillards, furent aperçus s'emparant qui d'un édredon de satin, qui d'un ou plusieurs plats d'argent, qui d'un coussin, d'une estampe, et même de rideaux dans lesquels ils s'enfuyaient drapés.

Seuls quelques enragés demeuraient qui avaient enfoncé la porte et s'étaient massés dans l'antichambre, sans oser pénétrer pourtant dans le salon, et criaient vengeance. Paradoxalement, c'était la présence entr'aperçue du cadavre rigide et sanguinolent qui protégeait encore les invités de l'Amateur, au moins pour quelques minutes. Car la pusillanimité – ou la sensibilité – du populaire répugne souvent à de pareils spectacles, alors qu'il se délecte des exécutions.

– Reprenez-vous, Martinelli! murmura l'Amateur.

Car le chirurgien était immobile, livide, les yeux fixés sur les organes demeurés à découvert sur la console.

– Si on leur disait que c'est un pendu? suggéra le colonel.

– Disposés comme ils sont, ils croiraient que c'est nous qui l'avons pendu, dit l'Amateur avec un calme parfait.

Martinelli sembla brusquement sortir d'un rêve, se secoua et s'élança dans l'antichambre.

– Mes amis, vous avez raison! C'est une impiété, un scandale! Ce pauvre homme est mort dans le jardin, et ils ont voulu savoir de quoi, au lieu de le faire ensevelir à leurs frais! Sépulture! Je réclame une sépulture immédiate! Sépulture!

– Sépulture! répétèrent deux ou trois voix dociles.

– Et qui va la payer?

– Ceux-là qui ont eu cette curiosité impie! Je fais une collecte!

Et, s'adressant au laquais cause de ce tumulte et qui, affalé sur un tabouret, tremblait encore :

– Vous, allez immédiatement au coin de la rue des Carreaux. Vous y trouverez trois hommes avec une civière et un drap Amenez-les ici immédiatement, sans quoi je vous garantis que, demain, c'est vous qui serez sur cette table!

L'homme obtempéra sans un mot et, en sortant, emmena la cohorte des excités. Il n'en resta qu'une demi-douzaine auxquels Martinelli remit une somme réunie à la hâte en proclamant : « J'exigerai une pension pour la veuve! » Propos absurde qui acheva de calmer les esprits bien que personne ne sût qui était le cadavre ni s'il avait une veuve.

– Ils se dispersent, dit l'Amateur. Voilà un bien joli petit kiosque perdu... Puisqu'il n'y a plus de laquais, Martinelli, versez donc le champagne à tout le monde. Nous en avons besoin. Et couvrez ces... débris. En ce qui concerne la dissection, je crois que nous en avons assez vu.

– Je le recouds sans remettre les organes en place? demanda le chirurgien.

– Nous n'en avons pas besoin pour ce que nous allons faire. Ce n'en sera que plus probant.

Martinelli enveloppa à la hâte les organes dans une toile épaisse, puis dans un sac. Ses mains essuyées, il but largement. L'Amateur le regardait avec curiosité.

– Je ne vous croyais pas si sensible... Je ne pense pas que vous ayez eu peur?

– Peur? Non, dit le chirurgien sans même s'offenser.

Il s'efforçait d'écarter de son esprit l'image d'un petit domaine pauvre, en Sicile, d'une femme sur le seuil qui lui disait adieu et qui, depuis, était morte « de privations ». Avait-elle mangé de l'herbe, cette femme? Avait-elle...

– Il me semblait bien, dit l'Amateur sans insister. Ah! voilà la civière. Vous avez terminé?

– Presque. Les porteurs sont des hommes à moi. Ils attendront.

– Des hommes à vous? Je ne vous savais pas si bien pourvu. N'est-ce pas curieux? Vous auriez pu me demander... C'eût été plus sûr.

– Pouvais-je deviner cette émeute, et que ce corps que Sanson livrait à midi contenait de l'herbe? J'ai engagé des garçons d'amphithéâtre, pour la discrétion.

– C'est juste. Pauvre homme! Il n'était guère besoin de le pendre. Il n'aurait apparemment pas survécu. Pourquoi l'a-t-on pendu?

– Pour avoir dévalisé une boulangère, Monseigneur.

– On le comprend. Avec ce qu'il avait dans l'estomac...

– Je crois qu'il l'avait aussi un peu assassinée, dit Martinelli qui s'était repris.

– Que voulez-vous? On se laisse entraîner... Le pauvre homme!

Martinelli ne sut pas si l'Amateur citait Molière.

***

Tout était prêt.

Là-bas la petite troupe de Von Schlieben, l'autel, le buste, et Antoinette. Car, dans le cas où se produirait un retard ou un empêchement, il fallait que tout parût vraisemblable et préparé de bonne foi. Un des risques de l'opération était la compagnie qui suivrait l'Amateur. Selon qu'elle serait plus ou moins nombreuse, l'enlèvement serait facile ou tournerait à l'échauffourée. Mais ce n'était pas ce risque qui troublait Martinelli.

D'abord la dissection, suivie de ce début d'émeute, avait inquiété une bonne partie des assistants qui, sans ordre bien évident du Prince, avaient préféré renoncer à une soirée si mal commencée. Ensuite l'habitude de celui-ci était de se déplacer sans grand apparat, et sans doute ne désirait-il pas donner trop de publicité à la tentative qu'il allait faire. Que n'avait-on dit, avant la Régence, de ses expéditions aux carrières de Vanves et de Vaugirard! Mais les circonstances eussent-elles été dix fois moins favorables, Martinelli se sentait engagé d'honneur à aller jusqu'au bout. D'une façon bizarre il s'y sentait engagé vis-à-vis du Prince lui-même, comme on se sent tenu de se rendre à un duel projeté.

Cependant, en montant dans le carrosse qui devait les conduire, avec deux seuls compagnons de l'Amateur, précédé par un carrosse moins brillant qui emmenait le corps, il n'avait pas de crainte matérielle, mais une remontée de vieilles superstitions, de légendes, de souvenirs... Et cette lancinante question : a-t-elle été si loin, ma mère, ma pauvre mère qui m'a confié, qui m'a quitté avec tant de larmes pour que je connaisse un sort plus heureux, a-t-elle été dans le désespoir jusqu'au point de cet homme, jusqu'au point de... Et sa pensée s'arrêtait net.

– Vous êtes rêveur, Chevalier?

– Je pensais à cet homme, pendu, en somme, pour cause de famine, et que nous allons faire souffrir dans son corps une seconde fois en l'invoquant contre sa volonté...

– De la pitié? demanda l'Amateur.

Et, à son sourire, Martinelli devina ses soupçons. Lui non plus ne se dérobait pas, mais allait vers un affrontement.

– De la pitié, sans doute. Et de la superstition aussi. Est-ce que ce fait qui ne s'est jamais produit depuis tant d'années que me passent par les mains des corps de toutes sortes n'est pas une sorte d'avertissement ?

– Pour vous, ou pour moi ? demanda l'Amateur nettement.

– Pour notre entreprise.

– Est-ce la même ?

Le sentiment du danger rendait toujours au Chevalier son énergie. Le duel était engagé. Il lui fallait oublier que, s'il s'était agi d'un jugement de Dieu, il n'eût pas été sûr d'avoir Dieu avec lui.

– Pour une part.

L'Amateur parut réfléchir devant cette franchise.

– Comment cela ?

– La part qui nous est commune, dit le Chevalier qui s'enflammait, c'est la curiosité, le doute, l'espoir peut-être d'aller au-delà des apparences, de l'apparence de la mort. Même si un instant, dans ce corps vidé comme un poulet, se réinstalle une pensée, un sentiment, un souffle, ce que les Anciens appelaient *aura*, cela nous ouvrirait des horizons que nous n'imaginons pas.

– Et l'autre ?

– L'autre part ? Mon Dieu, c'est que cette expérience que nous aurons peut-être à renouveler plusieurs fois, je crois, moi, ne connaître qu'Antoinette qui puisse la réaliser... et que j'espère me voir récompenser de vous avoir fait connaître Antoinette.

– C'est votre part d'intérêt ? La seule ? dit l'Amateur.

Il détournait la tête et regardait par la portière du carrosse pour cacher l'acuité de ses yeux malades.

Martinelli pensa à la Sicile, à ses illusions, à sa confiance en Alberoni qui avait diminué, et dit, en s'appuyant sur ce fragment de sincérité :

– C'est devenu la seule, oui.

L'Amateur parut convaincu, et poser les armes.

– Mais enfin, pourquoi cette fille ? Celle-là justement ? Ne me reparlez pas du verre d'eau, j'ai fait le calcul...

– Je n'ai parlé du verre d'eau que comme d'une expérience qui a pu, sinon vous convaincre, du moins vous troubler. Je vous aurais parlé de la vie d'Antoinette, vous n'auriez pas compris. Mais voilà la vérité : Antoinette n'est pas la petite fille au verre d'eau, elle est le verre d'eau.

C'était la trêve. L'Amateur se tourna vers son interlocuteur, vraiment intéressé, et, signe de détente, sortit son drageoir.

– Comment cela ?

Le Chevalier esquissa en quelques mots ce qu'il croyait savoir d'Antoinette.

– Je crois qu'elle a souffert si démesurément... Je veux dire qu'elle avait une capacité de souffrance tellement grande que sa personnalité, ses qualités et ses défauts propres, si vous préférez, s'y sont dilués. Une sorte de réaction chimique. Il n'est resté que la souffrance, en quelque sorte une souffrance impersonnelle... Le verre d'eau. C'est pourquoi un esprit de voyance peut la traverser aisément. A la limite, en appelant l'esprit de cet homme, elle n'aurait peut-être pas besoin de la présence de son corps.

– Alors pourquoi ?...

– Seriez-vous venu ?

L'affrontement reprenait. Franc, direct. On approchait de Vanves.

– Peut-être pas. Je crois ce que vous me dites de cette fille. Du moins, je crois que vous le croyez. Mais supposez l'expérience réussie...

– Oui ?

– Que peut nous apprendre un assassin – et assassin sans doute par maladresse : la femme a dû se mettre à hurler et, lui, porter un coup maladroit, malheureux... Avec son ventre plein d'herbe il devait se sentir justifié de commettre tous les assassinats du monde –, que peut nous apprendre un tel être ?

La botte était bien portée, et porta. Le Chevalier la reçut en pleine poitrine.

– Rien... dit-il d'une voix désarmée. Le malheur du monde, c'est tout.

– Les Larmes ?

– Les Larmes.

– Et si on lui parlait, à elle, en confiance, Antoinette ne nous en apprendrait pas autant, et plus ? Sans l'ombre d'un sortilège ?

– Antoinette et bien d'autres, dit Martinelli.

Et la pensée depuis plusieurs heures contenue éclata comme une bombarde dans son cerveau : « A-t-elle mangé de l'herbe ? Elle, ma mère ? » Il dit :

– Monseigneur, retournons.

– Mais nous y sommes presque, dit l'Amateur en détournant à nouveau la tête.

Une inflexion de voix, l'émotion d'un instant peuvent changer un destin.

– Retournons, Monseigneur. J'ai un pressentiment fâcheux.

– Si la jeune femme y est ? Si elle nous attend ? dit l'Amateur, aux aguets.

– Elle s'en retournera. Que peut-il lui advenir ? Sans doute est-elle venue avec son père, dit Martinelli imprudemment.

Il était facile de se saisir de cette sorte d'aveu. Ce père qui vient de Sceaux, cette fille qui apparaît et disparaît... L'Amateur choisit un angle d'attaque plus subtil.

– Et elle ? demanda-t-il. Nous avons parlé de notre

intérêt commun, du vôtre, nous n'avons pas parlé du sien.

Le carrosse cahotait péniblement sur de la pierraille. On approchait.

– Elle espère, dit précipitamment le Chevalier faisant appel à toutes ses ressources imaginatives, qu'à force d'invocations, un jour, sa mère lui parlera et lui révélera cette vérité qu'elle ignore.

– Vraisemblable, dit l'autre, d'un ton de connaisseur.

Jamais il n'avait été davantage l'Amateur : doute, ironie, curiosité mêlés.

– C'est vraisemblable, il faut le reconnaître.

– Monseigneur...

– Oui, je sais ce que vous allez dire : retournons. Nous ne retournerons pas. On ne peut pas retourner en arrière, Martinelli. Le pût-on, vous connaissez l'adage : on ne se baigne pas deux fois dans le même fleuve. Qui sait ce qui adviendrait si nous retournions sans être fixés?

A partir de cet instant, tout l'effort du Chevalier porta sur sa contenance. Il était brusquement certain que l'Amateur avait tout deviné.

Les carrières fournissaient craie, calcaire, pierre de taille, poudre de salpêtre. Pour s'épargner un double labeur, les tailleurs de pierre les extrayaient le plus géométriquement possible, en blocs carrés ou rectangulaires. Et, pour éviter des effondrements, ils ménageaient dans les cavités ainsi créées et qui s'enfonçaient de plus en plus loin de larges piliers, des arches gigantesques. Plutôt qu'à des grottes, ces excavations ressemblaient aux temples d'un peuple primitif, un peu géomètre.

A quarante mètres de l'entrée, dans une de ces excavations, Wilhelm et une dizaine d'hommes attendaient. Des changements de carrosses, des relais, des déguisements, des maisons à cachette et des voitures à double fond avaient été prévus. Et tout cela pour quoi ? Pour amener le précieux otage dans quelque prison humide où il mourrait de la poitrine, ou d'une de ses attaques. Quelle stupidité, pensait Wilhelm qui était pour les solutions expéditives. Compliqué comme un roman de La Calprenède. Alors qu'un coup d'épée ou de pistolet, une tombe dans ces carrières abandonnées, et fuir pour aller percevoir en Espagne une rente bien méritée et, d'une confortable demeure, voir se dérouler la suite des événements dont on est en partie l'auteur, voilà qui est simple, irréversible, sain. Et qui dispensait de toute cette mise en scène : dans l'excavation la plus vaste, un autel naturel couleur de sable sur lequel trônait le buste, amené là dans de la paille, au pied duquel on déposerait ce corps répugnant, recousu à la hâte du pubis au sternum, avec du fil poisseux de sang.

Et Antoinette qui tremblait dans un recoin, et dont on ne savait ce qu'elle allait encore inventer. « Elle fera ce que je lui dirai, exactement, avait déclaré Malouin des Essarts. Elle sait invoquer les esprits, elle s'y essayait sans cesse en Hollande, pauvre sotte ! » Et il ajoutait, fat même en ce qui regardait sa fille : « Il suffit que je la tutoie un peu, que je l'appelle par son prénom. » Pauvre fille, pensait Wilhelm avec indifférence.

Le carrosse s'était arrêté à quelque distance. Les quatre hommes s'avancèrent en silence, l'Amateur et Martinelli devant, les deux compagnons du Prince en retrait, maudissant la « faveur » qui les avait entraînés là. D'ailleurs ils s'arrêtèrent vite, laissant Martinelli et l'Amateur s'avancer.

Ils arrivaient à l'entrée même de la grotte. On voyait distinctement le corps étendu, le buste en cire qui présidait à tout cela, un homme qui rajoutait des torchères, Antoinette debout, dans une robe grise, le visage blanc comme de la craie. Le Prince s'arrêta.

– Elle est venue, dit-il avec une certaine surprise.

– Pourquoi ne serait-elle pas venue? demanda le Chevalier en se raidissant.

Il faisait un effort surhumain pour ne pas regarder autour de lui. Il sentait des présences dans la pénombre. Mais était-ce les hommes de Wilhelm ou d'autres?

– Par peur, par scrupule... suggéra l'Amateur.

Il s'assit posément sur une des grosses pierres taillées qui faisaient au caveau une sorte de marchepied.

– Vous allez salir votre habit, Monseigneur, dit Martinelli en serrant les dents.

– Dire que j'ai eu envie de cette fille-là, soupira le Prince avec naturel. Elle est à faire peur.

Il tourna vers Martinelli debout son regard voilé mais pourtant pénétrant.

– Je ne joue pas avec vos nerfs, mais dites-moi tout de même... a-t-elle des pouvoirs? Ce que vous me disiez... le verre d'eau... Vous y croyez?

Il y avait dans sa voix une subite, une sincère naïveté. Martinelli se sentit tenu de répondre avec la même bonne foi.

– Je ne sais pas. Elle est belle, mais jamais, même un instant, je n'ai ressenti à son encontre de désir. Elle m'aurait plutôt donné le mal de mer. C'est sans doute que je n'ai pas le courage de regarder le malheur en face. Le malheur totalement injustifié, totalement vécu, pur. Mais il se peut... oui... je crois qu'il se peut qu'en compensation elle ait... qu'Antoinette ait... certains pouvoirs. D'ailleurs ce n'est peut-être pas une compensation, mais un malheur de plus. On parle toujours du problème du mal, Dieu sait que les théologiens ont entassé à ce sujet des pages et des pages, mais le problème du malheur – celui qui est complètement immérité, qui tombe comme un hasard, comme le billet noir d'une loterie...

Il était tout à coup debout dans le soleil impitoyable – si dur qu'il amenait parfois l'incendie spontané d'une meule –, dans la pierraille désolante de Sicile. Il s'en allait du malheur. Le quittait, le reniait. Il faisait adieu de la main au malheur, cette femme vieillissante sur un seuil...

« Mais qu'est-ce qu'ils font? s'interrogeait Wilhelm furieusement. C'est bien le moment de tenir des discours! S'il arrive quelqu'un... Si Antoinette craque... »

Les deux « invités », par respect, se tenaient à faible distance, et détournaient leurs yeux du spectacle de la grotte, plus distinct à mesure que la nuit tombait.

Le regard de l'Amateur se teintait de sympathie.

– Vous n'avez pas la foi, dit-il.

– Et vous, Monseigneur? osa le Chevalier.

Aussi bien il sentait que tout était perdu. Le ton du Prince était celui, miséricordieux, de qui s'adresse à un condamné.

– On ne peut pas avoir le pouvoir et la foi. Parfois l'idée de l'Autre m'a paru vraisemblable... Mais le reste... la survie, la récompense...

– Il faut beaucoup de courage pour avoir la foi, dit Martinelli. (Il avait renié le malheur. S'il avait eu la foi, il aurait pu se croire damné.)

– Vous avez eu celui de venir jusqu'ici, dit le Prince en se levant.

La trêve était finie. Les deux regards se firent face de nouveau, à même hauteur.

– ... Souhaitez-vous quelque chose?

– Pour ce pauvre homme, dit Martinelli, une sépulture chrétienne. Il me pèserait de rester sur le sentiment d'avoir commis une sorte de sacrilège, de trahison, d'avoir insulté à... au malheur.

– Noble sentiment. Et n'avez-vous pas trahi encore quelque autre chose? Allons, ne pâlissez pas. Vous vous êtes bien tenu. Derrière ce rideau d'arbres, vous trouverez un cheval. Un très bon cheval... Un genêt d'Espagne... Hâtez-vous, nous sommes encerclés.

Martinelli eut un moment d'hésitation. Finalement, il aurait voulu savoir, pour Antoinette.

– Même dans ces circonstances, vous ne voulez pas tenter l'expérience?

– Vous êtes fou, Martinelli. Un vrai fou! Un Don Quichotte! Sauvez-vous. Moi non plus, je n'aime pas le malheur.

Les silhouettes de la pénombre s'étaient matérialisées. Martinelli disparut d'un pas rapide.

– Nous ne poursuivons pas, Monseigneur? demanda l'un des compagnons du Prince.

– Non.

Et au commandant de la petite troupe qui s'était, depuis cinq heures, dissimulée, avertie par un commissaire anonyme de la Nouvelle-France :

– Renvoyez cette jeune femme chez elle. Qu'on la raccompagne où elle voudra, sans une question. J'ai dit : sans une question...

– Ni un message de votre part, Monseigneur? hasarda l'homme.

L'Amateur hésita, buta sur une phrase miséricordieuse, telle que « je lui baise les mains », y renonça. On ne baise pas les mains du malheur. Il pourrait être contagieux.

– Rien.

Quelques instants plus tard, une douzaine d'hommes étaient extraits des diverses excavations où ils se cachaient, et arrêtés après une bagarre qui ne fit que deux morts. Wilhelm von Schlieben n'était pas parmi eux. Échappé à temps, il eut l'audace, n'étant pas connu de nom par les mercenaires qu'il avait embauchés, de retourner à Sceaux où le récit de son échec fut accueilli par des lamentations qui firent place, au petit matin, à de nouveaux projets.

A l'Hôtel des Arcoules, Jeannette apprenait l'évasion de son mari, rien de plus. Catherine attendit des nouvelles toute la nuit. Dans la matinée, avec autant de simplicité qu'il l'avait abandonnée, son père vint la chercher pour la réinstaller chez lui. A sa bonne humeur elle devina qu'on l'avait payé pour cela.

****

Il y a des années maintenant que je vis sur la réputation de mon buste des *Larmes*. Mes *Gémeaux*, la commande de plusieurs anatomies complètes, certaines pour l'Allemagne et la Russie, mon nom parvenu dans des Cours étrangères, tout part de là. *Les Larmes* m'ont porté bonheur. Pourtant, dans la bagarre des carrières de Vanves, le buste de l'Amateur avait été réduit en miettes. Mais il eut la bonté de me recommander, pour me dédommager en quelque sorte de l'exil du Chevalier, et la vogue fut lancée.

Réinstallée chez mon père, je travaillais avec ardeur, malgré la mélancolie de l'absence, quand Charles Sanson me fit demander un rendez-vous secret pour me rendre la réplique des *Larmes* que, sur sa demande, j'avais exécutée. Il n'en avait plus, me disait-il, l'usage. Je supposai là quelque chose comme un dépit amoureux.

Deux ans avaient passé. Et malgré la disgrâce du duc et de la duchesse du Maine après l'échec d'une nouvelle conspiration (dite conspiration de Cellamare, bien que ce malheureux ambassadeur, qui se plaisait tant à Paris, y eût pris, à mon sens, aussi peu de part que possible), Antoinette avait enfin, par la duchesse, été dotée et, malgré son âge – près de trente ans –, reçue en mariage par une excellente famille de Marseille. Elle était donc partie, seule, la duchesse et ses proches étant peu après consignés chez Monsieur le duc, à Dijon, puis à Savigny, et enfin, je crois à Chanlay. D'autres avaient rejoint Monsieur des Essarts (définitivement anobli par son arrestation) à la Bastille où il était depuis notre affaire. Ils n'y restèrent guère, sauf une femme Dufresne qui y mourut. Wilhelm avait été arrêté à Bayonne en fuyant. Je n'eus plus jamais de ses nouvelles et ne m'en souciai pas.

Mais un chagrin que j'eus, et qui fut sincère, fut la mort de Jeannette. La sage-femme des Porcherons n'avait eu que trop raison. La nuit de la conspiration, où elle avait cédé aux instances de Jean-Marie, lui fut fatale. Elle mourut en couches neuf mois après et l'enfant, un petit garçon pas même baptisé, la suivit sans tarder. Au moins n'eut-elle pas le chagrin de voir, quelques années plus tard, son Jean-Marie pris et pendu avec le reste de sa bande.

A toutes ces traverses Antoinette avait échappé. Elle trouvait enfin, semblait-il, une heureuse issue à tant d'aventures et de tourments. Son futur époux, d'une bonne noblesse de robe, notablement plus âgé qu'elle, devait l'accueillir avec une infinie bonté. D'une famille lointainement alliée aux Montespan, et donc indirectement au duc du Maine, il ne voyait dans ses vicissitudes que les revers d'un admirable dévouement. Ces raisons, autant que ses dispositions naturelles, l'inclinaient à la compréhension, à l'indulgence et, ce qui vaut mieux encore, à la discrétion. Le contrat fut signé et, de Marseille, Antoinette me l'écrivit.

Sa lettre me surprit un peu. Elle avait su mes efforts désordonnés pour éviter l'arrestation du Chevalier et, par conséquent, d'elle-même, et m'en savait gré. Elle y voyait plus d'amitié que je n'en avais mis dans ces démarches. Et, du reste, étant ce qu'elle était, elle n'avait eu en somme, dans cette période difficile, d'autre amie que moi. Elle me le dit avec un naturel qui me toucha. Elle ajoutait quelques mots sur cette aventure qu'elle désirait oublier, et qui, sur ce sujet, seraient, disait-elle, les derniers. Ignorant le sort de son buste, elle me demandait si j'avais quelque moyen de rentrer en possession de cette œuvre (celle qui était aux mains de Sanson), de la détruire ou, du moins, de la cacher. Elle se faisait un scrupule de me priver de la réputation que pouvait me procurer mon ouvrage, mais s'il m'était possible – en préservant le profil anatomique – d'altérer quelque peu les traits de l'autre de manière à ce que l'on ne pût la reconnaître... Un petit paquet pour Sanson était joint à cette lettre, qu'elle me priait de lui remettre. Quelques bonnes paroles suivaient : je lui avais été d'un grand secours dans une période difficile, et elle savait que j'en traversais une moi-même. Mais il fallait déjà nous réjouir de la fuite du Chevalier, et l'Espagne n'était pas si lointaine ni si inaccessible qu'il n'en pût revenir bientôt, ou moi m'y rendre... « Il me paraît impossible, écrivait-elle, que deux êtres aussi bien faits pour s'entendre ne se retrouvent pas. »

Ces mots me firent plaisir. Je les sentais sincères. C'est le ton général de sa lettre qui m'étonna. Elle demandait, de la façon la plus naturelle, de lui envoyer pour son mariage prochain un certain nombre de choses qu'elle ne trouvait pas, ou qui n'étaient pas à son goût, à Marseille. C'était des détails infinis, des questions de draps, de vaisselle, de manteaux de nuit, de bonnets, de dentelles pour manchettes et de dentelles pour rabats pour lesquelles elle semblait soudain éprouver un intérêt passionné. Elle me demandait aussi s'il était vrai que les paniers, au lieu d'être soutenus par du crin et des jupons, le fussent maintenant, à Paris, par une simple armature d'osier. Si la chose était répandue et décente, me serait-il possible de lui en envoyer un modèle par le coche d'eau? Avec les chaleurs de Marseille auxquelles elle n'était pas habituée, elle en aurait bon usage. Il est vrai que cette mode arrivait d'Angleterre, cette année-là, mais elle était encore considérée (avant que l'habitude ne s'installât) comme d'assez mauvais ton. Certaines qui voulaient concilier le dernier cri et la bonne réputation se faisaient faire ces armatures d'osier jusqu'au genou seulement et les prolongeaient d'une large bordure de crin dont le poids empêchait la jupe de se soulever : on appelait cela des « paniers jansénistes ».

Mon habitude étant de n'aller pas au-delà de ce que l'on me demande, je répondis dentelles et paniers, nombre de draps et de couettes, organisation d'un hôtel qui, à ce que m'en disait Antoinette, paraissait témoigner d'une belle aisance. Je n'avais pas à me plaindre non plus. Mon père venait d'avoir la délicatesse de mourir et j'appréciais pour la première fois son avarice qui, outre une maison délabrée mais fort belle et bien située, me laissait un capital tout en or car il n'avait tenu aucun compte des interdictions de Monsieur Law, qui devait s'effondrer cette année-là. Moi-même, par un coup de chance, j'avais cédé avec un fort bénéfice les actions que j'avais acquises ou reçues, afin de restaurer la maison. Ce que je fis dès après la mort de mon père, visant, puisque je n'étais pas mariée ni ne désirait l'être, à donner l'image d'une modestie volontaire, étayée par de solides rentes (ce n'est que sous cet angle que l'on apprécie la modestie), et d'une vie mondaine mais axée sur les sciences, assaisonnée d'un peu de dévotion, nécessaire quand on reste fille. J'avais l'ambition de me créer un salon, et j'y réussis par après. Je dirai grâce à qui. La vraie solitude est l'absence de l'être aimé. Je l'éprouvais tous les jours. Mais hormis celle-là, j'étais entourée de Luc, Lucien et Bénédicte, que j'avais recueillis à la mort de mon père, et faisais élever près de moi.

Je crus pouvoir donner ces détails à Antoinette. Si l'on peut appeler cela une amie, elle était, à ce moment-là, ma seule amie. Et surtout la seule qui, avec moi, avait connu le Chevalier. Cela suffisait à me la rendre chère puisque je n'avais de lui aucun souvenir tangible. La spéculation avait détruit, jusque hors les murs, les hôtels trop vieux ou inhabités, et l'Hôtel des Arcoules s'était écroulé comme les autres, avec son cabinet de curiosités, et cette chambre jaune où j'aurais aimé être encore.

Cela je ne le lui écrivis pas. Je garde pour moi mes soupirs. Mais rien que de tracer les mots « quand vous demeuriez rue d'Enfer », « quand j'allais chez le volailler avec mon bonnet de servante », ranimait pour moi des souvenirs qui avaient pris toute leur valeur (nos disputes, Chevalier Martinelli !). J'écrivais pour moi, pour lui, autant que pour Antoinette, car je fus deux ans sans nouvelles bien qu'on m'affirmât qu'il n'était pas mort. Mais, entraîné par la disgrâce d'Alberoni jusque-là Premier ministre tout-puissant en Espagne, mon grand politique dut se cacher encore dans le pays qu'il avait considéré comme le plus sûr asile. Cela le fit réfléchir, je crois. Car, quand enfin il parvint à me faire passer un message, j'y trouvai cette phrase surprenante : « *Ces heurs et malheurs m'auraient moins affecté s'ils ne m'avaient séparé de vous, et si je pouvais les attribuer à quelque noble dévouement, à une conviction qui fût mienne.* »

Ces mots me surprirent tellement que je ne pus me tenir d'en faire part à Antoinette. Je sautai ce qui avait trait à notre séparation et qui ne regardait que nous (encore qu'il fût assez remarquable, à mon sens, que nous eussions jamais douté l'un de l'autre), mais je lui racontai le « noble dévouement » et la « conviction ». « Les nobles causes, lui disais-je, sont à la mode, encore que considérées comme dangereuses par tous les vieux barbons. Je constate que nos foucades atteignent aussi l'Espagne. Je me demande si l'on y porte déjà des paniers jansénistes ! »

Sur cette plaisanterie je demeurai la plume en l'air. Tout noblement convaincu qu'il fût aujourd'hui, je sais que le Chevalier n'eût pas laissé passer une occasion de rire. Mais Antoinette n'avait jamais été du genre rieur. Même ses infinis développements sur le nombre de bonnets de nuit nécessaires à un train de maison honnête étaient dépourvus d'esprit. On pouvait se demander s'il s'agissait encore d'une feinte ou d'une fuite. Il m'était évidemment impossible de le lui demander. Je resterais toujours dans le doute. Je ne me résolvais pas cependant à terminer ma lettre. Elle me parlait, entre deux listes de surtouts de table et de garnitures de cheminée, de détruire ou de défigurer *Les Larmes*. Lui dirai-je que je ne pouvais m'y résoudre ? Lui raconterai-je la visite de Sanson ?

N'osant venir me trouver dans ma nouvelle demeure, et l'Hôtel des Arcoules étant aux trois quarts démoli, il me donna rendez-vous dans un rez-de-chaussée de la rue des Éperonniers, près de la Grève, endroit, d'après lui, d'une discrétion à toute épreuve. J'acceptai. J'étais un peu moins insouciante de ma réputation : j'avais dépassé vingt ans et je ne me souciais pas qu'on m'aperçût avec le bourreau.

L'endroit était discret, en effet. Une petite porte, sans reliefs ni ornements, prise dans le mur, se laissait à peine soupçonner. J'eus pendant un moment peine à la trouver. J'avais laissé ma chaise à quelque distance. La porte, bien apprise (ou plutôt bien huilée), s'ouvrit comme d'elle-même, et je me trouvai dans un salon tout en largeur, tendu d'un damas rouge tout neuf, orné d'estampes au bord du licencieux, voire de l'obscène, mais de jolie qualité, et meublé de plusieurs causeuses, de canapés, de guéridons, de fauteuils étonnamment larges – vous m'entendez. Un mauvais lieu, sans nul doute. Mais ce sont, en somme, les plus sûrs parce que celui qui prétendrait vous y avoir vu avouerait du même coup s'y être trouvé.

Sanson était là. Sombre, et d'apparence, me sembla-t-il, plus lourde et plus rustique que dans mon souvenir. Il avait toujours ses beaux yeux aux cils de femme. Mais il ne m'émouvait plus.

– C'est l'endroit... me dit-il d'emblée et sans nulle formule de politesse, ce qui me surprit car il avait toujours pratiqué, ou affecté, la plus parfaite courtoisie... L'ancienne maison de la Brincourt. On a rafraîchi la pièce, mais dans le même style. Pour garder les habitués.

Ces détails me parurent incongrus. Et comme sur l'un des guéridons j'apercevais une caisse :

– Ce sont...

– Ce sont *Les Larmes*, oui. Ce n'est plus autre chose qu'une pièce anatomique. Elle peut vous faire besoin.

Son langage même s'était comme alourdi, chaque mot traînant derrière lui un poids de maussade résignation. Affectation nouvelle? Défi? « Vous avez voulu que je sois bourreau? Je le suis, de la tête aux pieds! »

Il y avait deux ans que je ne l'avais vu. Deux ans que le Chevalier était en Espagne. Mon père venait de mourir. Paris bruissait encore de la chute de Monsieur Law, beaucoup étant ruinés, certains allant jusqu'à mettre fin à leurs jours, quelques-uns, plus avisés, ayant fait fortune sur les débris de cette énorme partie de cartes. On parlait d'alliance franco-espagnole, ce qui, peut-être, amènerait le retour du Chevalier. Et j'avais charge d'âmes : Luc, Lucien et Bénédicte couraient dans le vieux jardin triste où j'avais erré toute seule. Et d'entendre leurs cris joyeux me soutenait dans mes projets de réorganisation de ma vie et de ma maison. J'avais autre chose à penser qu'aux états d'âme de Monsieur Sanson.

Cependant j'étais là.

– Avez-vous des nouvelles? me dit-il de cette façon, presque grossière, qu'il avait adoptée.

Je ne me demandai pas de qui, ni ne fis de finesse. Je savais bien de qui il voulait me parler.

– Une lettre ou deux. Un petit paquet pour vous, que voici.

– Et?

– Mon Dieu, les choses paraissent s'arranger... Monsieur des Essarts est sorti de la Bastille, qui l'a guéri de beaucoup de ses chimères, je crois. Il part pour Marseille établir sa fille. (Je préférai ne pas prononcer le prénom d'Antoinette, pour ne pas le blesser davantage. Mais ma délicatesse fut bien perdue.)

– Antoinette se résigne-t-elle? Se plaint-elle? Non, n'est-ce pas?

Que dire? Impossible de parler bonnets et garnitures de table à cet homme désespéré.

– Elle se résigne, dis-je prudemment. Une autre ville, une rupture complète avec le passé...

Il bondit.

– Une rupture avec le passé! Avec ceci! fit-il d'un geste qui désignait la pièce, lui-même, la caisse contenant le buste, moi, que sais-je encore. Pourra-t-elle jamais oublier... ceci?

Il déchira brutalement l'enveloppe du petit paquet. Il contenait – sans un mot, je le vis – cette bague couleur de sang que j'avais toujours vue à Antoinette.

– Mais oui, mais oui, elle pourra! dis-je, agacée. Il n'y a pas de raison pour qu'elle passe sa vie à pleurer.

Il s'assit brusquement. Jusque-là nous étions restés debout, raides, ne nous reconnaissant plus l'un l'autre, embarrassés du trop ou du trop peu que nous avions à nous dire. Là je retrouvai son regard, cette interrogation douloureuse, animale, qui avait émue autrefois la petite Catherine. Mais je n'étais plus la petite Catherine.

– Non, il n'y a pas de raison. Pour personne, dit-il comme à lui-même, d'une façon un peu obscure mais que je compris. (Et, dans un élan de révolte ou de passion :) Elle était innocente, vous comprenez? Totalement innocente! Quelle que fût sa mère, quel que fût son père! Nous... Nous étions deux. Nous étions ensemble. La seule personne...

Il s'arrêta, incapable de trouver les mots susceptibles de décrire ce qu'il avait cru être pour lui le seul amour possible.

– Il n'y avait pas de raison à notre malheur, dit-il encore, et il s'arrêta devant l'insuffisance de sa phrase.

Ses grandes mains se crispaient sur ses genoux, il émanait de lui une colère sourde qui ne s'adressait pas seulement à Antoinette, mais au monde entier qui le réprouvait. Il faisait peur.

– Mais... dis-je, un peu tremblante... rien qu'autour de nous... Beaucoup d'innocents souffrent... Les enfants de Jeannette...

– Des gueux! dit-il avec violence. Le père est un bandit, elle le cachait chez vous...

– Mais le père, ou la mère, d'Antoinette... Votre propre père... Et les famines, les guerres, qui font tant de victimes...

Je lui parlais avec une douceur appliquée, comme on parle à un fou, et, en même temps, je ne pouvais m'empêcher de penser à l'incongruité de tels propos, tenus là où nous les tenions. Il est vrai que pour lui ce lieu n'évoquait pas de joyeuses débauches, mais était une station du calvaire d'Antoinette. Qu'on ne pense pas que je n'éprouvais aucune compassion. Je sentais la sincérité de sa souffrance. Mais qu'il eût souhaité, dans cette souffrance, maintenir Antoinette pour toujours, c'est une façon d'aimer à laquelle je ne puis m'accorder.

– Vous l'aimez. Vous devez lui souhaiter un peu de paix, d'oubli.

– Je ne l'aimais pas, dit-il farouchement. C'était *Les Larmes* que j'aimais.

On venait. Il se leva et ajouta en regardant la caisse, ces paroles étranges :

– Au fond, il n'y a pas de péché originel.

Il avait glissé la bague à son petit doigt.

Déjà la Fillon était là avec un homme sans livrée qui devait transporter la caisse jusqu'à ma chaise. Elle parut, s'excusa de paraître, me fit des civilités que j'acceptai, trop heureuse d'échapper à une plus longue conversation avec un homme pour lequel je ne pouvais rien.

J'appris ainsi que notre inspecteur de police, pour avoir laissé échapper le mari de Jeannette autant que pour n'avoir pas pris au sérieux le complot Malouin, avait été cassé et était tombé dans la plus noire misère. Le commissaire anonyme qui avait recueilli les déclarations de Jean-Marie Vigneron avait tiré les marrons du feu et été promu à je ne sais quelle dignité. La Fillon s'émut un instant, sans excès car elle n'avait pas été entraînée dans le discrédit de Jailleau. Au contraire, elle me dit aussi avoir joué un rôle dans la découverte de la conspiration dite de Cellamare qui devait éclater quelques mois après « la nôtre ». Et, maternellement, m'informa que le Régent ne m'en voulait pas le moins du monde, et me recommandait aux amateurs de curiosités. Je sus ainsi à qui je devais certaines commandes. Ma politesse vis-à-vis d'une entremetteuse peut surprendre, mais j'aspirais à ce que Sanson s'en allât, avec sa malédiction, sa colère, son chagrin, et toutes ces émotions qui ne gagnent pas à être étalées. Aussi continuai-je à parler avec cette femme dont on n'aurait pu, du reste, deviner la condition tant, quand elle le voulait, elle avait un air de politesse et de bonne grâce qui plaisait. Ceci encore tourna à bien, car elle fut touchée de ma complaisance sans en deviner le motif et, quelque temps après, quand je me mis à recevoir, et à former le noyau de ce que l'on appelle aujourd'hui un salon, je sus que la Fillon en faisait l'éloge et, pour ainsi dire, m'envoyait la fleur de sa clientèle, ce qui m'aida beaucoup dans les débuts. Enfin, après avoir échangé toutes les civilités possibles, nous nous retournâmes vers Sanson que nous espérions l'une et l'autre voir prendre congé et disparaître à jamais de nos vies. Il était à genoux dans un coin de la pièce, et priait.

– Laissons-le, dit la Fillon doucement. Je m'en occupe. Allez vite, mon enfant.

Ce fut la dernière fois qu'on m'appela enfant, et la dernière fois que je vis Sanson. Comme je sortais, il murmura encore :

– Si, un jour, vous refaisiez un buste des Larmes... avec un autre visage...

– J'y penserai, dis-je en m'échappant, bien résolue à n'en rien faire.

Voilà ce que j'hésitais à écrire à Antoinette. Lui parler de Sanson aujourd'hui était déjà une indélicatesse. Et puis, quel sens donner à leur double requête ? *Les Larmes*, sans son visage, n'avaient pour moi plus de visage du tout.

Une larme sans visage, une larme au sens chimique du terme, n'est pas sans doute sans intérêt. On peut la peser, l'analyser, décrire d'où elle vient et comment elle se forme. Mais la véritable merveille est la conjonction de cette larme chimique et de la mélancolie, sans poids, sans forme, qui s'incarne. C'était tout l'intérêt (ambigu, j'en conviens, et c'est pourquoi mon maître, tout en l'admettant réussi, critiquait mon buste comme scientifiquement impur) des deux profils d'Antoinette, et peut-être de la vie même d'Antoinette. Nous avions tout su sur elle, ou à peu près, et pourtant nous ne savions pas pourquoi elle troublait, elle interrogeait. La beauté, oui. La beauté et la douleur. Peut-être parce que la beauté, en dépit de la douleur, contient un élément de sérénité et d'harmonie ? Mais Antoinette ne donnait pas le sentiment de l'harmonie. Ou plutôt elle donnait le sentiment d'un extrême désordre, dont l'harmonie était un élément. Mais on aurait pu dire aussi de sa douleur égarée qu'elle était harmonieuse, et que le désordre n'était qu'une des notes indispensables à cet accord. On pourrait continuer ainsi sans fin, et dire encore qu'Antoinette était un peu folle et, peut-être même, un peu sotte. Les destins tragiques sont souvent fondés sur ces malentendus.

Et voici le dernier. Tandis que je m'enquerrais du prix des veloutines et que je cherchais une heureuse formule qui eût signifié : « Antoinette, comment faites-vous pour vivre avec un seul profil ? », elle y avait déjà répondu. J'écrivais encore (mais, cette fois, la lettre partirait au prochain courrier, car Antoinette devait s'impatienter) qu'un certain capitaine Chataud relâchait à Marseille, avec sept morts à son bord. L'ensemble du personnel du lazaret n'appliquait plus depuis longtemps les mesures de sécurité obligatoires. On ne reconnut pas tout de suite la peste. Mademoiselle Malouin des Essarts et le Président de Laugiron furent parmi les premières victimes, atteints la veille de leur mariage. Du moins le dit-on. Qu'ils soient morts, c'est indubitable, mais la veille de leur mariage, c'est encore là un des tours d'Antoinette. Elle était d'une nature à susciter des légendes. Pour un peu on l'eût dit tombée morte, toute noire, au pied même de l'autel tout blanc. Et moi-même, qui suis si peu légendaire, si peu mystérieuse, n'empêche que, suçant ma plume, cherchant mes mots, je n'écrivis à une morte.

Bien des choses ont changé depuis ce temps. J'étais pauvre, je suis presque riche. J'étais laide, passe la mode des grands nez aristocratiques et des gros seins couverts de joyaux, et me voilà presque jolie (du moins m'accorde-t-on des « restes de beauté » : j'ai trente ans). J'étais inconnue, et l'on sollicite l'honneur de fréquenter mon salon. Monsieur de Fontenelle y passe. Monsieur de Voltaire connaît mon nom! Voilà ce que c'est qu'une heureuse nature. Si j'avais eu le tempérament d'Antoinette, j'aurais fini sur l'échafaud.

Je n'ai jamais revu Sanson. Je ne sais s'il rêve toujours à l'abolition de la peine de mort, ni s'il a eu le temps de lire Beccaria avant de mourir. Peu de temps après m'avoir rendu le buste d'Antoinette, il rouait le comte de Horn, apparemment sans problème. Et je ne sais s'il avait appris la mort d'Antoinette à Marseille quand, quelques mois après, il rouait Cartouche et pendait Jean-Marie devant une foule enthousiaste. Je cachai le fait à Lucien, depuis devenu mon secrétaire, et à Luc, qui est aujourd'hui au séminaire de Bordeaux. Bénédicte, avec ses douze ans tout occupés de parures et de leçons de danse, a oublié depuis longtemps qu'elle a eu des parents qui l'aimaient. Tous trois ignorent qu'il y ait eu le moindre rapport entre le fameux bandit et leur père disparu.

Je le vis cependant, ce jour-là – c'est mon dernier retour en arrière.

En 1721, comme je passai non loin, mon cocher m'engagea à jeter un coup d'œil sur la Grève, qui n'avait jamais été aussi pleine de monde. Je le vis, ce fameux Cartouche, en montant, il faut l'avouer, sur le siège du cocher. Mais chacun en faisait autant et se juchait au plus haut qu'il pouvait. Je le vis. C'était un très petit homme, au visage éveillé. On disait qu'il était d'une agilité merveilleuse, sautait d'un toit à un autre (ce fut aussi le passe-temps de certains rois de France : Charles IX peut-être, ou François II. C'étaient des Valois) et d'une maîtresse à l'autre avec même prestesse. « Regardez, Mademoiselle ! C'est Cartouche ! C'est lui-même ! » disait mon cocher, émerveillé comme s'il avait vu la Vierge – à supposer que cette apparition l'eût émerveillé. Je vis pendre ensuite Jean-Marie. Mais celui que je regardais, sur l'échafaud, entouré de ses aides, c'était cet homme que j'avais connu, avec ce même air triste, décent, qui inspirait la pitié et l'horreur. Il y a des choses qui ne changent pas, quoi qu'en dise le Chevalier, que j'appelle encore quelquefois mon maître.

Après la mort de l'Amateur, il est enfin revenu d'Espagne, basané comme un Maure, devenu comte par la mort reconnue de son frère aîné. Comme il semble qu'il n'y ait rien à en tirer que de tristes souvenirs, nous n'irons pas visiter son comté. C'est peut-être tant mieux. Il le renie, d'ailleurs, depuis qu'il fréquente des hommes de lettres, des philosophes, et tient des discours subversifs qui animent nos petites réunions. Il a été converti, semble-t-il, au « progrès », par une histoire de touffe d'herbe dans l'estomac d'un malheureux qu'il disséquait. Je lui passe cette nouvelle folie. Il lui en faudra toujours une. Celles de ces Messieurs ne mèneront pas loin. Ils croient changer le monde ! Comme si le monde changeait !

La preuve : la dernière fois que je suis passée par la Grève un jour d'exécution (maintenant j'évite ces spectacles dont la mode passera. Voilà au moins un progrès dans lequel je me permets d'espérer), il y avait sur l'échafaud un bel enfant de sept ou huit ans, un peu pâle, avec de grands yeux noirs. On me dit que c'était le fils du défunt Sanson, qui lui avait succédé dans sa charge, et que, pour qu'il pût toucher ses primes et s'aguerrir, il était tenu, sans y prêter la main, d'assister à toutes les sortes d'exécutions pratiquées par ses aides. On l'appelait Charles Jean-Baptiste. On l'observait avec curiosité, avec compassion, avec horreur. Quelqu'un dit qu'il faisait bonne contenance. C'est ce qu'on disait autrefois de son père, une fois qu'il eut appris la pratique de son art. Et pourtant, c'est une expression qui paraît plus applicable à un condamné qu'à un bourreau, non ?

Mais nous sommes tous l'un et l'autre, je suppose. Les deux profils. Me voilà devenue philosophe. Qui eût dit cela de la petite Catherine. Il y a dix ans cela eût paru bien ridicule, comme le bavolet et la fidélité en amour. Sur ce dernier point, j'ai toujours eu ma petite idée personnelle. Je ne la développerai pas. Il est cinq heures, j'entends le Chevalier qui monte.

POSTFACE

Ce roman n'est pas un roman historique. C'est un roman qui se situe dans un contexte historique dont je me suis efforcée de reconstituer le climat avec le plus d'exactitude possible. Les personnages principaux sont imaginaires, ou l'on en sait si peu de chose qu'ils pourraient l'être. Beaucoup d'anecdotes proviennent de textes d'époque (la dame reconnaissant sa cuisinière à l'Opéra, celle qui crie « au feu », pour attirer l'attention de Law, etc.) et le complot que je prête à la duchesse du Maine et à ses amis ressemble à ceux qu'elle a pu projeter ou ourdir dans la période précédant immédiatement la conspiration de Cellamare.

Achevé d'imprimer sur presse CAMERON
dans les ateliers de B.C.A.
à Saint-Amand-Montrond (Cher)
en décembre 1993

N° d'édition : 14894. N° d'impression : 93/773.
Dépôt légal : janvier 1994.
Imprimé en France